L'AFFAIRE
GOUZENKO

WILLIAM STEVENSON

L'AFFAIRE GOUZENKO

TRADUCTION MICHÈLE GARÈNE

CARRERE

Réalisation de l'édition française : BOOKMAKER
© 1ᵉʳ Copyright 1986 - Éditions CARRERE
Avril 1986
Tous droits réservés, y compris l'U.R.S.S.
© William Stevenson Ltd
Publié sous le titre original « Intrepid's Last Case » par Villard Books a division of
Random House, Inc., New York et Random House of Canada Limited, Toronto

Direction technique : 9 bis, rue Montenotte 75017 Paris
Siège social : 27, rue de Surène, 75008 Paris

ISBN 2-86804-259-7

A674211

A MAGGIE ET ABDUL MARZOUCA

« La tromperie est un jeu d'ombres et de lumières... Un clair-obscur. Il faut amener les gens à voir du blanc là où il y a du noir si c'est nécessaire au progrès de la révolution... »

Ces lignes sont extraites du manuel de « désinformation » et de tromperie offert à Lénine par son compagnon de voyage, le communiste allemand Willi Münzenberg, dans le célèbre train plombé qui transporta Lénine tel un incube en Russie en 1917. L'état-major allemand avait fourni le train et l'escorte à Lénine pour son retour d'exil en Suisse, parce qu'il comptait sur lui pour provoquer des désaffections dans les troupes russes à cette phase critique de la Première Guerre mondiale.

Lors de nos discussions sur les opérations menées pendant la guerre, il émanait de « Little Bill » Stephenson une indéniable autorité, fruit de son intégrité et de son immense expérience du monde et de ses problèmes, des ambitions et des folies de l'homme, et de son excellente connaissance de la politique internationale... Soldat, aviateur, auteur d'évasions réussies, Stephenson avait fait le tour de toutes les questions en mettant sur pied son propre service de renseignements au moment où la menace de guerre se précisait... Son réseau couvrait la planète entière, et il savait exactement ce qu'il fallait chercher... Sa façon d'opérer ne laissait pas de m'éton-

5

ner; il semblait rarement quitter son bureau de New York, sauf s'il estimait sa présence indispensable – ou pour rencontrer un chef d'État. Ce sont les autres qui venaient à lui, comme tirés par un fil invisible.

Ils venaient à lui comme les gens se rendaient à Delphes pour consulter l'oracle, pour poser leurs multiples questions et obtenir une réponse définitive... Nous avions toujours l'impression que Bill nous donnait des réponses définitives.

Général Colin Gubbins,
chef du SOE.
Déclaration recueillie au
magnétophone par l'auteur.

SOMMAIRE

SEPTIÈME PARTIE : 1954
LA PUISSANCE DU SECRET

HUITIÈME PARTIE : 1981
QUI SURVEILLERA LES OBSERVATEURS ?

NEUVIÈME PARTIE : 1982-1983
SÉCURITÉ ET DÉMOCRATIE : INCOMPATIBILITÉS

AVANT-PROPOS
du général
Richard Heath Rohmer

Le lieu : la bibliothèque de la maison des Bermudes de sir William Stephenson. L'heure : peu après 11 heures du matin, le 24 avril 1983, quelque quarante ans après les exploits de guerre de l'homme que l'on appelait Intrepid. Sous ses paupières lourdes, le regard d'Intrepid pétillait d'intelligence. Il me demanda d'écouter les notes qu'il avait enregistrées le matin même en vue de discours qu'il devait prononcer en septembre lors d'une réunion d'anciens membres de l'OSS et d'autres représentants du monde du renseignement. Il allait prononcer ce discours à bord de l'*Intrepid*, porte-avions en cale sèche dans le port de New York. « Ce ne sont que des notes, bien sûr », s'empressa-t-il de souligner.

Notes ou pas, la voix d'Intrepid était pressante, et son message lui ressemblait : concis et pertinent. Voici l'avertissement qu'il lançait :

L'ennemi n'est plus seulement à nos portes, il est dans nos murs. L'Occident peut s'estimer heureux que les États-Unis soient gouvernés par des hommes efficaces et bien informés qui travaillent main dans la main avec leurs alliés britanniques et canadiens. Ils sont conscients du danger qui nous menace en la

11

personne de Youri Andropov, seul maître du Kremlin.

Aujourd'hui, nos services de renseignements sont de ce fait notre principale ligne de défense, sinon l'unique qui nous reste.

La conclusion est évidente : ou nous optons pour l'esclavage et la mort, ou nous nous battons pour préserver notre liberté et notre vie. Rappelez-vous Hitler, Pearl Harbor, la Hongrie, la Tchécoslovaquie, la Pologne, l'Afghanistan... Et rappelez-vous surtout que Youri Andropov fut le grand maître d'œuvre des méthodes d'infiltration et de désinformation de l'Union soviétique après Staline.

Intrepid lançait cet appel à des hommes pour qui la liberté et la justice ne sont pas de vains mots; des citoyens libres de s'exprimer, mais des citoyens inconscients de la puissance de la désinformation soviétique et de l'ampleur des infiltrations opérées par les services secrets soviétiques à tous les niveaux des instances gouvernementales et des services de renseignements et de contre-espionnage des nations occidentales.

Dans les mois et les années à venir, les Soviétiques allaient multiplier les défis militaires et nucléaires, et le KGB accroître ses efforts pour infiltrer les services de sécurité occidentaux, placer plus de « taupes » et voler ou acheter davantage de renseignements technologiques. Les agents du KGB implantés dans toutes les ambassades soviétiques allaient orchestrer de nouvelles manifestations contre le déploiement des armes indispensables à la défense des pays de l'OTAN.

La dernière affaire d'Intrepid démontre que l'Union soviétique n'a jamais poursuivi qu'un objectif, même du temps où elle combattait aux côtés des Alliés pendant la Seconde Guerre mondiale. Début septembre 1945, le

12

bellicisme soviétique poussa un membre haut placé du service secret du chiffre de l'ambassade russe à Ottawa à passer à l'Ouest. L'incroyable inaptitude du gouvernement canadien et de son excentrique Premier ministre, Mackenzie King, à faire face à cette situation incitèrent un William Stephenson inquiet à se précipiter à Ottawa, pour protéger le transfuge de la vengeance de ses maîtres soviétiques *et* de l'incompétence des Canadiens. L'homme qu'Intrepid voulait mettre à l'abri tout en espérant tirer de lui autant de renseignements que possible s'appelait Igor Gouzenko.

Igor Gouzenko fut la dernière affaire dont Stephenson se soit occupé. La défection de Gouzenko et l'intervention de Stephenson allaient déclencher toute une série d'événements que Bill Stevenson retrace ici. Puisant dans les documents mis à sa disposition par Intrepid, l'auteur nous livre une extraordinaire chronique des stratégies employées par les Soviétiques pour miner les bureaucraties occidentales, saper les efforts de leurs services de sécurité et détruire les réputations d'agents puissants et éprouvés.

Pour semer la discorde et la méfiance dans les rangs des services d'espionnage ou de contre-espionnage et neutraliser leurs ennemis, les Soviétiques ne reculent devant rien. L'histoire de Dick Ellis, bras droit d'Intrepid pendant la guerre, en est la preuve. Peu avant sa mort en 1975, Ellis avait fait ce que je fais aujourd'hui : il avait rédigé un avant-propos pour un ouvrage de Bill Stevenson. Le colonel Charles Howard (« Dick ») Ellis avait été flatté de se voir prié d'écrire une « note historique » d'introduction à un livre consacré à la vie et aux exploits d'un homme qu'il admirait, l'homme qu'on appelait Intrepid. Ellis concluait son avant-propos à *Nom de code : Intrepid* en expliquant pourquoi l'existence du service de renseignements d'Intrepid basé à New York, le BSC (British Security Coordination), avait été rendue publique en 1962. Cette année avait été celle de la fuite en Union soviétique de Kim Philby, ce brillant agent communiste qui avait réussi à s'infiltrer dans les plus hautes sphères des services secrets britanniques. Ellis écrivait :

> Nous n'ignorions pas que Philby connaissait l'existence du BSC, mais nous savions aussi qu'il n'avait aucune idée du véritable objectif de l'organisation d'Intrepid. Nous révélâmes donc le minimum, afin de diminuer la portée des divulgations que Philby ou ses partisans pourraient faire. Mais dix ans plus tard, en 1972, nous nous rendîmes compte que les Russes en avaient appris plus que ce que nous pensions et qu'ils risquaient d'utiliser ces renseignements pour forcer la main de nos amis et nuire aux États-Unis ainsi qu'aux rapports anglo-canadiens. Il était donc temps de lever le voile pour prévenir ce danger et répondre aux exigences de l'histoire. D'où ce livre.

Pourquoi cette suite ? Quel est le propos de *La dernière affaire d'Intrepid* ? Par une ironie du sort, ce livre est né de la volonté d'Intrepid de répondre aux accusations portées contre Ellis après sa mort. En effet on a accusé celui-ci d'avoir été une « taupe germano-soviétique » et d'avoir, entre autres choses, fait disparaître certains passages du témoignage de Gouzenko pour couvrir ses amis et se protéger lui-même. Il fallait blanchir la réputation d'Ellis, sinon les futurs analystes du renseignement y réfléchiraient à deux fois avant de prendre seuls des décisions pouvant prêter le flanc à la controverse, et le KGB remporterait une nouvelle victoire.

Il fallait apporter des réponses à plusieurs questions. Ellis s'était-il rendu coupable de graves trahisons ? Avait-il aidé les Russes à supprimer ou à déformer les révélations faites par Gouzenko sur la présence d'agents haut placés dans les bureaucraties occidentales? Ellis avait-il avoué, comme on l'a prétendu, avoir espionné à la fois pour le compte des nazis et des Soviétiques?

Comme le dit l'auteur, « Stephenson était déterminé à faire éclater la vérité sur l'affaire Corby. Il avait les contacts, moi la mobilité. Nous commençâmes notre propre enquête au cours du printemps et de l'été de 1981... »

Il n'y avait pas d'alternative. Il fallait présenter les résultats de cette enquête de façon que ceux qui avaient à cœur de protéger les démocraties occidentales de l'attraction du communisme puissent juger par eux-mêmes. D'où ce livre, pour reprendre les termes d'Ellis.

A mesure que l'on avançait dans le récit, il devenait évident que l'avertissement de Sir William était porteur d'une vérité fondamentale :

> Enfin, je vous citerai les recommandations que me fit mon ami Winston Churchill le soir où, prenant les rênes de la Grande-Bretagne, il décida de m'envoyer aux États-Unis pour le représenter : « Les États-Unis sont la plus grande puissance du monde et ils ont les moyens de le rester. Si une nation est capable de rassembler tous ses citoyens pour la défense d'une cause juste, elle est capable de combattre toutes les forces du mal, toutes. »

Général Richard Heath Rohmer

PRÉFACE
Quelques réflexions
sur les sources
et les mensonges officiels

Bien que, pendant la Seconde Guerre mondiale, l'Union soviétique ait rallié notre camp, les agents de Staline n'en continuèrent pas moins à lutter clandestinement contre l'Occident. Il faut souligner que les accords secrets par lesquels les services de renseignements occidentaux s'étaient engagés à aider les agents soviétiques à s'introduire dans les territoires occupés par les nazis leur facilitèrent la tâche. Tout portait à croire que nous travaillions à notre propre perte.

Puis Igor Gouzenko, officier de renseignements russe, passa à l'Ouest avec des documents prouvant que les Soviétiques menaient des opérations contre leurs alliés. Ces révélations mirent brusquement fin à la collaboration secrète entre l'Ouest et les Soviétiques. Nous étions en septembre 1945, la guerre était terminée, et les quelques rares personnes au courant de ces accords commencèrent à en mesurer toute l'importance. Pouvait-on condamner ces espions qui avaient livré des secrets atomiques aux Russes quand, par ailleurs, l'Occident donnait officiellement ses autres secrets à Moscou?

Ce problème n'a pas été soulevé publiquement pour une raison fort simple : l'existence de ces accords n'a jamais été officiellement reconnue. Le combat solitaire de Gou-

17

zenko contre le KGB s'acheva avec sa mort soudaine dans les années 1980. Les Soviétiques avaient infiltré nos services de sécurité, et ils employèrent les quarante ans qui suivirent la défection de Gouzenko à étendre leurs réseaux. Gouzenko tenta de nous avertir, mais il fut réduit au silence par les taupes russes dont il parlait.

La vie de Gouzenko fut en danger lorsque certains conseillèrent perfidement aux autorités canadiennes de le rendre à l'URSS. Il fut sauvé par l'intervention de Sir William Stephenson, mieux connu sous le nom d'Intrepid, qui dirigeait le BSC (British Security Coordination) à New York.

Le leitmotiv de Gouzenko était le suivant : « Si la Russie fait main basse sur les services secrets occidentaux, non seulement elle les amènera à servir le Kremlin mais elle contrôlera les centres de décision de l'Ouest. C'est le premier et unique objectif des Soviétiques. »

Aujourd'hui, nous savons qu'il avait raison. Moscou n'a pas cessé d'être informé de nos secrets les mieux gardés. Rien ne lui a échappé : ni la bombe atomique, ni la production actuelle d'armes aérospatiales, ni notre politique extérieure, ni nos nouveaux systèmes de défense par satellites. Nous sommes arrivés à cette aberration parce que nous n'avons tenu aucun compte des avertissements de Gouzenko.

On rouvrit le dossier Gouzenko dans les années 1980, à la suite de la découverte de nouvelles trahisons. Quand les Soviétiques s'étaient rendu compte qu'ils ne parviendraient pas à liquider le transfuge, ils avaient recouru à une autre méthode. Ils l'avaient noyé sous un flot de mensonges soigneusement préparés par leur service de désinformation. On comprenait à présent que la tromperie était l'arme maîtresse des Soviétiques. Les armes destinées à déformer la vérité jouissaient du même statut que les armes nucléaires : on s'en servait impunément sous couvert d'une politique de paix.

Dans *Nom de code : Intrepid*, Gouzenko faisait seulement l'objet d'une note. Je le considérais comme « la dernière affaire » d'Intrepid. Je n'avais pas l'intention d'écrire une suite. A l'époque tout ce qui concernait Gouzenko était encore classé secret. On avait usé du secret pour camoufler un conflit qui avait pris des proportions que Gouzenko lui-même n'aurait pas pu imaginer dans ses pires cauchemars. La lutte de Gouzenko pour préserver son intégrité était celle d'un homme qui estimait que sa liberté serait menacée tant que gouverneraient les forces du secret et du mensonge.

Pour les Soviétiques, Gouzenko était du menu fretin. Mais il fallait néanmoins que le KGB, épée et bouclier de l'État, l'écrase. L'État soviétique ne pouvait supporter qu'un individu le blasphème en déclarant : « Vous me mentez. »

La justice soviétique est régie par la loi de la populace. Elle peut condamner un homme à mort même s'il ne vit plus sur le territoire soviétique. Elle frappe partout. Gouzenko n'avait pas beaucoup d'atouts en main pour échapper à cette justice vengeresse, mais il en avait un de taille : l'amour qui le lia toute sa vie à sa femme, Svetlana. Leur courage allait leur permettre de soulever des montagnes.

Les régimes totalitaires ne peuvent pas tolérer l'amour. Comme l'a noté Orwell dans *1984*, seul Big Brother est digne d'une telle dévotion. L'amour qui unit deux êtres est subversif. La leçon que nous donne Gouzenko, c'est que l'amour peut gagner. C'est Svetlana qui le persuada qu'il n'était pas coupable de déserter la Russie parce qu'il avait lancé un défi à l'infaillibilité de ses dirigeants. A la fin de sa vie, entouré de sa femme et de ses enfants élevés dans la liberté, il sut qu'il avait eu raison de résister, malgré les souffrances.

L'histoire de Gouzenko est un voyage dans le monde secret d'aujourd'hui. Comme le lecteur le verra, c'est un monde où les rapports secrets sont secrètement modifiés par des bureaucrates du secret qui servent les intérêts secrets d'un gouvernement. Les gardiens de ces secrets ont la liberté de travestir l'histoire et d'ouvrir le feu sur les amateurs qui sont assez fous pour essayer de rétablir la vérité.

Selon la doctrine marxiste, la vérité est tout ce qui sert la « Révolution ». Notre propre force réside dans notre respect de la vérité et dans notre faculté de reconnaître que les « versions officielles » la desservent souvent.

En tentant de faire la part du vrai et du faux, je me suis inspiré du conseil que m'avait donné un ami pilote de combat dont l'avion s'était abattu au milieu d'un champ de mines. Quand je lui demandai comment il avait réussi à s'en sortir, il me répondit : « J'étais certain d'une chose : où que j'aille, je risquais de sauter sur une mine. Alors j'ai choisi une direction et je me suis mis à avancer en me bouchant les oreilles. »

Ce n'est peut-être pas la meilleure recette pour mener à bien un travail érudit. Mais le lecteur admettra avec moi, en refermant ce livre, qu'une objectivité journalistique ou un détachement universitaire auraient jeté une lumière trompeuse sur le dossier Gouzenko. Il fallait naviguer avec soin en terrain miné en ayant la conviction d'éviter les pièges. Je cite toutes les sources accessibles à tous dans le texte. Beaucoup des événements relatés sont tirés de mon expérience personnelle. Il peut paraître abusif de m'inclure dans un récit impliquant des figures historiques, mais j'estime que le lecteur a le droit de savoir ce que j'ai puisé dans mon expérience personnelle. Par exemple, j'étais avec le physicien nucléaire Niels Bohr lorsque les savants soviétiques dévoilèrent à Kiev leurs nouveaux projets spatiaux. C'est moi qui étais dans la cellule de l'assassin de Trotsky et qui lui ai montré la preuve de sa véritable identité. Quand le Premier ministre chinois démasqua le complot visant à saboter le *Kashmir Princess*, je me trouvais à ses côtés. Ces anecdotes illustrent certains points de l'histoire Gouzenko, et j'ai essayé d'indiquer, sans ralentir le cours du récit, à quels moments je me fondais sur des sources personnelles. Une anecdote concerne un ambassadeur occidental qui se suicida plutôt que d'avoir à dénoncer des taupes soviétiques. J'ai parlé avec lui peu de temps avant la tragédie. Un ouvrage inspiré par le KGB, qui prétend donner une liste des agents de renseignements britanniques, avance que je travaillais pour le MI6 lorsqu'on m'expulsa du Caire. C'est faux. J'ai été expulsé en tant que correspondant de presse étranger. J'avais dénoncé un ancien nazi persécuteur de Juifs qui, sous une fausse identité arabe, dirigeait la propagande contre Israël. Ma conversation avec l'ambassadeur n'a jamais été rendue publique.

Une autre de mes sources fut Dick Ellis qui travailla toute sa vie pour les services de renseignements britanniques. Quand on commença à dire qu'il était le second ELLI dont parlait Gouzenko et qu'il avait aussi été un espion à la solde des nazis, je me repenchai sur l'affaire. Mes recherches confirmèrent que les secrets occidentaux avaient été systématiquement livrés aux Soviétiques. Mais pas par Ellis. Les fuites continuent encore aujourd'hui, et Ellis est mort.

Je remercie les archivistes de l'université de Regina qui ont remis de l'ordre dans les papiers du BSC, me permettant d'utiliser des rapports de l'histoire confidentielle du BSC. Je me suis aussi inspiré du dossier du BSC sur Gouzenko qui, jusque-là, était sous séquestre.

Les Soviétiques mirent tout en œuvre pour briser la coordination des services de renseignements alliés, dès que s'arrêta l'échange à voie unique de nos secrets avec

Moscou. Cet échange avait débuté avec l'invasion de la Russie par Hitler en 1941. Avant la rupture du pacte germano-russe, les Soviétiques travaillaient de concert avec les services secrets nazis. On ignore toujours qui fut à l'origine des accords secrets entre les Soviétiques et les Occidentaux.

Je pense que du jour où ces accords furent rompus, les Soviétiques se retournèrent vers les « imbéciles utiles » pour détruire les systèmes de coordination que Stephenson et le général Donovan de l'OSS avaient eu tant de mal à mettre sur pied. Pour arriver à cette conclusion, je me fonde sur les démarches encore secrètes que firent ces deux chefs de renseignements auprès des gouvernements américain, canadien et britannique dans une ultime tentative pour sauver les organisations de la guerre. Dans *The Shadow Warriors – OSS and the Origins of the CIA*, publié en 1983, Bradley F. Smith reproduit les documents venant de tomber dans le domaine public qui révèlent les accords secrètement conclus pendant la guerre avec l'Union soviétique et la manière dont on étouffa ces faits. Je me suis aussi inspiré de mes conversations avec des personnalités telles que les anciens Premiers ministres canadiens Lester B. Pearson et Louis St. Laurent. Je me suis fondé sur les journaux d'un autre Premier ministre canadien, William Lyon Mackenzie King, pour reconstituer d'autres dialogues : malheureusement, certains de ces journaux avaient disparu, en particulier ceux qui couvrent la période suivant la rencontre de King et des chefs des services secrets russes à Londres. Le fait que Mackenzie King y soit allé ouvertement, au plus fort de la crise Gouzenko, montre bien que, même un Premier ministre ne voyait aucun mal à discuter des réseaux d'espionnage soviétiques avec ces maîtres espions soviétiques au lendemain de la Seconde Guerre mondiale. D'autre part, le fait que, depuis, plusieurs journaux significatifs se soient inexplicablement égarés indique un changement de ton pendant la guerre froide. D'ailleurs, ladite guerre froide commença avec les révélations de Gouzenko.

Ian Fleming fut le premier à me suggérer de raconter l'histoire de l'organisation de Stephenson. A ce moment-là, le créateur de 007 effectuait des recherches en Asie pour son dernier James Bond. Quand j'ai fait la connaissance de Fleming, il travaillait pour les services de renseignements de la Marine britannique. A l'époque, j'étais pilote de combat. Plus tard, devenu correspondant de presse à l'étranger, je restai en contact avec Stephenson et Fleming qui dirigeait une agence de presse.

Fleming avait toujours su que l'affaire Gouzenko aurait des répercussions durables. Elle avait fait exploser le monde de l'espionnage avec autant de fracas que la bombe atomique. Mais Fleming vivait parmi des gens liés par des traditions communes. Il était impensable qu'il y ait un traître en leur sein. Je ne crois pas qu'il ait prévu que l'allusion de Gouzenko à une taupe soviétique mènerait à la découverte de la trahison d'une société entière.

« Il ne faut pas se fier aux apparences », écrivait Fleming. Finalement, après des années, l'affaire Gouzenko prenait un relief différent. On avait l'impression de regarder un de ces dessins truqués qui figurent dans les livres d'enfants. Au premier abord, on ne voit que des formes en noir et blanc, puis ces ombres se transforment en profils et l'image s'inverse.

A Hiroshima, on trouve ces ombres figées dans la pierre. Je me suis promené parmi les ruines juste après l'explosion, quand le public ignorait encore tout de la mort par irradiation. Soudain les ombres d'une mère et de son enfant apparurent devant moi. Pourtant, il n'y avait ni mère ni enfant autour de moi. Ce n'étaient pas non plus des ombres projetées par le soleil.

C'était absurde. Je voyais pourtant ces silhouettes sur le sol, si nettes qu'on remarquait le chignon de la mère et la tête de l'enfant endormi sur son dos. Puis je compris que la femme et l'enfant avaient été atomisés. Seules les ombres venaient témoigner de leur existence passée.

Si nous courons le risque de devenir des ombres, c'est en partie parce que notre première vision de Gouzenko nous a trompés. Il était dans ce clair-obscur que les Soviétiques disent nécessaire au progrès de la révolution, cet arrangement d'ombres et de lumières qui provoque des malentendus voulus. Aujourd'hui, un malentendu entre les superpuissances peut nous mener à la destruction totale. Les Soviétiques savent-ils ce qu'ils font? Le savons-nous?

Les querelles qui éclatèrent entre les services secrets occidentaux après la défection de Gouzenko contribuèrent à la réussite des programmes de tromperie et de diffamation approuvés officiellement. Nous cultivâmes des nazis bien en vue qui nous mentirent à propos de leur dévouement à la cause de l'anticommunisme. Aujourd'hui, l'affaire Gouzenko nous démontre que beaucoup de ces opportunistes nazis nous avaient été envoyés par les Soviétiques pour nous égarer et nous diviser. Nous avons fait fi de nos scrupules et nous n'avons récolté que ce que nous méritions.

Gouzenko était persuadé que notre intégrité et la liberté des idées qui règne dans notre société nous permettraient de survivre. Gouzenko aurait aussi bien pu rester à Moscou si nous sommes prêts à renoncer à tout cela pour vaincre. Là-bas, des hommes sans principes auraient promu Gouzenko. Son intelligence, son endurance et son courage l'auraient mené très loin, à condition que Svetlana l'ait aidé à tuer sa conscience. Mais c'est justement ce que l'un et l'autre se refusaient à faire.

William Stevenson
Blue Marlin
Jamaïque.

GLOSSAIRE

Un glossaire présentant une transcription ainsi qu'une description sommaire des principaux sigles utilisés au cours de ce récit permettra au lecteur de mieux se diriger dans le dédale des services secrets occidentaux et soviétiques.

BSC (British Security Coordination) : basé à New York, dirigé par Intrepid, et chargé de la coordination de tous les services de renseignements britanniques pendant la durée de la Seconde Guerre mondiale.

SERVICES DE RENSEIGNEMENTS AMÉRICAINS

OSS (Office of Strategic Services) : premier service de renseignements américain, prédécesseur de la CIA, chargé sous la direction de Donovan de lutter contre l'impérialisme allemand et japonais, collabora avec le BSC et fut dissous à la fin de la guerre.

FBI (Federal Bureau of Investigation) : dirigé par Hoover sous l'égide du ministère de la Justice, ce bureau est chargé du contre-espionnage intérieur aux États-Unis. Avant 1947, sa mission s'étendait aussi aux pays d'Amérique du Sud, responsabilité qu'il dut céder à la CIA.

CIA (Central Intelligence Agency) : successeur de l'OSS, chargé de trois missions : renseignement, contre-espionnage et action. Centralise et exploite tous les renseignements, qu'ils soient de source secrète ou ouverte. Coordonne l'action de tous les autres services de renseignement, les services militaires (DIA – Defence Intelligence Agency) et le FBI.

DIA (Defence Intelligence Agency) : coordonne les activités des trois services militaires et centralise leurs renseignements.

NSA (National Security Agency) : chargée de mettre en œuvre l'interception, le décryptement (COMINT et ELINT) et d'explorer le domaine de l'espionnage électronique.

NRO (National Reconnaissance Office) : chargé du lancement et de la gestion opérationnelle des satellites militaires.

SERVICES DE RENSEIGNEMENTS BRITANNIQUES

SIS (Secret Intelligence Service) : héritier du MI6 (Military Intelligence Bureau 6), chargé de l'espionnage, du contre-espionnage et de l'action. Service rattaché au Premier ministre britannique et qui collabore étroitement avec le ministre des Affaires étrangères.

MI5 Service du contre-espionnage à l'intérieur de l'empire britannique en collaboration avec la

Special Branch de Scotland Yard, contrôlé par le cabinet du Premier ministre.

SERVICES DE RENSEIGNEMENTS SOVIÉTIQUES

NKVD Commissariat du peuple aux affaires intérieures.

GPU Directoire politique d'État, rattaché au NKVD, successeur de la Tcheka, a tous pouvoirs pour surveiller, arrêter et exécuter les suspects.

GRU Directoire général du renseignement, chargé de l'espionnage militaire et des opérations paramilitaires.

KGB Comité de sécurité de l'État. Ministère plus qu'un service, le KGB est dirigé par un président nommé par le Praesidium du Soviet suprême. Il est rattaché en théorie au Conseil des ministres et en fait au Comité central du Parti (Polit Buro). Chargé d'espionnage, de contre-espionnage, de la désinformation, du renseignement, de la surveillance et de la répression intérieure, il dispose aussi d'un service Action « Mokrié Diéla », le service des « affaires sales ».

PREMIÈRE PARTIE

1981-1983
REPRISE
DE LA DERNIÈRE AFFAIRE
D'INTREPID

1

L'AFFAIRE INCLASSABLE

En ce mardi ensoleillé de janvier 1983, un incident vint ternir le quatre-vingt-septième anniversaire de Sir William Stephenson, l'homme que l'on appelait Intrepid. Confortablement installé dans la bibliothèque de sa maison des Bermudes, il découvrit le titre qui s'étalait en première page du *New York Times Book Review* : « L'homme qui organisa les services secrets américains était une taupe germano-russe. »

Par une ironie du sort, au même courrier était arrivée une carte de vœux de Nancy et Ronald Reagan.

Stephenson sursauta. L'article visait son ancien collaborateur, Charles « Dick » Ellis, du SIS. Ce n'était pas la première fois que l'on attaquait Ellis. Déjà après sa mort, on l'avait accusé d'avoir fait disparaître certains passages du témoignage d'un transfuge russe pour, disait-on, se couvrir et protéger d'autres taupes soviétiques. Ce transfuge que Stephenson avait « ferré » en 1945 était Igor Gouzenko des services secrets soviétiques.

On avait rouvert le dossier Gouzenko à la suite d'un dîner de gala donné en 1981 par les anciens de l'OSS, fameuse agence du renseignement de la Seconde Guerre mondiale née de l'association de Stephenson et du général « Wild Bill » (« Bill le fonceur ») Donovan. L'article rappelait que Dick Ellis avait aidé Donovan à créer l'OSS et

31

que, de ce fait, il avait été « en mesure de compromettre les agents, les opérations et les méthodes de l'organisation ».

Ellis s'était-il rendu coupable de trahisons graves?

Stephenson avait repris le dossier Gouzenko pour voir comment les Russes avaient « brûlé » le transfuge dans l'espoir d'empêcher que l'on ne démasque d'autres agents à leur solde. Gouzenko avait fourni des preuves écrites de l'existence d'une vaste infiltration soviétique, mais le service de désinformation russe avait fait en sorte que l'opinion publique s'intéresse exclusivement à l'espionnage atomique. Lorsque certaines parties du témoignage de Gouzenko furent publiées, on s'arrangea pour laisser penser que les traîtres qui avaient livré des secrets atomiques et des documents officiels aux services spéciaux soviétiques avaient agi par loyauté envers l'alliance contre Hitler. Staline, préoccupé par la mise au point de la bombe atomique occidentale, avait réuni les physiciens soviétiques : « Je n'aurai qu'une exigence, leur dit-il. Fabriquez des armes atomiques le plus rapidement possible. Écartez cette menace qui pèse sur nos têtes. » Grâce aux traîtres placés en Occident, Igor Kurchatov, chef de la délégation, ne devait pas tarder à connaître la marche à suivre pour parvenir à ce résultat.

C'était en vain que Gouzenko avait essayé de dénoncer les agents russes recrutés dans les rangs des fonctionnaires occidentaux et dans nos propres services secrets, et c'était là le problème.

Maintenant on disait qu'Ellis, ce spécialiste du renseignement que Stephenson avait personnellement choisi comme assistant, était l'un de ces fameux agents russes, enrôlé parce que ses activités pro-nazies l'avaient rendu particulièrement vulnérable au chantage. Ellis, disait-on, avait aidé les Russes à museler Gouzenko.

Par conséquent, les affaires Gouzenko et Ellis étaient inextricablement liées.

La journée d'anniversaire de Stephenson s'acheva sur une note plus gaie. On le pria d'accepter la General William J. Donovan Award pour services exceptionnels rendus à la cause de la liberté. Cette bonne nouvelle compensa la mauvaise du matin. Cette décoration avait été remise à Margaret Thatcher lors du dîner de gala de l'OSS en 1981, auquel Stephenson m'avait demandé d'assister, espérant ainsi glaner quelques indices supplémentaires susceptibles d'éclaircir le mystère Ellis-Gouzenko.

« Des escrocs patentés repentis. » C'est ainsi que William Casey, nouveau directeur de la CIA, décrivit les anciens de l'OSS le soir de leur dîner à New York. Il ne cachait pas son admiration devant cette assemblée de près d'un millier d'invités revêtus de tenues de soirée étincelantes de diamants et de décorations. Il faut avouer que les vieux compagnons de route de Casey présentaient un bien joli spectacle.

En voyant ces survivants du premier service du renseignement américain, on comprenait la réflexion de Johnny Shaheen : « Les meilleurs étaient avec nous. » Shaheen, président du comité de la Donovan Award, escortait Mme Thatcher. Né dans le même village rural que le président Reagan, Shaheen avait été chef des Projets spéciaux de l'OSS pendant la guerre. Il s'était rendu derrière les lignes ennemies pour récupérer des armes. Il avait négocié la reddition d'une flotte ennemie au grand complet. Ce millionnaire du pétrole qui avait ses entrées à la Maison-Blanche reconnaissait dans cette assistance distinguée des dizaines de personnes qui s'étaient surpassées quelque quarante ans plus tôt en se lançant à corps perdu dans une guerre secrète pour faire triompher la démocratie.

Mon hôte était Ernest Cuneo, ancien conseiller juridique du maire de New York Fiorello LaGuardia et membre du « brain trust » du président Roosevelt. Cet athlète, ce dynamique patriote avait reçu la plus haute distinction des services spéciaux britanniques pour son travail de liaison entre la Maison-Blanche, l'OSS, le FBI et Stephenson. Cuneo avait amené son vieil ami Arthur Goldberg, un ancien juge de la Cour suprême qui avait organisé l'infiltration du mouvement ouvrier anti-nazi en Europe.

Nous étions entourés de figures prestigieuses. Bill Colby, parachuté derrière les lignes nazies, avait failli perdre la vie pendant une opération de sabotage. La comtesse de Romanones (anciennement Aline Griffith de Pearl River, État de New York) avait échappé à une embuscade nazie en sautant d'une voiture en marche. James Angleton, qui était devenu le plus célèbre des chasseurs d'espions de la CIA, avait appris le métier avec les briseurs de code anglo-américains. L'écrivain Temple Fielding avait importé en fraude des bombes puant l'excrément humain dans les territoires occupés « parce qu'elles avaient un impact psychologique négatif ». Michael Burke, qui avait combattu aux côtés de la Résistance, organisa ensuite des troupes de guérilla et termina sa carrière comme cadre de CBS et président des Yankees de New York. Julia Child, la Raymond Oliver de la télévision américaine, avait parcouru le monde pour effectuer des missions de l'OSS. Beverly Woodner, décorateur à Hollywood avant la guerre, était devenu un spécialiste du camouflage pour l'OSS. Un si grand nombre de ses membres sortaient du *Who's Who* qu'on avait fini par surnommer l'OSS le « Oh! Si Snob! » – qualificatif peu approprié quand on sait que l'OSS recrutait aussi parmi les immigrants de fraîche date et dans une classe sociale très particulière (fort peu représentée ce soir-là) : celle des perceurs de coffres, des monte-en-l'air, des faussaires et des escrocs.

Ce groupe, réuni en cette nuit de février 1981, symbolisait l'esprit de coordination américano-anglo-canadien qui avait présidé à la création de l'OSS en 1942. On avait aussi invité l'ambassadeur canadien Ken Taylor, pour l'appui clandestin qu'il avait appporté en Iran, lors de la prise des otages. Quand Casey remit la Donovan Award à la Dame de Fer, c'est sans la moindre trace de cet astucieux marmonnement destiné à dérouter les oreilles ennemies qu'il expliqua le but de cette décoration : « Elle perpétue la tradition et l'esprit des services rendus par Bill Donovan à la cause de la liberté. »

« Little Bill » Stephenson avait initié Donovan aux arts secrets de la Grande-Bretagne. Ils étaient entrés dans la légende comme « Les deux Bill – le Grand et le Petit » le 18 juin 1941, jour où Stephenson câbla au SIS de Londres, « NOTRE HOMME EST EN POSITION ». Un an plus tard, Donovan avait jeté les bases de l'OSS avec l'assistance de Dick Ellis sur le plan administratif. Sans Ellis, écrivit David Bruce, l'un des chefs du renseignement de Donovan, « les services spéciaux américains n'auraient jamais démarré ».

Stephenson aurait, autant que Casey, apprécié ce renouveau de l'alliance américano-anglo-canadienne. Créée en 1941 avant l'entrée en guerre des États-Unis, elle avait été préparée par le BSC et Stephenson qui opérait sous le nom de code d'Intrepid. Grâce à leurs efforts combinés, les trois pays avaient réussi à être les premiers à fabriquer la bombe atomique. Certains accords conclus par l'Alliance avaient permis le sabotage de sources de matières nucléaires détenues par les nazis et le sauvetage (d'aucuns diraient l'enlèvement) de physiciens coincés en territoire occupé. On amena clandestinement des savants britanniques sur le continent américain. Le vaste arrière-pays canadien, qui dissimulait des projets expérimentaux, fut, pendant toute la durée de la Seconde Guerre mondiale, l'unique fournisseur du monde libre en ce qui concernait certaines matières premières nécessaires à la mise au point de la bombe atomique qui, à l'époque, semblait encore appartenir au domaine du rêve.

Une autre création de l'Alliance allait préoccuper Staline : une Quatrième Arme qui venait prendre place aux côtés des armes traditionnelles. Cette Quatrième Arme devait donner aux résistants européens les moyens de renverser les despotes nazis en recourant à des opérations de guérilla, de sabotage et d'insurrection. Si cette quatrième arme était maintenue après la guerre, elle servirait à lutter contre des dictateurs du genre de Staline. Et Staline n'avait jamais eu qu'une obsession, même au plus fort de l'invasion nazie de la Russie : la menace de révoltes intérieures et, en particulier, ces soulèvements provoqués par les archétypes de l'antibolchévisme, Churchill et ses amis américains.

L'aversion de Staline pour les méthodes subversives de la Quatrième Arme était bien connue de Dick Ellis. Ses activités d'agent de renseignements en Russie pendant la Révolution d'octobre lui avait valu la haine éternelle de Staline qui le tenait pour un espion britannique impatient d'exciter les « forces contre-révolutionnaires ». Le rôle joué par Ellis dans les opérations de la Quatrième Arme raviva l'hostilité du dictateur à l'égard de l'assistant de Stephenson.

Ayant bien connu Ellis, j'imaginais sans peine la réaction qu'il aurait eu devant ce renouveau de l'Alliance. Le *Sunday News* de New York titra à l'occasion du dîner de l'OSS : « THATCHER SOUTIENT LE PRÉSIDENT DANS SES EFFORTS POUR FAIRE RECULER LES SOVIÉTIQUES. » Ellis aurait dit que cette manifestation de solidarité ne manquerait pas d'attirer l'attention du Centre de Moscou et que les convives de ce dîner feraient des cibles de choix pour les tueurs de personnalité du KGB. « Semer des soupçons est la tactique préférée du KGB, m'avait-il confié. Ils ont un nom pour ça, *dezinformatsiya,* et un service qui s'en occupe. »

2

LA DÉSINFORMATION
A L'ŒUVRE

Dans les semaines qui suivirent le dîner de l'OSS, on accusa Bill Casey de ne pas avoir la compétence nécessaire pour diriger la CIA. La commission sénatoriale mit des mois à donner son aval à sa nomination. Le magazine *Time* écrivit : « Le caractère et le discernement des plus grands maîtres espions des États-Unis sont remis en question dans le monde entier. »

Le *Daily Mail* de Londres publia une série d'articles à scandale avec un titre accrocheur en première page : ON SOUPÇONNAIT LE CHEF DU MI5 D'ÊTRE UN ESPION SOVIÉTIQUE. La parution en feuilleton de *Their Trade was Treachery* de Chapman Pincher avait ranimé l'espionnite en Grande-Bretagne en cette semaine du 26 mars. Enquêteur consciencieux, Pincher prétendait avoir découvert de nouveaux exemples d'espionnage soviétique ignorés du public qui était encore convaincu que Kim Philby représentait le cas le plus grave d'infiltration russe. Pincher révélait qu'à deux reprises, Sir Roger Hollis, ancien directeur du MI5, avait fait l'objet d'investigations – avec des résultats si peu concluants que Mme Thatcher avait été amenée à certifier publiquement qu'il était impossible de prouver la culpabilité de Hollis.

Le 27 mars 1981 au matin, on tira le transfuge russe Igor Gouzenko de son isolement pour le pousser devant les caméras de la télévision canadienne. La tête couverte d'une cagoule, décision que les journalistes attribuèrent à une peur irraisonnée des représailles soviétiques, Gouzenko déclara qu'aucune action n'avait été entreprise à la suite de ses révélations sur la présence de traîtres aux plus hauts échelons de la hiérarchie des services secrets britanniques. On avait étouffé l'affaire.

En tant qu'ami de Gouzenko, j'assistais à l'enregistrement. Sa véhémence me surprit. Trente-cinq ans de subtils coups bas avaient miné sa crédibilité, et il n'en paraissait que plus vulnérable. Je trouvais ironique que cet homme qui m'avait dit « Stephenson m'a sauvé la vie » s'exposât à nouveau au danger. C'était un être d'un rare courage, témérité disaient certains. Il n'avait pas hésité à défier maintes fois les instruments de la vengeance soviétique. Ce jour-là, peu de gens se souvenaient qu'il avait écrit un roman remarquable peu après sa défection, où il montrait une connaissance parfaite des méthodes dont usait Staline pour contrôler les actes et les pensées de ses concitoyens. Ce roman était l'œuvre d'un individu beaucoup mieux informé que ne voulaient bien l'admettre ses détracteurs, qui le traitaient immanquablement de minable petit « commis du chiffre ».

Stephenson estimait indispensable de rouvrir le dossier. On le lui avait retiré en 1946, parce qu'il soutenait que le Russe avait le droit de témoigner en public. Si l'on avait autorisé Gouzenko à parler plus tôt de ses preuves de l'existence de taupes et de super-taupes à l'intérieur de nos institutions démocratiques, on aurait peut-être pu éviter la catastrophe du maccarthysme. A la place, la réaction frénétique des bureaucrates obscurs ouvrit une brèche que l'hystérie démagogique et en fin de compte improductive de McCarthy combla à la grande satisfaction du Kremlin. La recherche d'espions soviétiques dégénéra en une chasse aux sorcières qui dura dix ans.

Stephenson allait à nouveau se dresser contre les « tueurs de personnalité » : on avait déjà accusé Gouzenko de boire et de dilapider son argent. On avait déformé et neutralisé ses dires. Stephenson lui-même avait été en butte aux attaques. Et la réputation d'Ellis, son assistant de confiance, était en jeu. Ellis avait déjà subi des interrogatoires dans les années 1960, lors d'une précédente vague d'espionnite. A présent, Chapman Pincher affirmait pouvoir prouver qu'Ellis avait avoué avoir espionné à la fois pour les nazis et les Soviétiques. Il fallait que quelqu'un se lève pour sa défense. Son attitude non conformiste, son aversion partagée par Stephenson pour ces bureaucrates qui se prétendaient infaillibles avaient porté ombrage à sa carrière. Ces accusations étaient prévisibles, mais Stephenson connaissait bien Ellis : cet Australien discret à la vocation de musicien avait été un brillant linguiste, un soldat courageux et un modèle de créativité originale, essentielle à tout service du renseignement pendant l'entre-deux-guerres, lorsqu'il s'employait clandestinement à dénouer la toile de la collaboration soviéto-nazie.

« Je proclamerai l'innocence d'Ellis jusqu'à ce que l'on me fasse entendre l'enregistrement de sa prétendue confession », télégraphia Stephenson au Premier ministre australien, dont les services spéciaux, disait-on, avaient été compromis par Ellis, un des pères fondateurs. Il écrivit aux membres d'une commission d'enquête britannique qui travaillait sur le problème de la pénétration soviétique : « Il faut obliger les accusateurs d'Ellis à révéler leurs sources. »

Stephenson allait faire éclater la vérité sur l'affaire Gouzenko. Il avait les contacts, moi la mobilité. Nous reprîmes notre vieille collaboration. Nous commençâmes notre propre enquête dans le courant du printemps et de l'été 1981, au moment où les services secrets occidentaux se voyaient une fois de plus obligés de se livrer à une épuration interne qui semblait surtout nuire à leur efficacité. Stephenson s'était toujours inquiété du fait que les traîtres utilisaient le « devoir de réserve officiel » pour dissimuler leurs activités à l'intérieur des bureaucraties. « La meilleure défense contre ce genre de trahison est la dénonciation publique. C'est la meilleure garantie contre les déformations opérées par le KGB, le meilleur antidote contre la folie qui menace les institutions du renseignement. »

En tentant de rassembler les faits autour de l'affaire Gouzenko, des obstacles surgirent à chaque étape de notre recherche. Il semblait plus important de préserver les mythes de l'infaillibilité constitutionnelle que de publier certaines vérités. « Le public ne voit que la partie émergée de l'iceberg, et cela n'a rien d'étonnant. L'armada des services secrets occidentaux se brise contre cet iceberg depuis le début de l'alliance avec Staline », nous dit Gouzenko.

Puis soudain, reniflant l'odeur du scandale, des journalistes américains, canadiens et européens se lancèrent dans la chasse aux espions. Certains enquêteurs se fondèrent sur la loi de la liberté de la presse pour réclamer la publication des archives de Washington. En Grande-Bretagne et au Canada la divulgation partielle des documents gouvernementaux permit de découvrir que des mains inconnues avaient discrètement éliminé plusieurs dossiers secrets et officiels. On ne trouvait plus trace de fichiers cruciaux de la CIA, du FBI, ni des dossiers du SIS sur Gouzenko.

« Des masses de documents manquaient », déclara le professeur J.L. Granatstein, historien éminent qui rédigeait la biographie de Norman Robertson, le sous-secrétaire d'État canadien impliqué dans l'affaire Gouzenko.

Les dossiers relatifs au transfuge étaient vides ou renfermaient des papiers dénués d'intérêt. Les minutes de la commission chargée de coordonner l'affaire et de mettre au point des parades pour lutter contre l'espionnage soviétique : *envolées*. La correspondance du gouvernement canadien avec Washington et Londres à propos du transfuge : *envolée*. Les comptes rendus des interrogatoires de Gouzenko : *envolés*. Les notes de la police : *envolées*. Pour un historien intègre, cette falsification des dossiers rendait tous les documents restants inutilisables.

Puis on annonça officiellement que les notes prises par le Premier ministre canadien sur l'affaire avaient, elles aussi, disparu. Partie importante du journal que Mackenzie King tint toute sa vie, elles éclairaient un épisode significatif de l'histoire de l'Amérique du Nord. On conservait ces journaux comme un trésor national. Ils occupaient cinquante-trois fichiers aux Archives nationales canadiennes, protégés par un système de sécurité à faire pâlir d'envie les autres gouvernements. Les notes relatives à une réunion secrète entre King et le plus haut représentant à l'étranger du NKVD qui avait eu lieu à Londres étaient disponibles. Cela couvrait les dix premiers jours de novembre 1945. Ensuite, il y avait un trou jusqu'au début de 1946, année où l'on dut rendre l'affaire publique. « On se demandait comment un volume du journal pouvait se volatiliser ainsi », déclara Granatstein.

Ensuite on découvrit que l'on avait truffé la description de la peronnalité de Gouzenko d'affirmations mensongères dans les dossiers des services secrets. On retrouvait ces mêmes mensonges dans les fichiers du contre-espionnage anglo-américain. La preuve en fut apportée inopinément par la commission nommée par Ottawa pour enquêter sur les problèmes de la police montée et des services du contre-espionnage. Son rapport, paru en 1981, critiquait un fonctionnaire inconnu qui avait « brodé » autour du caractère du transfuge et inséré dans les dossiers des remarques visant à détruire sa crédibilité. Gouzenko avait été victime d'une campagne délibérée de destruction de la personnalité. Les autorités commencèrent à se désintéresser de lui après la composition de son dossier en 1946. Comme celui-ci était confidentiel, ni Gouzenko ni ses proches n'avaient pu rétablir la vérité.

Le KGB avait mis au point de nouvelles méthodes pour neutraliser ses ennemis. Selon la loi soviétique, les transfuges pouvaient être condamnés à mort par contumace. L'exécution de la sentence avait été confiée pendant la guerre aux équipes d'assassins du SMERSH. Mais la falsification des dossiers, procédé plus simple, permettait aussi de supprimer ce qui menaçait directement l'Union soviétique. En 1979, le général Michael Dare, alors chef des services de sécurité canadiens, avait expliqué les conséquences de ce genre de méthodes à une commission d'enquête parlementaire qui examinait les pratiques des services secrets. Dare révéla que le meilleur chasseur d'espions de son pays, James Bennett, avait subi plusieurs jours d'interrogatoire à la suite de déclarations de soi-disant transfuges du KGB, qui avaient inquiété la communauté occidentale. On redoutait une pénétration russe au plus haut niveau de la hiérarchie. Bennett avait été démis de ses fonctions en 1972 pour « raisons médicales ». L'opinion n'avait rien su de tout cela. Des réputations avaient été salies, des carrières démolies, dans certains cas probablement parce que d'adroits opérateurs du KGB avaient exploité le devoir de réserve qui est la base même du renseignement. Les services avaient mené des enquêtes sur leurs propres employés, derrière des portes closes, à la suite d'allégations qui venaient parfois de professionnels du mensonge.

Des mots injurieux et diffamants avaient remplacé la violence expéditive d'autrefois : c'était la nouvelle

42

méthode soviétique pour « détruire » les transfuges.

Il restait néanmoins un dossier encore intact. Comme Stephenson n'avait jamais fait partie du pouvoir officiel, il avait conservé ses propres fichiers, malgré les cajoleries des dirigeants successifs des services secrets. Prévoyant les déformations futures, il avait préservé la partie confidentielle de l'affaire Corby. Ceux qui se chargeaient de récrire l'histoire n'avaient pu y toucher. On avait rédigé une histoire officielle du BSC « afin que l'on puisse s'y reporter si un jour on avait besoin de recourir aux activités secrètes et aux mesures de sécurité qu'elle décrivait ». Ce compte rendu ne subit aucune « amélioration » bureaucratique et resta à l'abri des manipulations.

De ce fait, Stephenson lui-même devint une cible privilégiée du KGB et des mandarins occidentaux qui avaient usé du secret pour écraser ce qui ne rencontrait pas leur approbation. Certains disaient de Stephenson que c'était un vieil homme à la mémoire défaillante, dont le bras droit pendant la guerre avait espionné pour l'ennemi. Une histoire officielle de la CIA, publiée au bout de six ans de silence, provoqua involontairement une nouvelle vague de critiques. Le public prit connaissance des inquiétudes du département d'État à propos des opérations du BSC, qu'il considérait comme l'équivalent d'une véritable police secrète doublée d'un service du renseignement. Suivait un mystérieux appendice qui, disait-on, provenait des dossiers non publiés de Stephenson sur Gouzenko. On y proposait la poursuite de l'association du BSC et de l'OSS pour « influencer l'opinion américaine par des moyens clandestins ». Stephenson n'avait jamais écrit ces lignes.

3

UNE TAUPE
DU NOM D'ELLI

La première semaine de novembre 1981, on s'aperçut que l'affaire que l'on croyait close renfermait encore bien des énigmes. Gouzenko répéta qu'en 1946 il avait apporté des preuves de l'existence de deux agents soviétiques répondant au nom de code d'ELLI. On avait arrêté et condamné le premier ELLI, Kathleen Willsher, qui opérait au Canada. L'autre, basé en Angleterre, s'était échappé. Le contre-espionnage ne l'avait pas recherché, on avait fait disparaître le témoignage de Gouzenko, et les agents soviétiques avaient mis un terme à toutes les autres enquêtes.

Rompant soudain le silence, le gouvernement libéral de Pierre Trudeau céda aux pressions de son opposition conservatrice et, fin 1981, Ottawa rendit publiques six mille pages de la déposition faite par Gouzenko devant la commission de 1946. Dans cette masse de documents, on trouvait deux passages concernant l'existence d'une super-taupe haut placée dans le SIS pendant la période cruciale des dernières années de la Seconde Guerre mondiale et du début de la guerre froide.

Le *Times* de Londres rapportait, apparemment avec l'assentiment du gouvernement britannique, les dialogues de Gouzenko et des enquêteurs concernant ce point précis :

Question : Savez-vous si ELLI a servi de surnom ou de couverture à quelqu'un d'autre que Miss Willsher?

Gouzenko : Oui, il existe un agent opérant sous ce même nom en Grande-Bretagne.

Et, plus loin :

Question : Existe-t-il bien une Kay Willscher connue sous le nom d'ELLI?

Gouzenko : Oui, c'est exact.

Q : S'agit-il de la même personne?

G : Non.

Ce fut un tollé général quand on apprit que, depuis 1946, on avait tenue secrète la déclaration de Gouzenko à propos du second ELLI. Pourquoi avait-on supprimé cette partie du témoignage? Quelle sécurité nationale protégeait-on? Manifestement, on n'avait pas tenté de lui faire poursuivre sa déclaration sous serment. Les services spéciaux avaient-ils éliminé les éléments qui prouvaient que Gouzenko disait vrai? A Londres, Chapman Pincher demanda que le Parlement réponde à ces questions et cita Gouzenko pour étayer ses accusations contre Dick Ellis.

En 1946, Gouzenko avait déclaré à la commission que le second ELLI avait été identifié en Angleterre. Gouzenko était persuadé que l'on avait pris des mesures à la suite de ses révélations confidentielles au SIS. Seulement, on ne le mit pas au courant, et le public non plus. Il pensa que c'était normal, et que le ELLI de Londres avait été arrêté sans tambours ni trompettes. C'était logique. Il aurait été inconcevable que les autorités concernées n'agissent pas.

Mais en cet automne 1981, personne ne se faisait plus d'illusions. Au cours des précédentes décennies, le public s'était familiarisé avec les taupes soviétiques. Il ne s'étonna donc pas quand il s'avéra que le témoignage « secret » publié par Ottawa n'était en fait pas le document exigé par le Parlement. On l'avait jeté en pâture à ceux qui réclamaient que l'on élucide complètement l'histoire Gouzenko. Un bureaucrate avait consacré des mois à passer au peigne fin le dossier complet pour en retirer les éléments encombrants. Le document publié ne comprenait pas les mille pages de preuves directes qui restèrent confidentielles. Les éloquents dialogues entre Gouzenko et ses interrogateurs à propos d'ELLI étaient enfouis dans une masse de déclarations déjà familières et échappèrent de ce fait aux ciseaux du censeur. Une fois que l'on eut repéré cet oubli gênant, les dialogues révélateurs disparurent du nouveau compte rendu officiel.

« Le gouvernement examina le témoignage " secret ", écrivit le rédacteur en chef du *Sun* de Toronto, Peter Worthington, et ne trouvant rien de sensationnel dans ces pages, les publièrent cinq ans avant la levée du secret. La *véritable* histoire se cachait dans les preuves non divulguées, c'est-à-dire les preuves directes découvertes à l'ambassade soviétique. Néanmoins, les questions à propos d'ELLI confirment enfin que Gouzenko n'avait pas inventé son histoire après coup comme l'ont suggéré ses ennemis. »

Le parti libéral canadien au pouvoir, désireux de se présenter, avait divulgué le témoignage « secret » pour occuper les députés qui exigeaient une enquête approfondie. « Nous connaissons l'existence de plusieurs affaires d'espionnage autour du cas Gouzenko, déclara le Premier ministre Pierre Trudeau. Il est vraisemblable que cet espionnage n'a pas cessé et ne cessera pas... Je ne vois pas comment une enquête officielle pourrait démasquer des espions que l'on n'a pu découvrir par d'autres méthodes. »

C'était justement parce que les autres méthodes avaient échoué que l'on réclamait un supplément d'enquête.

Le *Globe and Mail* de Toronto découvrit que d'autres documents cruciaux concernant Gouzenko manquaient, ce qui fit dire au rédacteur en chef que « les mensonges, les tromperies et les faux-fuyants qui font partie de l'espionnage finissent par déteindre ».

Le *Times* de Londres déclara que les nouveaux documents Gouzenko, qui n'avaient pas encore été intégralement publiés, « confirment l'existence d'une taupe très haut placée dans les services britanniques en 1945 ». A ce moment-là, Gouzenko s'étendit sur une autre de ses assertions : l'été 1946, un « monsieur qui venait d'Angleterre » lui avait rendu visite et lui avait personnellement garanti que l'on enquêterait sur le ELLI de Londres. Lorsqu'on lui demanda qui était ce « monsieur qui venait d'Angleterre », Gouzenko répondit qu'il pouvait s'agir de Sir Roger Hollis qui, à l'époque, était employé par le SIS britannique comme chasseur d'espions basé à Londres. On venait d'accuser Hollis de travailler pour les services spéciaux russes.

Stephenson se souvenait très bien que le SIS avait tenté de faire interroger Gouzenko par Hollis juste après la défection, mais il avait toujours cru que son refus dicté par un pressentiment avait été suivi du renvoi immédiat de l'homme du SIS à New York. Accepterais-je d'interroger à nouveau Gouzenko ?

Gouzenko me déclara qu'il avait appris l'existence de la super-taupe en 1942, quand il travaillait au Centre de Moscou dans la salle du chiffre du GRU. Quarante experts du chiffre opéraient au Centre et, un jour, un lieutenant fit passer un télégramme de Londres que l'on venait de décoder, envoyé par « l'un des nôtres, placé au sein même du contre-espionnage britannique ». L'espion occupait un poste si important qu'on ne pouvait le contacter que par le biais des *duboks*, lieux de rendez-vous secrets. Son nom de code était ELLI.

Ensuite Gouzenko me demanda : Dick Ellis était-il marié à une Russe ? Avait-il servi en Russie ? Se trouvait-il à Paris avant la guerre ? Ces questions correspondaient à ce que Gouzenko avait entendu dire à Moscou à propos d'un agent soviétique travaillant dans les services secrets britanniques. Je répondis par l'affirmative. Gouzenko reprit : « Alors, il est possible que Dick Ellis et ELLI ne soient qu'une seule et même personne. »

Je rapportai cette réflexion à un membre éminent des services secrets anglo-américains. Il leva les bras au ciel. « Épousé une Russe... a travaillé en Russie... se trouvait à Paris... Il ne peut plus y avoir de doutes alors, n'est-ce pas ? »

Cet empressement à tirer des conclusions était aussi inquiétant que le refus de prendre en considération les déclarations de Gouzenko. En outre, il restait encore l'énigme exaspérante de Sir Roger Hollis, dont le nom pouvait aisément être confondu avec celui d'Ellis.

On disait maintenant qu'Ellis, qui venait de recevoir la Légion du mérite américain des mains du président Truman pour « avoir développé certains de nos organismes du renseignement », qu'il avait espionné pour les nazis et pour les Soviétiques. Ellis, dont « la clairvoyance et la diplomatie » avaient permis le succès d'opérations d'une importance considérable, selon le président Truman, faisait figure de suspect numéro un dans l'affaire ELLI. On prétendait qu'Ellis, personnellement choisi par Intrepid pendant la guerre, numéro trois dans la hiérarchie du SIS et responsable des opérations de renseignements britannique pour l'hémisphère ouest de l'Extrême-Orient, avait tout livré aux ennemis de la démocratie occidentale.

A présent, Stephenson menait une existence tranquille entouré d'un réseau de vieux collègues bien placés. La maison des Bermudes ne désemplissait pas, surtout de jeunes visiteurs. Il gardait quotidiennement le contact avec ses amis par télex ou téléphone, et il répondait avec la vivacité du poids léger qu'il avait été quand on le priait de commenter les nouvelles internationales. Il discernait souvent bien avant nous les nouvelles tendances diplomatiques et politiques. Les jeunes venaient le voir par plaisir et non par devoir, parce qu'ils sentaient qu'il était l'un des leurs, toujours prêt à discuter de leurs problèmes.

Stephenson avait dessiné lui-même sa maison avec l'aide de sa femme qui repose maintenant tout près. Une poignée d'entre nous avaient assisté à l'enterrement de Lady Mary. « Un enterrement sorti tout droit d'un James Bond », dit un ami. Il devait faire allusion à la maîtrise de soi des participants et à la simplicité de la cérémonie. Celui qui prononça l'oraison funèbre cita les mots du créateur de Bond, Ian Fleming : « Stephenson s'est dépensé sans compter pour mener à bien des opérations clandestines et des missions souvent dangereuses qui doivent rester secrètes. »

On avait demandé au pasteur d'être bref. Stephenson suivit seul le cercueil, sans aide, un triomphe de volonté. Les blessures laissées par un accident d'avion pendant la Première Guerre mondiale, des accidents au cours de la Seconde et une série de maladies récentes l'avaient condamné à une prudence contre laquelle il se rebellait. Aucun des amis présents n'aurait osé lui proposer son bras.

Jusqu'à sa mort, Lady Mary Stephenson n'avait cessé de se méfier de ceux qui pouvaient en vouloir à son mari. Elle partageait son aversion pour l'ostentation. Personnes pratiques, ils avaient organisé leurs funérailles ensemble. Puis vinrent les calomnies contre Dick Ellis, les attaques contre Intrepid et la campagne de dénigrement contre Gouzenko. Soudain Stephenson se retrouvait avec une affaire en suspens que Lady Mary aurait souhaité le voir résoudre.

Dans le passé, comme le général Gubbins du Service des opérations spéciales l'avait fait remarquer, ceux qui avaient des problèmes allaient tout droit chez Stephenson, « comme tirés par un fil invisible ». En 1981, on vit souvent Stephenson arpenter, sa canne à la main, les couloirs d'hôtels lointains ou converser avec des groupes d'hommes et de femmes âgés dans des salons. L'écrivain Roal Dahl, en vacances cet été-là à Martha's Vineyard avec son épouse Patricia Neal, déclara qu'il ne se serait pas étonné de voir son vieux chef « lui faire une peur de tous les diables, bondissant tel un boxeur, avec son regard froid et insistant ».

Sa vivacité intellectuelle et morale restait intacte. Gubbins avait raison, des visiteurs venaient du monde entier frapper à sa porte, perturbés qu'ils étaient par la sensation que les services de contre-espionnage occidentaux étaient des pantins aux mains des Russes. Gubbins avait déclaré bien longtemps auparavant, à propos de la manipulation des Services du renseignement allemand par des agents britanniques : « Si une nation infiltre les services spéciaux d'une autre, elle tire toutes les ficelles. » Les infiltrateurs soviétiques qui opéraient pendant la guerre avaient compris cette leçon.

Les Russes avaient acquis de l'expérience avant la Seconde Guerre mondiale en infiltrant les services de renseignement allemands. C'est là que Dick Ellis avait été impliqué avec les nazis et les Soviétiques. Il avait travaillé seul sur le terrain, avec des agents des deux bords, renvoyant les renseignements à Londres. Intrepid était convaincu qu'en agissant ainsi Ellis avait prêté le flanc aux attaques. Mais pourquoi l'accusait-on maintenant ?

Un jour que nous nous trouvions chez Stephenson aux Bermudes, nous tentâmes d'apporter une réponse à cette question. J'étais conscient de m'engager dans un marécage, où le sol se dérobe à chaque pas. Dans ce monde de clair-obscur, tout pouvait s'inverser en une seconde. Le seul qui fût capable de se diriger en toute sécurité dans ce champ de mines était l'homme assis en face de moi. Le temps ne semblait pas avoir prise sur lui. Son visage aux pommettes hautes, au nez ciselé comme le bec d'un aigle avait conservé sa vivacité. Le ciel gris acier des Bermudes se reflétait dans ses yeux. Son regard d'ancien pilote de combat embrassait tout, rien ne lui échappait.

Entouré de ses photos et de ses livres, il ressemblait à un laird écossais. Sa canne était accrochée au bras de son fauteuil. Il gardait à portée de main les radios et les magnétophones avec lesquels il écoutait quotidiennement les bavardages de la planète. Dans une pièce voisine, il avait installé ses télex, et chaque fois qu'ils cliquetaient, il se redressait imperceptiblement. Ses anciens collègues continuaient à adresser leurs messages à INTREPID, BERMUDES, et ses détracteurs ironisaient sur sa persistance à employer le nom de code que Churchill lui avait donné. Mais Stephenson n'y était pour rien. Une station par câbles compréhensive faisait suivre ce courrier. Ils n'avaient pas oublié combien Stephenson avait contribué au développement des communications, depuis le temps où, petit garçon dans les prairies canadiennes, il envoyait des signaux en morse aux opérateurs radio des bateaux qui traversaient les Grands Lacs.

Stephenson prit le livre de H. Montgomery Hyde sur l'étagère. Dans *The Atom Bomb Spies*, cet ancien officier du MI6 évoquait les conséquences de la défection de Gouzenko et l'exécution de Ethel et Julius Rosenberg. Si les Rosenberg avaient avoué, leur vie aurait été épargnée. Mais ils avaient refusé. Ils étaient morts en martyrs aux yeux de beaucoup. Dans son livre, Hyde illustrait les souffrances qu'avait endurées Ethel Rosenberg en reproduisant la photo d'une femme inconnue sur la chaise électrique. Le photographe avait capté les derniers instants, l'œil exorbité et le corps tendu, prisonnier des courroies de cuir. L'opinion publique, choquée, pensait que les Rosenberg étaient les victimes innocentes d'un procès digne de celui des sorcières de Salem.

On n'avait pas révélé que les preuves de la culpabilité

des Rosenberg avaient été trouvées dans les messages décodés des communications radio des services secrets soviétiques. On n'en avait pas parlé parce que les Russes, se sachant compromis, auraient adopté de nouveaux codes. Le travail d'écoute entrepris pendant la guerre par les services de renseignements occidentaux s'était poursuivi, la paix revenue, sous des noms de code opérationnels divers, BRIDE, VANOSA et d'autres.

Levant les yeux de son bloc-notes, Stephenson s'abîma dans la contemplation des récifs de corail. La tromperie était une arme à double tranchant. Le pouvoir secret était dangereux, car il ouvrait la porte à des décisions arbitraires qui remettaient en question le système judiciaire en vigueur dans les sociétés démocratiques. Les Soviétiques le savaient et ne se faisaient pas faute de l'exploiter, conscients des difficultés dans lesquelles se débattaient les services du contre-espionnage. Ils n'ignoraient pas que, même si l'exécution des Rosenberg était justifiée dans l'esprit des Américains qui avaient accès au trafic du Centre de Moscou en 1953, le public resterait marqué par ce qu'il considérait comme une injustice.

Stephenson parcourut les épreuves de *Mole*, ouvrage de William Hood, un ancien dirigeant de la CIA, qui écrivait :

Comme la guerre, l'espionnage est une sale affaire. Dépouillé de son auréole de gloire, le métier du soldat se résume à une chose : tuer. La tâche de l'espion est de trahir la confiance. Pour le soldat ou l'espion, la seule justification possible de leurs actes est la valeur morale de leur cause... Quand un homme ordinaire met sa vie en danger pour défendre une cause politique et laisse sa trace dans l'histoire, cela vaut la peine qu'on s'y arrête...

Gouzenko avait laissé sa trace dans l'histoire. Mais il était clair à présent qu'il subsistait des zones d'ombre.

Dick Ellis aussi avait laissé sa marque. Ces hommes avaient été victimes de certains détenteurs de pouvoirs secrets soumis à la tentation de décider du sort de ceux qui sont prisonniers d'une guerre secrète. Ellis avait consacré sa vie à une cause, et Stephenson avait accepté que ce patriote et professionnel du renseignement partage les secrets du BSC.

A voir Stephenson fixer ainsi les flots, on aurait pu le croire en proie à une grande angoisse intérieure. Si c'était le cas, il n'en parlait jamais. J'avais appris depuis longtemps qu'il cachait soigneusement ses sentiments. Il restait une énigme, même pour ses proches. En revanche, si un vieux collègue avait besoin qu'on lui remonte le moral, Stephenson était toujours disponible. Il retrouvait la camaraderie qui régnait dans les escadres de combat en 1914-1918.

Stephenson regrettait que Donovan ne soit plus là pour voir comment les choses avaient tourné depuis l'époque où ils fondaient de grands espoirs sur l'Alliance atlantique. Ils avaient rêvé de mettre en place un système de renseignements qui s'inspirerait de leurs expériences communes pendant la guerre, et leur rêve était devenu réalité. Mais ils n'avaient pas prévu les loyautés fuyantes, le renversement des valeurs et la routine de la trahison. Stephenson ne jouait jamais les oiseaux de mauvais augure. Il savait que les démocraties possédaient une énorme faculté d'adaptation et une volonté farouche de tester les nouvelles idées. Gouzenko, qui avait rêvé d'une nouvelle vie, avait été fait citoyen britannique par le roi George VI, et cet événement avait revêtu une grande signification pour le Russe.

« Stephenson cherchait toujours le bon côté des choses », disait Ian Fleming. Il avait fait appel aux lumières de Stephenson pour mettre au point l'attirail d'espion de son héros 007. Mais il ne le reconnut jamais en public. Comme il l'expliquait, « la couverture de guerre de Stephenson restait le plus grand des secrets ». Du vivant de Gouzenko, le voile n'avait pas encore été levé sur l'engagement de Stephenson aux côtés du FBI et des précurseurs de la CIA. Peu avant sa mort en 1982, l'ancien officier de renseignement russe se souvenait seulement que Stephenson était celui que ses gardes appelaient M. Quiçà?

4

LE BSC
PENDANT LA GUERRE

Stephenson commença son « occupation clandestine » de Manhattan en 1940, après le rapatriement des troupes britanniques de Dunkerque et avant la bataille d'Angleterre. Dès 1941, J. Edgar Hoover du FBI se plaignit que le quartier général du BSC, situé au Rockefeller Center, commandât une armée d'agents secrets anglais. De son côté, le sous-secrétaire d'État, Zdolf Berle, s'insurgea dans une note confidentielle contre le fait que le BSC englobât le SIS, le SOE, et une Quatrième Arme formant des armées rebelles, ainsi que le contre-espionnage britannique avec ses codes et ses communications secrètes... et que Stephenson dirigeât neuf services distincts du renseignement britannique, avec des antennes dans la plupart des grandes villes américaines. Hoover fit valoir que Stephenson prenait souvent des initiatives sans consulter personne, et qu'il ne prévenait le FBI qu'après coup, quand il n'oubliait pas complètement de le faire. A cette critique, l'attorney général Francis Biddle répliqua qu'Hoover se contredisait « lorsqu'il prétendait tout ignorer des activités de Stephenson » parce que « le FBI envoie deux à trois cents messages codés par semaine aux services secrets britanniques à Londres par l'intermédiaire du bureau de

New York ». « En vérité, avoua Biddle désespéré, personne ne sait rien des activités de Stephenson *. »

A l'exception du président Franklin D. Roosevelt et de Winston Churchill, aurait-il pu ajouter.

Deux ans avant Pearl Harbor, les deux dirigeantsavaient en effet conclu un accord secret. A l'époque de la neutralité des États-Unis et de la lutte solitaire de la Grande-Bretagne contre les nazis, certaines dispositions avaient été prises pour le cas où Hitler tenterait d'envahir l'Angleterre. On décida que la résistance clandestine serait coordonnée d'outre-Atlantique et on transféra les projets de nouvelles armes secrètes aux États-Unis, où on les développerait jusqu'au stade de la fabrication. Quand la menace de l'invasion allemande diminua, Stephenson se consacra à la mission que Churchill lui avait confiée : « Poussez les Américains à s'engager dans le conflit, par n'importe quel moyen. » On insista davantage sur la guerre clandestine menée par les Américains en mer. On contourna la neutralité américaine pour faire passer d'énormes quantités d'équipement militaire entre les mains des Britanniques. Au sein du BSC, Stephenson créa son propre service de sécurité pour protéger ce matériel des risques de sabotage, et il forma une autre unité pour saboter les transports maritimes de l'Axe. « Le BSC a effectué plus d'opérations de sabotage que toute la colonie allemande réunie aux États-Unis », rapporta un général des services secrets russes dont l'identité devait revêtir une importance capitale lorsqu'on finit par s'intéresser à la relation Gouzenko-Ellis.

Voici ce que l'on peut lire dans le rapport des services secrets russes :

Stephenson mit toute son énergie à convaincre les

---

* Thomas Troy, *Donovan and the CIA : History of the Establishment of the CIA* (CIA 1981).

Américains qu'il était temps qu'ils créent leur propre agence de renseignements... Les Britanniques participeraient à l'édification de ce service (en 1941-1942) et, en retour de l'aide apportée lors des premières phases, ils auraient accès aux renseignements qui ne manqueraient pas d'être abondants grâce aux ressources plus importantes mises en œuvre par les États-Unis. Stephenson parvint à éveiller l'intérêt de Roosevelt lui-même et à faire en sorte que le président comprenne que Stephenson et les services qui étaient derrière lui, le SOE, le MI5 et le SIS entre autres, avaient beaucoup à offrir. Si bien qu'au moment de la création de l'OSS, avec à sa tête le général « Wild Bill » Donovan, une étroite collaboration avec les Britanniques existait déjà au plus haut niveau.

En d'autres termes, on donnait le conseil suivant à Staline : si vous voulez pouvoir utiliser la puissance américaine, l'esprit d'invention américain, et les énormes réserves de richesses naturelles, de main-d'œuvre et d'espace de l'Amérique, il ne vous reste plus qu'à vous inspirer des méthodes de Stephenson qui place des amis bien disposés à des postes clés.

« Stephenson, concluait le rapport, est un ami de Churchill qui détient beaucoup plus de pouvoirs politiques réels qu'aucun autre officier du renseignement britannique. »

Stephenson parvint à conserver sa couverture de Canadien solitaire qui avait réussi « dans une affaire s'occupant d'électricité et des communications » à New York jusqu'à la fin de la guerre. Pour certains de ses amis, Gene Tunney par exemple, il était resté le champion de boxe de classe mondiale dont la rapidité sur le ring lui avait valu le surnom de « Billy la Mitrailleuse » (« Machinegun Billy »). A l'âge de quarante-neuf ans, il possédait encore l'énergie d'un athlète. Il habitait au 450 de la 52ᵉ rue Est avec Mary, sa femme depuis plus de vingt ans. Dans le monde, on les considérait comme un couple agréable ayant des amis très divers. Mary French Simmons était originaire de Springfield dans le Tennessee. Sous ses allures de Belle du Sud à la voix douce se cachait une volonté de fer. Elle avait aidé Stephenson à édifier un petit empire dans la radio, le cinéma, l'aviation, l'électronique et l'industrie automobile. Pendant la guerre, elle avait donné beaucoup de réceptions toute seule, évitant adroitement les questions indiscrètes quand son mari était parti pour quelque mystérieux voyage. Elle savait qu'il était important de ne pas ébruiter ses amitiés : les amis de Stephenson offraient souvent leurs services gratuitement mais pas toujours sciemment. C'étaient des vedettes du cinéma, des magnats de la construction navale, des éditeurs et des opérateurs par câble transatlantique. Mary comprenait les étranges exigences de son mari : à Hollywood, il demandait des experts du camouflage ; aux banquiers, de fournir d'énormes sommes d'argent en devises étrangères ; aux constructeurs de bateaux, des trafiquants d'armes efficaces. Les amateurs du BSC sortaient de milieux différents, qui avaient des spécialités très pratiques en temps de guerre. Des perceurs de coffres-forts sortirent de prison pour investir les salles du chiffre de l'ennemi. Des experts en orfèvrerie conspirèrent pour récupérer le butin nazi. Un diseur de bonne aventure donna à ses fans du monde entier des prédictions fausses par le biais d'un journal syndiqué (et commandité dans l'ombre par le BSC) pour induire en erreur les partisans superstitieux de Hitler.

En cette fin d'été 1945, Mary se réjouissait à l'idée de passer la saison suivante avec son mari à ses côtés. Les Alliés avaient triomphé : l'Allemagne s'était rendue le 8 mai et le Japon, après l'anéantissement d'Hiroshima et de Nagasaki détruites à l'aide d'armes d'une puissance inégalée, avait fini par capituler le 14 août. Le monde entier ou presque se préparait à fêter le retour de la paix, et New York ne faisait pas exception. On organisait un dîner en l'honneur d'Al Johnson pour recueillir des fonds pour l'armée. Clare Booth Luce avait abandonné le Congrès pour jouer *Candida* à Broadway. Clare et son mari, Henry Luce du *Time*, étaient des amis intimes des Stephenson. Certaines de leurs relations savaient pourquoi Stephenson avait été anobli. Elles étaient « pleinement conscientes », pour reprendre le jargon du renseignement. Nelson Rockefeller avait fourni les locaux du Rockefeller Center pour abriter le BSC ainsi que des couvertures pour l'équipe des communications. Noël Coward faisait aussi partie du cercle. Ces amis commencèrent à comprendre, en ce mois de septembre, que la carrière d'Intrepid n'était pas terminée. Ils eurent à nouveau droit aux rendez-vous manqués, aux vagues excuses.

En l'occurrence, Stephenson devait s'occuper d'une opération de sauvetage. L'officier de renseignement russe, CLARK pour Moscou, et connu de Stephenson sous le nom d'Igor Gouzenko, courait un très grave danger. Après s'être réfugié à l'Ouest il faisait l'amère constatation que le gouvernement sous la protection duquel il s'était mis l'évitait. Stephenson intervenait de son propre chef pour sauver Gouzenko, défiant ainsi les pouvoirs politiques des services secrets qui renaissaient avec la paix.

5

LA NAISSANCE
DE LA BOMBE

La crise eut des origines complexes. Tout partit de la décision de construire la bombe atomique. Les premières mesures dans ce sens avaient été prises avant l'entrée en guerre des États-Unis, au moment où les Britanniques lançaient l'idée d'une Quatrième Arme lors des pourparlers stratégiques américano-anglo-canadiens.

Les propositions visant à fomenter des révoltes contre la tyrannie en Europe avaient inquiété les services secrets russes. Les « sales combines » des Alliés menaçaient l'autorité de Staline et paraissaient en définitive beaucoup plus dangereuses que d'hypothétiques bombes, « pas plus grosses qu'un ananas » d'après ce que l'on avait dit au dictateur, mais « capables de détruire une ville entière ».

En 1942, Washington abritait un bureau central de la science britannique qui faisait fonction de chambre de compensation. Ce service occupait deux bâtiments – l'un situé sur McPherson Square du côté de la 15e rue et l'autre à l'angle de la 17e rue et de Massachusetts Avenue. Le FBI enregistra au moins trois tentatives de vol de renseignements sur les Tube Alloys orchestrées par les nazis, Tube Alloys étant le nom de code désignant la contribution britannique à la mise au point de la bombe. Apparemment, les Soviétiques ne s'attaquèrent pas à cette cible. En effet, les questionnaires des services secrets russes, déchiffrés ultérieurement, révélèrent que Moscou s'intéressait davantage aux opérations clandestines qu'à la bombe.

On testa la bombe près de la retraite familiale que Robert Oppenheimer possédait avant la guerre : un ranch perdu dans le désert du Pecos au nord du Nouveau-Mexique. Le secret fut très difficile à garder, comme en témoigne la réflexion d'un élève de l'école de garçons de Los Alamos, à une cinquantaine de kilomètres au nord-est de Santa Fé. « Ces deux types sont arrivés. Celui qui portait un feutre rond nous raconta qu'il s'appelait M. Smith et l'autre avec son minuscule chapeau mou se présenta comme M. Jones. Nous avions vu leurs photos dans nos livres de physique. Le premier dirigeait un laboratoire célèbre, et l'autre était le meilleur physicien théorique de notre époque. Nous nous doutions bien que, s'ils se trouvaient là incognito, c'était pour quelque chose d'important. »

L'un de ces deux hommes était Oppenheimer qui, en 1942, pensait pouvoir construire la bombe avec une équipe d'une trentaine de savants. Deux ans plus tard, il administrait une ville fortifiée de soixante mille personnes, installés sur le terrain de l'école de garçons, qui possédait son propre poste émetteur, ses orchestres, ses buvettes, et un cyclotron capable de déclencher en un millionième de seconde une violente réaction en chaîne d'une puissance suffisante pour rayer une ville de la carte.

Pourtant, on parvint à garder le secret; de bons citoyens américains, mus par cette détermination et ce prodigieux sens de la solidarité qui régnaient à l'époque aux États-Unis, s'y employèrent, et ils ne furent pas les seuls. On avait fait sortir clandestinement d'Europe occupée des savants clés pour les amener dans ce désert. Des saboteurs firent sauter des centres de recherche contrôlés par les nazis, réduisant ainsi à néant le matériel destiné aux expériences atomiques. Des armées de résistance protégèrent la fuite d'hommes utiles au projet Manhattan, sur des instructions transmises par des postes émetteurs clandestins. En Angleterre, un professeur s'étonna de voir disparaître ses collègues peu loquaces les uns après les autres, jusqu'au jour où on lui fit aussi prêter serment. On le pria de se tenir prêt à partir pour le Canada. Il se rendit à la bibliothèque pour consulter des ouvrages sur ce pays et découvrit à cette occasion où ces collègues étaient allés – ils avaient tous emprunté les mêmes livres. Le Canada possédait les énormes ressources d'énergie hydro-électrique nécessaires à l'époque pour désintégrer l'atome, et les Canadiens et les Britanniques avaient un moment envisagé de poursuivre l'expérience tout seuls.

C'est alors que les États-Unis reprirent le flambeau. A Princeton, le chef de gare s'étonna de vendre autant d'allers simples pour un arrêt facultatif situé près de Santa Fé. Au Danemark, le chef de l'armée secrète antinazi se demanda pourquoi il risquait la vie de ses agents pour remettre des clefs anciennes à un universitaire aux cheveux longs. Il ignorait qu'elles contenaient des instructions qui lui permettaient de rejoindre les Alliés afin de participer à la construction de la bombe. Au Nouveau-Mexique, Dave MacDonald, fermier de son état, protesta quand des messieurs de Washington lui demandèrent avec une insistance polie de céder un terrain destiné à un champ de tir air-sol. « Peu de temps après, il y avait six ou sept cents individus installés dans et autour de mon ranch, et j'ai jamais vu personne tirer un seul coup de feu jusqu'à la nuit du tremblement de terre. »

Ce tremblement de terre fut provoqué par le premier essai atomique effectué en 1945 dans le « Voyage de la mort », nom que les Espagnols avaient donné à la région. Un camion sans plaques minéralogiques apporta un cylindre d'acier à Alamogordo, à 320 kilomètres au sud de Los

Alamos. En voyant cela, Holt Burson, un autre fermier, se souvient d'une vieille couverture du *Time* : « Quand ils ont amené ce truc-là, je me suis dit qu'ils allaient peut-être s'amuser à désintégrer des atomes, mais je n'y ai pas cru. »

Robert Oppenheimer était officiellement coordinateur de la rupture rapide, titre apparemment éloquent, mais quand le projet débuta personne n'aurait pu faire la liaison entre la « rupture rapide » et la désintégration d'atomes. La quantité de plutonium disponible dans le monde aurait à peine suffi à couvrir une tête d'épingle. On avait construit une énorme usine à Oak Ridge dans le Tennessee pour produire de l'U-235, carburant nécessaire à la bombe test. Des réacteurs géants fonctionnaient dans d'autres régions de l'Amérique pour fabriquer de précieux grammes de plutonium. Le 11 juillet 1945, la totalité de la réserve mondiale de plutonium connue à ce jour – dix livres – arriva au ranch réquisitionné. Si l'on se fie à la facture, ce plutonium était évalué à un milliard de dollars. On aurait aussi bien pu dire mille milliards, puisque personne n'en connaissait la valeur exacte. Oppenheimer savait seulement ce que la fabrication avait coûté.

Les autochtones comprirent l'obligation de garder le secret et admirent la présence des agents du FBI qui avaient envahi leurs terres. A Santa Fé, les plaisanteries allaient bon train. On racontait que le ranch avait été transformé en base sous-marine où l'on mettait au point des essuie-glaces pour périscopes.

Un orage éclata la nuit même où l'on devait faire exploser l'énorme sphère de cinq tonnes surnommée *Fat Man* à Trinity Site. En ces premières heures du 16 juillet 1945, Fat Man était niché au sommet d'une tour si haute qu'on craignait qu'elle n'attire la foudre. Au cœur de Fat Man, il y avait deux hémisphères usinés contenant du plutonium, matière qui dégageait une chaleur inquiétante selon ceux qui eurent l'occasion de la toucher. Et si

63

un coup de foudre allait anéantir leur travail? Cela sonnerait la fin du programme d'essai et peut-être aussi de la fabrication de la bombe atomique. Les savants qui se trouvaient au poste de commande à huit kilomètres de là lançaient des paris sur l'ampleur des dégâts que causerait l'explosion, programmée ou accidentelle. Les techniciens furent atterrés en entendant un physicien distingué parier pour la destruction totale par le feu du Nouveau-Mexique. Les éclairs qui illuminaient Fat Man donnaient une impression de fin du monde. Mais il n'y eut pas d'accident.

« Je ne pensais pas que l'explosion provoquerait un tel dégagement de chaleur, déclara Frank Oppenheimer, frère de Robert et physicien lui-même. Un grondement assourdissant se répercuta sur les rochers qui nous entouraient et résonna dans toute la vallée. Un nuage menaçant resta suspendu au-dessus de nos têtes, boule pourpre éblouissante, bourrée de radioactivité. »

Une femme d'affaires de la région, Elisabeth Ingram, conduisait sa sœur à l'école lorsqu'elle vit le ciel s'embraser. « Ma sœur me demanda ce qui brillait autour de nous. Drôle de question n'est-ce pas de la part d'une aveugle? »

Trois semaines plus tard, certains devinèrent de quoi il retournait en apprenant l'atomisation d'Hiroshima qui eut lieu le 6 août. Cette ville figurait déjà depuis quelque temps sur la liste des cibles des bombardiers américains. L'armée de l'air voulait une ville vierge. C'était le seul moyen pour les savants de mesurer l'effet destructeur de la bombe. En l'espace de neuf secondes, dans un éclair qui dut être visible d'une autre planète, dit-on, la première bombe causa la mort de 80 000 personnes. Les autres victimes furent condamnées à une lente agonie provoquée par une maladie d'un nouveau type : l'irradiation.

C'est alors que les fermiers de la vallée comprirent. Ils parlèrent de leur bétail dont les poils devenaient blancs comme neige. « Là où les retombées touchaient un troupeau, si une vache était couchée sur le flanc gauche, le droit était brûlé et les poils, au lieu de repousser roux comme c'est normal pour une Hereford, revenaient blancs. Et puis il y avait ce chat noir que le vieux Mac Smith gardait à la boutique. Il était noir comme du charbon avant l'explosion. Ensuite, des taches blanches se sont mises à apparaître partout sur son corps. Le vieux a fini par le vendre cinq dollars à des touristes », déclara Burson.

Un autre paysan déclara : « L'ennemi n'a rien su parce que pour nous, Américains, le patriotisme avait encore une signification. C'était le bon temps. Les gens se tenaient les coudes, ils savaient que la civilisation pouvait disparaître dans une guerre qui, si nous la perdions, nous ramènerait au début des temps. »

Le secret avait été bien gardé par les habitants. Cependant, certains de ceux qui assistèrent à la création de la bombe, s'estimant supérieurs à leurs concitoyens, s'arrogèrent le droit de partager ce secret avec l'Union soviétique.

DEUXIÈME PARTIE

ÉTÉ 1945
LA RECHERCHE DES PREUVES

6

ON RECHERCHE
UN TRANSFUGE

Il semblait impensable que l'Union soviétique menât une guerre secrète contre ses alliés de la Seconde Guerre mondiale. L'examen des archives nazies avait révélé aux Occidentaux l'existence d'opérations hostiles dirigées contre eux par les services secrets russes. La pénétration soviétique touchait toutes les institutions de l'Ouest – détail qui n'avait pas échappé aux services spéciaux allemands. L'écoute du trafic des émetteurs diplomatiques soviétiques en Amérique du Nord confirma ces activités de leurs services de renseignements.

L'opinion publique n'en savait rien, et les sympathisants et agents d'influence s'employaient à entretenir l'image d'innocence politique en vogue à l'époque. Ils avaient réussi, par exemple, à dissimuler la découverte de microfilms au ministère des Affaires étrangères du Reich, qui attestaient qu'Hitler avait conclu un « protocole additionnel secret » avec Staline quelques jours avant l'entrée des nazis en Pologne en septembre 39. Cet additif aux accords germano-soviétiques partageait l'Europe entre les nazis et les Russes, rendant ces derniers aussi coupables d'agression que les Allemands.

Il faudrait toute l'ingéniosité du défenseur d'un des criminels de guerre nazis à Nuremberg, plus d'un an après, pour que l'Occident s'indigne du cynisme du marché conclu par Staline. Cependant, après les retombées de la défaite d'Hitler en 1945, la première préoccupation de l'Occident était de convaincre Staline de participer à la création des Nations unies. Il ne fallait rien faire qui pût contrarier Staline qui, dans l'intervalle, étendait son hégémonie en alternant promesses et épreuves de force. Il n'allait pas tarder à asservir tous les territoires spécifiés dans les accords secrets avec les nazis.

Stephenson affrontait un autre problème. Avant l'entrée en guerre des États-Unis, le BSC avait installé des bases secrètes au Canada, où l'on fournissait entraînement et faux papiers aux Américains recrutés pour des opérations clandestines en Europe occupée. Après Pearl Harbor, la base du BSC baptisée le Camp X, qui était situé sur le lac Ontario, élargit ses activités. Il disposait maintenant d'un puissant émetteur radio en partie souterrain, auquel on donna le nom de code d'HYDRA. Les grandes antennes d'HYDRA se dressaient au-dessus des bâtiments, et on expliqua leur présence par le programme d'expansion de Radio-Canada. En fait, HYDRA jouait un rôle majeur dans la lutte contre les opérations orchestrées par les services secrets russes. Il faisait la liaison entre les intercepteurs et les cryptoanalystes qui travaillaient sur les transmissions soviétiques illégales effectuées à partir des territoires américain, canadien et britannique.

Le trafic codé sortant de l'ambassade soviétique d'Ottawa était étudié à la loupe par des équipes baptisées Unités d'examen qui étaient regroupées sous l'appellation vague de Conseil national de la recherche. Jusqu'à la fin de la guerre, ces équipes s'étaient consacrées aux opérations illégales des espions et sympathisants nazis et japonais. Le hasard leur avait permis de découvrir que les Soviétiques se livraient à des activités clandestines, et elles avaient lentement rassemblé des informations encore fragmentaires.

Les éléments réunis confirmèrent les soupçons de Stephenson, de la police montée et du FBI : les Russes avaient des espions au sein même de la recherche atomique. Il fallait transformer ces soupçons en preuves tangibles. Mais comment ? L'Occident serait difficile à convaincre. Stephenson se souvenait avec amertume de la réticence de l'Ouest à passer à l'action devant les signes annonciateurs de Pearl Harbor.

Stephenson avait l'impression que 1945 sonnerait la fin de l'ère des héros. L'Amérique s'était enorgueillie de l'élégant courage de Roosevelt dans les moments de crise. Harry Truman lui avait succédé. S'il ne suscitait pas de grandes passions, il offrait la stabilité réconfortante du bon sens du commerçant, selon l'expression de Truman Capote. Les Britanniques avaient chassé leur grand héros, Churchill, « l'homme qui avait mobilisé la langue anglaise et l'avait envoyée faire la guerre », pour mettre à sa place un socialiste apparemment modéré, Clement Attlee, que Churchill décrivait comme « un petit homme modeste avec toutes les raisons de l'être ». Au Canada, Mackenzie King s'accrochait au pouvoir. Cet animal politique se rendait compte que les soldats qui rentraient au pays rêvaient d'un nouvel ordre social et que, dans l'imagination populaire, l'Union soviétique s'était comportée en allié courageux. Aux yeux de beaucoup, Staline restait le dernier héros de dimension historique qui gouvernât encore.

Le BSC et ses ramifications telles que le Camp X allaient avoir du mal à poursuivre leurs activités. Stephenson ne pouvait pas s'adresser à Mackenzie King avec de simples présomptions fondées sur des messages interceptés : King tenait Staline pour un honnête homme qui serait scandalisé s'il apprenait qu'on lisait sa correspondance. Son plus virulent critique avait fort bien décrit le trait de caractère dominant du Premier ministre canadien : « King a une maîtrise parfaite du comportement féminin. » Entendre parler de perfidie soviétique sans preuves à l'appui lui donnerait des vapeurs. En outre, le ministère des Affaires étrangères canadien contestait l'étroite collaboration entre le BSC et les agents du contre-espionnage canadien, rejoignant en cela l'opinion du département d'État américain qui estimait que les activités de Stephenson n'avaient pas de base légale et auraient dû prendre fin avec la guerre.

Hoover, du FBI, ne s'attendait pas non plus à recevoir un accueil chaleureux à la Maison-Blanche. Quand on lui présentait des rapports du contre-espionnage, Truman « n'avait pas de temps à consacrer à ces foutaises ». A cette époque, il trouvait encore Staline « honnête ».

A Londres, ceux qui s'employaient à briser les défenses alliées exploitaient la jalousie des professionnels de temps de paix à l'égard de ceux qui avaient œuvré pendant la guerre. Les chefs du SIS avaient toujours traité Stephenson avec circonspection. Lorsqu'il estimait nécessaire de passer à l'action, il refusait de perdre du temps à respecter la voie hiérarchique. Maintenant il se tenait sur sa réserve avec les hommes du SIS pour une raison beaucoup plus grave : il se méfiait de leurs motivations politiques.

Stephenson avait besoin de preuves tangibles. Si, par exemple, un transfuge changeait de camp, on l'écouterait peut-être. S'il arrivait avec des documents, il serait difficile de mettre son témoignage en doute. On ne courrait pas le risque de perdre une précieuse ouverture sur les services secrets russes, car à ce moment-là il ne serait pas nécessaire de soumettre le trafic intercepté des services secrets à une enquête publique, ce qui apprendrait aux Soviétiques l'existence des écoutes.

Un incident déroutant avait montré les dangers inhérents à l'analyse des communications des services soviétiques. Le département d'État américain avait ordonné à Donovan et à l'OSS de rendre aux Russes quatre systèmes de codage qui avaient été volés à leurs services de renseignements, ainsi que plusieurs centaines de documents secrets. La rumeur disait que cet ordre avait été donné par le président Roosevelt peu de temps avant sa mort. A la mi-février 1945, on avait restitué les fameux manuels de code. Par miracle, Moscou ne modifia pas les codes intéressant les cryptoanalystes canadiens. Seulement Stephenson comprit à ce moment-là que les conseillers présidentiels toujours en place après la disparition de Roosevelt, désireux de traiter les Soviétiques en amis intimes, n'avaient pas hésité à attribuer au président agonisant la paternité d'un ordre qui court-circuitait les services secrets américains. Stephenson pensa qu'il valait mieux ne pas divulguer l'existence des écoutes du trafic radio soviétique, même aux gens de son propre bord, plutôt que de risquer de voir une décision politique y mettre un terme. D'un autre côté, si l'on ne pouvait pas utiliser les informations recueillies par ce biais, ce travail perdrait son intérêt. D'où la nécessité d'un transfuge – quelqu'un qui puisse légitimement donner les renseignements et déguiser le fait que certains d'entre eux provenaient en réalité d'une source différente.

On examina minutieusement les missions soviétiques à la recherche d'un candidat possible. La police montée canadienne avait déjà repéré un jeune employé de l'ambassade d'Ottawa : Igor Gouzenko. Il vivait avec sa femme et son enfant parmi les Canadiens, à l'écart de ses compatriotes. Ses voisins avaient remarqué son désenchantement à l'égard de l'Union soviétique et son indignation quand ses collègues évoquaient l'éventualité d'une troisième guerre mondiale qui verrait l'Union soviétique écraser ses anciens alliés. Il avait résisté à un rappel de Moscou. Apparemment il n'avait pas hâte de rentrer au pays.

Restait à savoir comment il passerait à l'Ouest : allait-on l'enlever à la vue de tous ou le laisser tâtonner dans le labyrinthe de la bureaucratie canadienne ? Il était hors de question d'agir ouvertement : les communistes et leurs partisans crieraient à la provocation, lanceraient une campagne pour dénoncer l'hostilité de l'Occident à l'encontre de l'Union soviétique, et on ouvrirait des enquêtes qui menaceraient le statut secret du BSC. Quant aux politiciens, ils prêteraient sûrement une oreille complaisante aux réclamations de l'ambassade qui exigerait qu'on lui rende le criminel.

Quelle que fût la façon dont on aborderait le problème, il y aurait toujours un intervalle effrayant pendant lequel Gouzenko et sa famille seraient exposés à un danger mortel. Il faudrait que d'une manière ou d'une autre, ils parviennent à se mettre sous la protection de la police municipale. Jusque-là, ils erreraient dans un véritable no man's land, pris entre deux feux, condamnés à avancer en terrain miné.

7

IGOR GOUZENKO
ENTRE EN SCÈNE

Igor Sergeievitch Gouzenko, agent du GRU, directoire général du renseignement de l'Armée rouge, était arrivé à l'ambassade d'Ottawa deux ans auparavant, au cours de l'été 1943. Spécialiste confirmé de tous les aspects des communications secrètes, il était venu au Canada sous couverture diplomatique en tant que secrétaire-traducteur. A ses côtés dans l'avion se trouvait le colonel Nikolai Zabotin, maître espion qui voyageait comme attaché militaire. Svetlana, la femme de Gouzenko, n'avait pas été autorisée à se joindre à eux : elle était enceinte et, de toute façon, Moscou aimait bien retenir des « otages ». Elle rejoindrait son mari plus tard dans l'année, une fois que le NKVD aurait localisé tous les membres de la famille susceptibles d'être jetés en prison si le comportement des Gouzenko laissait à désirer.

Gouzenko tomba sous le charme du colonel Zabotin dès leur première rencontre, peu avant de s'embarquer pour leur vol de quatre jours. Peu habitué à sa couverture civile, il avait instinctivement salué son nouveau supérieur – révélant ainsi sa véritable identité. Devant son embarras, Zabotin éclata de rire et lui conseilla de se défaire de cette fâcheuse habitude.

Les puristes du parti avaient fermé les yeux sur les

origines aristocratiques du colonel, qui auraient normalement entraîné son élimination, quand il s'avéra un brillant officier. En tant que directeur du GRU en Mongolie, il avait mené des opérations de longue portée en Chine, où l'on préparait le terrain politique pour la reprise en main communiste après la guerre. Doté d'un bon esprit scientifique, il avait passé les mois précédents à apprendre des rudiments de physique nucléaire. Armé de son passeport diplomatique, il partait pour l'Amérique du Nord afin de remplir sa nouvelle mission : la supervision des espions atomiques déjà en place aux endroits stratégiques, des mines d'uranium canadiennes à Santa Fé au Nouveau-Mexique.

Zabotin avait une assez bonne connaissance des progrès secrets accomplis par les États de l'Alliance atlantique dans la compétition qui les opposaient aux nazis et aux Soviétiques pour la constructrion de la bombe atomique. Le travail des Soviétiques était beaucoup plus avancé qu'on ne le croyait à l'Ouest, et ils n'avaient pas la moindre intention d'en faire part à leurs « alliés ». Le premier cyclotron ou « briseur d'atomes » européen avait été mis au point par le laboratoire des instruments de mesure soviétique sous la direction d'Igor Kurchatov. Le « problème de l'uranium », selon l'expression de l'Académie des sciences, avait aussi fait l'objet de recherches poussées.

Zabotin connaissait le rôle essentiel joué par l'uranium dans une explosion atomique. On pensait que l'eau lourde était déterminante dans la modération du processus. En 1943, le Canada était le seul pays du monde libre à produire ces deux matériaux. Cette année-là, des agents britanniques et des saboteurs norvégiens attaquèrent et parvinrent à détruire au prix de nombreuses pertes humaines la source d'eau lourde en Norvège occupée.

76

Le propre service du GRU de Zabotin avait été impliqué dans les à-côtés de la bombe, et il savait comment les Britanniques avaient clandestinement fait sortir le professeur Niels Bohr du Danemark afin qu'il puisse participer au programme américain. Collègue des physiciens berlinois qui avaient démontré les premiers en 1938 la fission des atomes d'uranium (matière radioactive) lorsqu'ils étaient bombardés de neutrons, Lise Meitner les renseignait de Stockholm sur l'évolution de la recherche allemande. Lise Meitner était celle qui avait correctement interprété la réaction en chaîne, et Nick Zabotin n'ignorait pas que son propre service avait aidé cette savante juive à échapper aux purges nazies.

Le Club de l'uranium était l'équivalent nazi du laboratoire de recherche soviétique. D'après le professeur Meitner, le travail allemand souffrait du sybaritisme des savants que l'État protégeait et ne contrôlait guère. Dans l'intervalle, les savants français avaient démontré que l'eau lourde pouvait ralentir les neutrons libérés par la fission de l'atome, ce qui permettait le déclenchement d'une réaction en chaîne dans une masse d'uranium. La Gestapo et les physiciens français s'étaient livrés à une lutte acharnée pour acquérir tous les stocks disponibles d'eau lourde.

Zabotin était au courant de ces manœuvres clandestines. Pendant la « drôle de guerre », les physiciens français et allemands s'adressèrent à Hydro, compagnie norvégienne qui était la seule à commercialiser l'eau lourde. Les Français achetèrent tout le stock d'Hydro par l'intermédiaire d'un agent français, Jacques Allier. Poursuivi par les Allemands, celui-ci parvint à les semer en changeant d'avion à la dernière seconde et partit pour l'Angleterre. L'eau lourde finit par arriver dans les laboratoires parisiens. Mais ce sursis fut de courte durée. Lorsque les Allemands prirent la ville, on emporta clandestinement les containers dans le coffre-fort d'une banque de province, puis on les cacha dans la cellule du condamné de la prison de Clermont-Ferrand. Enfin, des agents secrets les transportèrent dans la demeure des souverains anglais, au château de Windsor.

« Un mot sinistre, inquiétant, contre nature, dit Churchill de l'*eau lourde*. Il ne fait aucun doute que la race humaine sera bientôt capable de s'auto-détruire complètement. » En octobre 1941, il avait créé un directoire britannique secret qui avait reçu comme nom de code *Tube Alloys* pour essayer de construire la bombe en collaboration avec les États-Unis. Il s'était rendu compte que la Grande-Bretagne ne pourrait à la fois combattre Hitler toute seule et mener à bien son propre projet de bombe atomique camouflé sous le nom de Comité MAUD. Il envoya donc aux Américains le rapport secret MAUD, intitulé, « L'utilisation de l'uranium pour la construction de la bombe ».

Le président Roosevelt avait formé la Commission de l'uranium après qu'Alexander Sachs, financier de Wall Street, lui eut transmis une lettre d'Einstein. L'été 1939, le savant avait écrit : « On peut transformer l'uranium en une importante source d'énergie... Une seule bombe de ce type peut détruire une ville entière. » Il attirait ensuite l'attention du président sur les progrès des nazis dans ce domaine.

Tous ceux qui étaient au courant de ce projet en parlaient avec gêne. Mais, comme le déclara Churchill à Roosevelt lorsqu'ils se rencontrèrent à Hyde Park en juin 1942 : « Nous ne pouvions pas courir le risque mortel de nous laisser distancer dans cette horrible sphère. » C'est à cette occasion que les deux dirigeants prirent la décision historique de coordonner les efforts américano-anglo-canadiens pour développer la bombe, quel que fût le prix à payer.

En cette année 1943, la tâche de Zabotin consisterait à convaincre les Alliés que la Russie avait droit à sa part de ces secrets atomiques. Les ressources apportées par les Américains dépassaient de loin la contribution britannique, et le projet Manhattan, qui se chiffrait à plusieurs milliards de dollars, était lancé.

Zabotin ne manquerait pas de soutien dans son entreprise. Les services secrets soviétiques s'employaient déjà activement à mettre en pratique leur politique de désinformation chez les gens impliqués dans le projet. Lénine avait défini les lignes directrices de ce processus de désinformation, cet art du clair-obscur, ce jeu d'ombres et de lumières destiné à amener les gens à voir noir ce qui est blanc. Quand Felix Dzerzhinsky, le fondateur fanatique de la police secrète russe, se rendit compte qu'il y avait un nombre considérable d'enthousiastes acquis à la cause en Occident pendant la révolution bolchévique, Lénine lui donna ce conseil : « Dites-leur de raconter aux Occidentaux ce qu'ils ont envie d'entendre. » Comme, à l'époque, l'Occident désirait entendre que le régime communiste s'effondrait, les agents de Dzerzhinsky abondèrent dans ce sens. Finalement, l'Occident sous-estima la situation et son intervention fut un fiasco.

Au Centre de Moscou, on disait que la désinformation avait sauvé la révolution. Un quart de siècle plus tard, c'était au tour de Zabotin de recourir à cette même arme contre les savants occidentaux qui souhaitaient désespérément croire que Staline se comporterait en partenaire digne de confiance si les Soviétiques entraient dans l'Alliance. Oubliant les règles de secret draconniennes qui protégeaient la recherche soviétique, de nombreux acteurs du projet Manhattan étaient disposés à partager leurs connaissances pour éviter l'alternative : une course aux armements suicidaire. Zabotin le savait grâce au travail effectué par ses collègues des services secrets russes. Et Zabotin, selon un autre transfuge, « n'était pas loin de Staline dans la hiérarchie ».

Une fois à Ottawa, Zabotin ouvrit son officine avec le lieutenant Gouzenko comme expert du chiffre. Installé dans une résidence située dans Range Road au numéro 14, à quelques blocs de l'ambassade, le colonel Nicolai Zabotin prit les rênes des réseaux d'espionnage et se prépara à intensifier la campagne de désinformation.

Comme il travaillait directement sous les ordres de Zabotin, Gouzenko partageait son temps entre la résidence du colonel et l'ambassade, située dans un bâtiment de trois étages au 285 Charlotte Street. Le service secret du chiffre, au deuxième étage, était séparé des autres départements par une lourde porte blindée dissimulée par un épais rideau. Au-delà de cette porte surveillée par le NKVD, se trouvait une porte encore plus lourde qui donnait sur une enfilade de petites pièces elles aussi munies de portes blindées. Une fois ces obstacles franchis, on pénétrait dans l'Unité réservée, où l'on conservait les dossiers secrets et où le service radio restait en contact permanent avec Moscou – le ministère des Affaires étrangères, le directoire du renseignement militaire et le NKVD. Le bureau de Gouzenko, le numéro 12, situé à l'arrière du bâtiment, possédait une fenêtre peinte en blanc protégée par des barreaux et des persiennes que l'on fermait chaque soir. Dans cette atmosphère étouffante, Gouzenko chiffrait et déchiffrait des télégrammes, pendant que des radios hurlaient à plein volume pour décourager des oreilles indiscrètes. Il régnait en maître absolu dans son bureau, car personne ne pouvait y entrer sans son accord.

Il assistait périodiquement aux « commissions d'incinération » qui avaient lieu dans une autre pièce au fond du couloir où, page par page, les documents voués à la destruction disparaissaient dans un incinérateur sous la surveillance du NKVD. Dans la pièce voisine, se trouvait un autre incinérateur beaucoup plus puissant, dont l'accès était réservé à Alex Ouspensky, chef du département secret du chiffre à Ottawa qui devait occuper par la suite les mêmes fonctions à Washington. En cas d'urgence, on pouvait brûler des papiers en quantités astronomiques. Vitali Pavlov, chef du NKVD, qui avait conçu ce second incinérateur, disait qu'il pouvait contenir le corps d'un homme.

Gouzenko n'ignorait rien bien sûr des méthodes du NKVD. Il se méfiait de ce système d'espionnage soviétique, héritier d'une tradition séculaire qui, d'après Tchekhov, l'un de ses écrivains préférés, « pesait sur chaque Russe comme une masse ». Il avait compris dès l'enfance qu'il valait mieux tenir sa langue en la présence de leurs représentants. Quand il commença ses études au Centre de Moscou, on l'avait averti que ceux qui détenaient des secrets d'État étaient considérés comme précieux et dangereux à la fois : les chiens de garde du NKVD les suivaient pas à pas jour et nuit. Au Centre, il avait aussi entendu parler du coup de balai impitoyable qu'avait donné le NKVD en Pologne occupée par les Soviétiques à l'époque bâtarde du pacte germano-russe avant l'invasion de la Russie par les nazis. Sous la direction du général Ivan Serov, le NKVD avait coopéré avec la Gestapo durant l'hiver 1940, pour éliminer les ennemis politiques et « libérer » la Pologne en recourant à la déportation en masse.

Le NKVD était résolu à dominer les opérations de renseignements à l'étranger. La lutte féroce à laquelle il se livrait à tous les niveaux avec le GRU minait l'efficacité des services secrets russes. Le GRU était une excroissance du bureau d'enregistrement de la Tcheka, baptisé plus tard le OGPU, puis le NKVD. (Le KGB émergerait ensuite.) Après la prise du pouvoir central par les bolchéviks en 1917, la Tcheka eut la charge d'étouffer toutes les manifestations de contre-révolution. Six ans plus tard, cinquante mille Russes avaient été tués, et cent cinquante mille étaient morts dans des camps de concentration. Les officiers de la Tcheka contrôlaient la population, censuraient la presse, protégeaient l'élite du parti, surveillaient les transports et les communications, réprimaient la religion, administraient les prisons et dirigeaient des forces spéciales et des gardes frontières dont la principale tâche consistait à empêcher les gens de sortir du territoire. La section de l'enregistrement qui servait de couverture au service du renseignement extérieur fut confiée à l'Armée rouge en 1920 et rebaptisée à cette occasion le Directoire général du renseignement (GRU). Lorsque les agents du GRU postés à l'étranger commencèrent à envoyer des renseignements à Moscou, surpassant la Tcheka moins bien informée, naquit un conflit interne loin d'être résolu.

A Ottawa, cette rivalité n'échappait à personne. Zabotin du GRU et Pavlov du NKVD semblaient se livrer à une lutte à mort. Zabotin refusa au NKVD l'autorisation d'appliquer les habituels contrôles de sécurité dans son quartier général de Range Road. Mais Pavlov aimait faire étalage de son pouvoir. Un jour, le chauffeur de Zabotin, officier de renseignement de l'Armée rouge en réalité, abîma une voiture de l'ambassade dans un accrochage et tenta de la faire réparer à ses frais pour qu'on ne puisse pas lui reprocher son imprudence. Pavlov l'apprit, et le lendemain Moscou rappelait le chauffeur. Pavlov veillait à ce que les employés non habilités vissent les lettres de rappel qui prouvaient l'étendue du pouvoir du NKDV.

Gouzenko savait déjà, grâce aux messages qui lui passaient entre les mains, que le Centre de Moscou réagissait vite et sans prendre de gants quand le NKDV lui signalait le mauvais comportement d'un membre du personnel. Comme pour le chauffeur, cela signifiait généralement un rappel immédiat, puis le silence. On recevait un télégramme où figurait la phrase fatidique : « Un autre poste l'attend. » En clair, cela voulait dire que l'individu visé terminerait dans un camp ou serait condamné aux travaux forcés à perpétuité en Sibérie. Gouzenko songea que Moscou s'épargnait peut-être cette peine dans les cas extrêmes en utilisant l'énorme incinérateur de Pavlov. De toute façon, les autorités canadiennes n'en sauraient jamais rien.

Derrière les barreaux de ses fenêtres, Gouzenko, que l'obsession du secret rendait claustrophobe, se faisait aussi petit que possible. A l'extérieur de ce monde hérissé de pièges insoupçonnables, le Canada s'étendait avec ses grands espaces à l'image de son peuple libre, dont le caractère était une combinaison de la franchise américaine et d'une réserve plus européenne. Gouzenko suffoquait dans son bureau clos de l'ambassade. Il ne respirait qu'à l'extérieur.

Dans Somerset Street, rue calme des faubourgs d'Ottawa, Gouzenko menait une vie tranquille, remplie de plaisirs simples. Svetlana sa femme, était arrivée par bateau en octobre et elle avait donné naissance à leur premier enfant, Andrei. Leur appartement se trouvait à côté d'une épicerie tenue par un immigré lithuanien qui les avait tout d'abord choqués par son attitude ouvertement critique à l'égard de la bureaucratie et du gouvernement. Le Lithuanien éclata de rire quand ils lui conseillèrent la prudence. Les Gouzenko mirent un certain temps à comprendre que les « Verts », nom de code donné par le centre de Moscou au contre-espionnage occidental, se désintéressaient des opinions des simples citoyens.

Les longues nuits de leur premier hiver canadien, la neige épaisse et les chutes brutales de température leur rappelèrent Moscou. Les Canadiens patinaient sur le canal Rideau gelé ou allaient skier dans les collines, un peu comme les Moscovites, mais ces citoyens-là étaient gentils avec les étrangers, invitaient les Gouzenko chez eux et leur offrirent même une douche de bébé pour le petit Andrei.

L'été venu, ils découvrirent une campagne luxuriante et

prospère. La vallée d'Ottawa regorgeait de fruits et de légumes produits par les fermes. Les Gouzenko n'avaient jamais vu une telle abondance en Russie, même en temps de paix. A la place surgissaient des images de famine et de massacres des paysans au nom de la planification communiste. Gouzenko connaissait les véritables raisons de la mauvaise gestion agricole : la répression de la dissidence par la police secrète. L'ambassade lui apparaissait comme un microcosme de toutes les souffrances provoquées par un régime totalitaire, un monde qu'il retrouvait chaque jour avec une répugnance grandissante.

Le NKVD surveillait étroitement la « colonie soviétique ». Mais comme à Moscou, on faisait des exceptions pour l'élite, telle la femme de l'ambassadeur. Gouzenko s'étrangla de colère quand il s'aperçut qu'elle était de ceux qui achetaient des produits de luxe canadiens destinés à être distribués aux parents privilégiés, ou vendus en Russie. On falsifiait les comptes pour y intégrer ces coûts. Le salaire de Gouzenko était passé de 200 dollars par mois à 275, et il touchait en plus une prime de dix pour cent au bout de deux ans d'opération de renseignement à l'étranger, vingt pour cent à la troisième année. La plupart des employés soviétiques semblaient bénéficier de ces primes. Gouzenko comprit pourquoi le jour où Zabotin lui dit : « Le Canada, avec ses treize millions d'habitants, est infiltré par neuf réseaux d'espionnage distincts qui rendent directement compte à Moscou, et j'ai découvert tout à fait par hasard un autre réseau soviétique ici à Ottawa qui dépend du service du renseignement de l'armée à Moscou. »

Puis, on accusa le gouvernement de l'Ontario de posséder une police gestapiste. On ouvrit donc une enquête officielle qui révéla que l'ambassade soviétique finançait le parti communiste canadien. Gouzenko fut surpris de voir l'ambassadeur conseiller à son personnel de ne rien faire qui puisse confirmer cette rumeur. Les communistes locaux avaient reçu le nom de code de CORPORATORS, et il fallait dissimuler leurs liens avec Moscou. Aux yeux de Gouzenko, rien ne justifiait que l'on corrompe un pays libre dont les citoyens avaient réservé un accueil cordial aux Russes.

Gouzenko commençait à penser à un roman fondé sur ce qu'il savait des conditions de vie en Russie. Il n'osa pas jeter de notes sur le papier. Il créa un écrivain imaginaire protégé de l'intervention du NKVD par sa notoriété, mais dont les jours étaient comptés parce qu'il était entouré de flagorneurs et de bureaucrates du parti qui attachaient plus de prix à l'ambition personnelle qu'à la conscience. Le héros fictif de Gouzenko finirait pas être trahi par ceux qui se disaient ses amis.

Il construisait son roman tout en profitant de cette société libre qui le happait dès qu'il quittait l'ambassade. Il comparait la générosité et le bien-être de ses voisins aux rapports que lui faisaient ses collègues fraîchement arrivés au Canada des conditions de vie à Moscou. Il apprit qu'aucun de ses nombreux colis de nourriture et autres cadeaux n'était parvenu à sa mère, qui vivait dans la misère. Pendant ce temps, le conseiller commercial de l'ambassade soviétique envoyait des bicyclettes aux gros bonnets du parti et les payait sur les fonds du service qui n'étaient contrôlés que par les laquais du Politburo. Les modestes présents de Gouzenko, financés par son maigre salaire, étaient détournés à l'arrivée.

Gouzenko voulait écrire. Son roman dénoncerait le fait que le système soviétique recourait aux services d'espions pour protéger les privilèges de l'élite.

La menace d'un rappel le hantait. Le commandant Romanov, qui était arrivé en même temps que lui, fut tellement bouleversé par son ordre de rappel qu'il s'enivra à la vodka nuit et jour jusqu'à son départ. Il était convaincu, confia-t-il à Gouzenko, qu'il ne partirait pas vivant – ou qu'il rentrerait les pieds devant.

Puis, un après-midi de septembre 1944, Gouzenko fut convoqué dans le bureau du colonel Zabotin : « Pour des raisons non précisées, le directeur a ordonné votre retour immédiat. »

Gouzenko mit sa femme au courant en rentrant chez lui. Elle tomba à genoux et fixa le mur sans rien dire. Elle finit par poser la question qu'ils redoutaient tous les deux : s'agissait-il d'une punition? Ils connaissaient trop de cas de gens renvoyés qui avaient disparu parce qu'on les soupçonnaient de subversion.

Une soirée battait son plein dans l'appartement d'en face. Des rires se mêlaient à la musique de danse. La femme de Gouzenko finit par dire en regardant le petit Andrei : « Je voulais tant qu'il grandisse dans ce pays. »

Gouzenko retourna voir Zabotin. Il lui expliqua qu'il était plus utile à Ottawa et que ses qualifications lui permettaient d'occuper d'autres fonctions si Moscou lui avait déjà choisi un remplaçant. A sa grande surprise, Moscou donna son accord. Il n'était donc pas en disgrâce. Mais Svetlana n'y vit qu'un répit. « Un de ces jours, il nous faudra affronter la crise. »

C'est alors que Gouzenko prit sa décision fatidique. L'expérience allait se révéler effrayante. Il lui restait un an pour préparer son passage à l'Ouest.

Cette décision n'était pas facile à prendre. Gouzenko était loyal à la Russie de ses ancêtres. L'endoctrinement soviétique lui avait appris à assimiler patriotisme et communisme. Quand il n'accepta plus la propagande du parti prônant l'infériorité de la civilisation occidentale, il commença à se demander pourquoi on refusait le droit à sa patrie de connaître la vérité. Pourquoi était-il nécessaire de « protéger » le peuple de l'influence non communiste? De quel droit le NKVD dépensait-il des fortunes en coûts opérationnels qui passaient dans une armée de jeunes gens robustes, dans le seul but d'aliéner l'esprit des gens? Gouzenko avait vu les difficultés des kolkhozes quand les subsides gouvernementaux s'étaient raréfiés, alors que la cellule locale du NKVD prospérait. L'ampleur et la complexité de l'espionnage soviétique n'avaient aucun secret pour lui. Pourquoi Staline espionnait-il ses alliés ? Pourquoi espionnait-il son propre peuple ?

Gouzenko entreprit l'examen systématique des notes de Zabotin et des dossiers du GRU, en quête d'éléments utiles à la cause occidentale. Il consacra tout l'été 45 à cette tâche. Il fit des photocopies de la correspondance secrète, découvrit des listes des agents et des contacts de Zabotin en Amérique du Nord, et cocha soigneusement les dossiers qui ne risquaient pas de finir à l'incinérateur : si Pavlov trouvait l'un d'eux lors d'une commission d'incinération, il ordonnerait une enquête et Gouzenko devait l'éviter à tout prix. Maintenant il passait au peigne fin tout ce qui échouait entre les mains avec l'œil d'un transfuge. C'est dans cet état d'esprit qu'il prit connaissance d'un rapport envoyé à Moscou par un espion atomique dont le nom de code était ALEK :

> ... Essai secret de bombe atomique a eu lieu au Nouveau-Mexique ... Bombe Hiroshima fabriquée avec uranium 235...

Si l'Allemagne et le Japon, ennemis de l'Occident pendant la Seconde Guerre mondiale, n'avaient pas été prévenus, l'Union soviétique, en revanche, avait été mise dans la confidence, comme le prouvait ce message d'Alek transmis en août 45.

Gouzenko frissonna. Jamais il n'avait imaginé une pareille situation, même dans ses plus beaux moments de délire créatif. A l'ambassade, il avait entendu dire que l'Union soviétique se préparait à une troisième guerre mondiale, une guerre importante, contre les ennemis idéologiques en Occident. Il se voyait soudain confronté à la preuve que l'Ouest se berçait d'illusions, persuadé que les États-Unis avaient le monopole d'une arme qui écartait l'éventualité d'un nouveau conflit.

Maintenant il avait toutes les raisons de passer à l'Ouest. La hantise du rappel s'accompagnait de la peur d'être intégré à la machine de guerre soviétique dans un prochain conflit, de voir ses enfants considérés comme de simples numéros par une tyrannie invincible. Il pensait au pluriel. En effet, le petit Andrei ne serait bientôt plus seul. Svetlana était à nouveau enceinte... Une autre raison majeure de fuir rapidement.

8

EN CAS DE SUICIDE...

Le mercredi 5 septembre 1945, Gouzenko quitta son appartement après le dîner et prit la direction de Range Street. L'ordre de rappel tant redouté était arrivé sur le bureau de Zabotin, et cette fois, il n'était plus question de discuter la décision de Moscou : le bateau appareillait bientôt pour Vladivostok, et Gouzenko avait tout intérêt à se trouver à bord. Il allait consacrer ses dernières semaines de présence à la formation de son successeur.

La peur et la gratitude se disputaient en lui tandis qu'il traversait la ville. Sa vie était en danger. Svetlana et le bébé seraient peut-être rapatriés par un autre bateau, et à ce moment-là il ne pourrait plus les protéger. Mais il faisait confiance à Svetlana, elle l'épaulerait dans sa tentative de passer à l'Ouest. Depuis quelques semaines, il savait que des hommes le suivaient : l'un d'eux était même devenu son voisin. Il n'avait pourtant pas soufflé mot des télégrammes compromettants des services secrets russes qu'il avait cachés dans son appartement, dans la cuisine, parmi les casseroles de Svetlana. L'importance de deux de ces télégrammes était si manifeste que, craignant qu'on ne remarque leur absence, il les avait photocopiés, avait replacé les copies dans les dossiers de l'ambassade et rapporté les originaux chez lui. Il avait risqué gros en l'occurrence. Le premier message était une demande de renseignements détaillés sur la bombe atomique, et le second certifiait à Moscou qu'un de leurs agents récemment élu au Parlement fédéral canadien continuerait ses activités clandestines. Si quelque chose arrivait à Gouzenko dans les prochaines heures, ces télégrammes permettraient à Svetlana de se mettre à l'abri avec l'enfant. Si le NKVD pénétrait dans l'appartement, elle pourrait les brûler plutôt que de les laisser tomber entre les mains de Pavlov.

La résidence de Range Street était gardée cette nuit-là par le capitaine Galkin, l'un des agents de Zabotin, fiché comme civil par le gouvernement canadien. Quand Gouzenko l'avertit qu'il avait du travail à faire dans les laboratoires-photo, Galkin lui proposa de l'accompagner ensuite au cinéma avec d'autres officiers.

« D'accord. Je n'en ai que pour cinq minutes », répondit Gouzenko, ravi de ne pas avoir à faire semblant de s'attarder. Il fit rapidement le tour des laboratoires, vérifia que son successeur se trouvait bien à son poste et rejoignit les autres dans l'entrée principale. Perdu parmi les militaires russes en proie à l'ennui, il alla jusqu'au cinéma voisin. L'affiche lui arracha une exclamation de dépit. Il avait déjà vu ce film, il irait dans un autre cinéma en ville.

Galkin insista pour venir. Il devenait envahissant.

Gouzenko repoussa son offre. Devant l'air déçu de Galkin, il ajouta précipitamment que, finalement, il ferait mieux de rentrer chez lui auprès de sa femme. Excuse compréhensible. Galkin savait que Svetlana était enceinte de cinq mois. Gouzenko laissa son compagnon et repartit pour l'ambassade.

Dans l'entrée, il croisa Vitali Pavlov, chef du NKVD. S'efforçant de marcher normalement et conforté par le fait qu'il était normal qu'il rapporte les notes de Zabotin à cette heure de la nuit, Gouzenko entreprit de pénétrer dans l'unité réservée. Il poussa la sonnette cachée dans l'escalier, monta jusqu'au deuxième étage, et plaça son visage devant le sas; Pavlov n'avait sans doute rien remarqué d'anormal, puisqu'on l'autorisa à passer.

Une fois dans son bureau, Gouzenko agit avec rapidité et précision. Il avait repéré plus d'une centaine de documents dans les dossiers secrets. La seule façon de les sortir sans encombre de l'ambassade était de les dissimuler sous ses vêtements. Pour la première fois de sa vie, il apprécia son pantalon trop large, trouvé au magasin du Centre de Moscou. Il fourra les documents sous sa chemise, autour de la taille, et ajouta quelques télégrammes récents qu'il avait mis de côté le matin même. Puis, il franchit à nouveau les portes blindées, descendit les escaliers et traversa le hall. Pavlov avait disparu.

« Cela ne nous concerne pas. » Le rédacteur en chef du *Journal* d'Ottawa ne s'intéressait manifestement pas aux documents volés que lui proposait Gouzenko. Il lui suggéra de s'adresser au ministre de la Justice et haussa les épaules quand Gouzenko lui parla du NKVD.

Il était près de minuit lorsque Gouzenko arriva au ministère dans Wellington Street. Le policier de garde lui conseilla de revenir le lendemain matin. Il ne lui restait plus qu'à regagner l'appartement, où il passa la nuit à discuter à voix basse avec Svetlana tout en berçant son fils de deux ans. L'avenir de sa famille le tourmentait.

Bien sûr, il pouvait toujours retourner à l'ambassade le lendemain matin, reprendre la routine, remettre les papiers volés en place, et peut-être remercier le ciel d'avoir découvert à temps l'incompétence des institutions occidentales et leur indifférence à l'égard d'une conspiration soviétique. Pour le moment, il était dans les limbes, à cheval entre son statut diplomatique et la défection. Mais sa décision était prise : s'il retournait à l'ambassade, ce serait menottes aux poignets, ou les pieds devant.

– Je commencerai par le ministère de la Justice. Ils ne peuvent me refuser l'asile politique.

– Nous irons tous les trois. J'emporterai les papiers dans un sac à provisions. Si le NKVD essaie de t'arrêter, je m'enfuirai avec les documents.

– Et l'enfant?

– Je le porterai dans mes bras. Pavlov n'oserait pas blesser une femme enceinte et un bébé en public.

Ce n'était pas tout à fait vrai, et ils le savaient tous les deux. Pavlov ferait aussi tuer l'enfant, si cela s'avérait nécessaire.

Le lendemain, le Parlement d'Ottawa reprenait ses travaux après l'interruption des vacances d'été. Sa première session normale depuis septembre 1939, date à laquelle le Canada s'était joint à la Grande-Bretagne pour déclarer la guerre à l'Allemagne. Un mois seulement s'était écoulé depuis Hiroshima. L'administration en subissait encore le contrecoup. Les électeurs harcelaient leurs députés pour qu'ils s'occupent des piles d'affaires en instance. Cela ne suffit cependant pas à expliquer l'accueil que l'on réserva à Gouzenko. Il se présenta aux portes du ministère de la Justice à 8 heures du matin, en compagnie d'Anna et de l'enfant, et demanda à voir le ministre en personne. Le secrétaire lui répondit que le ministre se trouvait à son autre bureau au Parlement. Les Gouzenko se rendirent à pied au Parlement, où un autre secrétaire écouta leur histoire, décrocha son téléphone, parla longuement en français, raccrocha et renvoya les Gouzenko au bureau qu'ils venaient de quitter. Ils perdirent deux précieuses heures à attendre, pour s'entendre dire par un fonctionnaire que le ministre ne pouvait les recevoir.

Cela faisait cinq heures que le train-train quotidien de l'ambassade soviétique avait repris, et on avait eu tout le temps de découvrir ce que Gouzenko avait fait. Son seul recours était de retourner aux bureaux du *Journal*, où on les congédia en leur disant : « A l'heure actuelle, personne n'a envie de critiquer Staline. »

Ils venaient de passer plus de la moitié de la journée à parcourir Ottawa de long en large, avec le bébé et le sac plein de documents. C'est « profondément désespérés », comme devait le déclarer ensuite Gouzenko avec un art consommé de l'euphémisme, qu'ils reprirent le chemin du ministère de la Justice, cette fois pour demander la « naturalisation ». Chaque voyage devenait de plus en plus dangereux, car les cerbères de l'ambassade s'étaient certainement déjà lancés à leurs trousses.

Lors de leur troisième tentative ce jour-là, le ministère de la Justice aiguilla Gouzenko vers le bureau de l'attorney de la Couronne. Cela impliquait un nouveau trajet de plusieurs blocs. Arrivés à bon port, ils s'entendirent répondre que « le responsable des naturalisations n'était pas rentré de déjeuner ». Comme Andrei commençait à être fatigué, ils décidèrent de courir le risque de prendre un tramway jusqu'à Somerset Street pour confier l'enfant à un voisin. A l'Office de l'immigration, on leur fit remplir des formulaires et on les pria de revenir le lendemain pour la suite des démarches. Combien de temps prendraient ces « démarches » demanda Igor Gouzenko, confiant mais un peu tendu. « Quelques mois. »

Tous leurs espoirs s'écroulèrent, et ils attribuèrent cette lenteur au poids de la bureaucratie. Il ne leur vint pas à l'idée que ces retards étaient voulus. Ils tremblaient de peur, même si chacun se gardait bien de le montrer à l'autre. Ils rentrèrent donc chez eux une fois de plus, récupérèrent l'enfant chez le voisin et pénétrèrent prudemment dans leur appartement. On y étouffait. Les fenêtres étaient restées fermées toute la journée. A contrecœur, Gouzenko entrebâilla une fenêtre et repéra immédiatement deux hommes assis dans le parc en face. Il ne faisait aucun doute qu'ils surveillaient la maison. Gouzenko connaissait leurs habitudes : ils attendaient la tombée de la nuit. Il n'était que 7 heures du soir.

Soudain, on frappa à la porte avec insistance. Gouzenko et Anna retinrent leur souffle.

— Gouzenko! cria une voix revêche dans le hall. C'était l'un des hommes de Zabotin.

Au bout d'un moment, l'homme s'éloigna d'un pas pesant. En ouvrant la porte qui donnait sur le balcon de derrière, Gouzenko trouva son voisin assis avec sa femme de l'autre côté de la balustrade.

— Bien, dit le caporal chef de l'armée de l'air Harry Maine. Passez-moi l'enfant. Anna et vous, vous allez vous cacher ici pendant que j'appelle les flics.

Pendant la nuit, on frappa encore à la porte de leur appartement. De l'appartement d'en face, Gouzenko regarda par le trou de la serrure pour voir ce qui se passait. Vitali Pavlov se tenait dans le couloir avec trois autres membres du NKVD. Une porte s'ouvrit, laissant apparaître Harry Maine qui s'approcha des Russes. Les Gouzenko sont absents, leur dit-il. Pavlov et ses acolytes s'engouffrèrent dans l'escalier et revinrent quelques minutes plus tard avec un pied-de-biche. Ils venaient de forcer la porte quand surgirent deux policiers qui les suivirent à l'intérieur. Puis un inspecteur arriva, et on autorisa Pavlov à quitter les lieux avec ses malabars quand ils se prévalurent de l'immunité diplomatique.

Il n'y eut pas d'autres incidents pendant cette longue nuit de veille. Vers 4 heures du matin pourtant, Gouzenko entendit un bruit dans le couloir. Par le trou de la serrure, il aperçut un homme qu'il ne reconnut pas. Un homme de taille moyenne qui s'éloignait sur la pointe des pieds.

Il s'agissait de Bill Stephenson. Il avait discuté toute la nuit pour qu'on lève le secret, car il connaissait déjà la valeur des documents que Gouzenko apportait. « C'est l'occasion ou jamais de se rendre compte de l'ampleur des manœuvres des Soviétiques contre nous et d'obtenir le soutien de l'opinion publique si nous prenons des mesures. »

Il essayait de convaincre le Premier ministre canadien, Mackenzie King. Celui-ci avait appris moins d'une heure après la première démarche de Gouzenko auprès du ministère de la Justice que l'espion soviétique demandait l'asile politique, que son rappel « signifierait une mort certaine », et qu'il possédait des documents prouvant l'existence de réseaux d'espionnage à travers toute l'Amérique du Nord. « C'était affreux, écrivit-il dans son journal, cela me fit l'effet d'une bombe. » Pendant que Gouzenko, confiant, faisait ses allées et venues entre le ministère de la Justice et le Parlement, le ministre de la Justice, Louis St-Laurent, donnait l'ordre à son personnel de s'assurer que Gouzenko ne rencontrerait pas de responsable. Quand on le prévint que le Russe risquait de se suicider, le ministre répliqua qu'il était plus important de conserver de bonnes relations avec l'Union soviétique.

King était favorable à ce qu'on laisse le NKVD régler le problème à sa façon. « Si suicide il y a, lit-on dans son journal, la police municipale prendra l'affaire en main et mettra les documents en lieu sûr, mais il n'est pas question que nous prenions l'initiative. » De toute façon, poursuivait King, Gouzenko « était un sujet trop brûlant ».

Mackenzie King avait soixante-dix ans. Il avait su conserver son poste de Premier ministre pendant dix-huit ans en cultivant soigneusement les préjugés et les obsessions de ses concitoyens. Il était persuadé qu'il fallait « suivre » les Alliés du Canada en matière de politique étrangère et ne jamais essuyer le feu. Et voilà qu'un misérable petit Russe, un minable gratte-papier mal payé, demandait au grand homme de se « mouiller », chose que

King avait consciencieusement appris à ne jamais faire.

Dans l'ombre du Premier ministre se tenait Norman Robertson, secrétaire général des Affaires étrangères et mandarin très influent d'Ottawa, qui appliquait minutieusement la philosophie de prudence de King. Ce mardi soir, Stephenson avait quitté sa retraite du Seignory Club pour affronter le mandarin sur son propre terrain. Pendant les trois heures de route, il passa en revue ce qu'il savait déjà des documents volés. Ils renfermaient des preuves de l'existence d'agents et d'informateurs prosoviétiques dans l'entourage de Robertson et dans le petit groupe de hauts fonctionnaires du Premier ministre, tous considérés comme exceptionnellement doués.

Stephenson n'ignorait pas que Robertson pouvait être obstiné et orgueilleux. De même que King, Robertson détestait que l'on considère le Canada comme un dominion voire une colonie de la Grande-Bretagne. Personne, et le directeur d'une organisation secrète britannique moins que tout autre, n'allait tenter de faire jouer certaines ficelles dans la plus pure tradition coloniale. Le fait que Stephenson, citoyen canadien, ait accepté un titre nobiliaire anglais aggravait plutôt son cas.

Par conséquent, Stephenson ne fut pas surpris de voir Robertson protester quand il lui suggéra que les services secrets canadiens devaient prendre Gouzenko en charge. Par bonheur, Stephenson avait reçu, avant l'entretien, un résumé de ce qu'offrait Gouzenko. Stephenson fit remarquer que si Gouzenko s'était adressé à la police municipale pour une affaire d'ordre criminel, la police montée s'en serait occupée. En l'occurrence, aucune loi n'avait été violée, intervint Robertson. Certes, répliqua Stephenson, on pouvait en dire autant des trois cents Canadiens qui figuraient sur la liste d'espions soviétiques et de suspects établie par Gouzenko, pour la plupart des fonctionnaires nommés par le gouvernement fédéral. Eux non plus n'avaient pas violé de lois. Ce dernier argument jeta

Robertson dans une profonde réflexion. C'est alors que Stephenson signala que l'on était entré par effraction dans l'appartement de Gouzenko.

– Eh bien, voilà! s'exclama Robertson. Le prétexte est tout trouvé. On a menacé Gouzenko. Il faut donc que justice soit faite.

L'épreuve de force était terminée. Telle fut la suite des événements dans le langage net et précis du rapport confidentiel du BSC : « Le sous-secrétaire des Affaires étrangères téléphona à l'agent de la police montée qui était secrètement chargé du dossier pour l'informer que le ministère des Affaires étrangères était prêt à modifier ses instructions à propos de Gouzenko. »

Il fallait donner un nom de code au dossier. Pendant leurs interminables sessions nocturnes, Stephenson et ses collègues avaient tenu le coup grâce à un whisky canadien, le Corby. Les cartons vides avaient servi à ranger les dossiers top-secret de l'affaire. Le nom de code était donc tout trouvé : CORBY.

L'affaire Corby fut confiée à « Slim » Cliff Harvison, chef du service du renseignement de la police montée canadienne. Harvison, très sensible à la situation critique des Gouzenko, voulait les mettre immédiatement en détention préventive par mesure de protection. Il était aussi très conscient de la nécessité d'éviter des complications politiques et internationales. Tous les efforts déployés pour s'emparer de Gouzenko seraient réduits à néant si des parlementaires accusaient Harvison ou Stephenson d'agir au mépris de la loi. L'histoire de la « gestapo » de province avait montré combien le problème de la légalité préoccupait les Canadiens. Comme tous les membres de la police montée, Slim avait commencé sa carrière au bas de l'échelle. Il avait fait respecter l'ordre public dans des régions reculées. Pendant la guerre, il avait supervisé des transfuges nazis devenus agents doubles. Il connaissait les dangers qu'impliquait le genre d'actions rapides qu'il affectionnait. Selon le rapport secret du BSC : « il en savait long sur le compte de Vitali Pavlov du NKVD... et était conscient que ses hommes ne reculeraient pas devant le meurtre pour obtenir les documents »; Harvison avait fait suivre les Gouzenko par ses agents « à distance respectueuse » pendant toute la journée. Fait que l'on ne révéla jamais au Russe.

L'incident du poste émetteur nazi avait servi de leçon à Harvison dès le début de la guerre. Ignorant que le contact de l'espion se trouvait en Amérique du Nord et devait agir rapidement, Harvison gonfla la puissance du poste émetteur pour que ses signaux atteignent le quartier général des services secrets allemands à Hambourg. Erreur fatale. Les Allemands devinèrent aussitôt que leur espion transmettait sous le contrôle des Alliés et prirent des mesures en conséquence. Harvison ne voulait pas saboter cette nouvelle affaire d'espionnage par trop d'empressement. Finalement, en cognant à la porte, l'agent soviétique donna l'occasion à la police montée d'intervenir. Il s'agissait maintenant de tapage nocturne... C'était donc du domaine de la police municipale. Aucun politicien ne pourrait accuser la police montée d'utiliser des procédés dignes de la Gestapo. Le rapport du BSC cite le compte rendu des agents de la police montée qui faisaient le guet dans le parc :

> Nous vîmes partir la police municipale et nous commençâmes à attendre... Cela ne dura pas longtemps. La voiture de l'ambassade soviétique arriva peu après 11 heures du soir. En sortirent quatre hommes qui s'engouffrèrent dans l'immeuble. Quelques minutes plus tard, la voiture de la police municipale se gara devant l'immeuble, et deux agents pénétrèrent dans le bâtiment à la suite des Soviétiques.

Le rapport du BSC continue ainsi :

En règle générale, la plupart des diplomates étrangers seraient quelque peu embarrassés d'avoir à expliquer à la police les raisons de leur présence de nuit dans un appartement qui ne leur appartient pas, surtout après avoir forcé la porte avec un pied-de-biche. Le deuxième secrétaire de l'ambassade soviétique ne se démonta pas. Il bénéficiait du soutien moral de l'attaché militaire adjoint, Vassili Rogov, qui était en uniforme, et de Pavel Angelov, l'attaché de l'armée de l'air. Bien entendu, ils étaient tous du NKVD, et seul l'un d'entre eux était en civil : Alexandre Farafantov.

Les Russes se montrèrent aussitôt agressifs. Le compte rendu des policiers décrit la situation avec une admirable simplicité : « Nous trouvâmes quatre hommes aux quatre coins de l'appartement. Ils affirmèrent avoir la permission du propriétaire qui avait perdu sa clé... Ils n'avaient pas de commentaires à faire concernant leur présence en ces lieux et n'appréciaient pas notre intrusion... Ils déclarèrent qu'appartenant à la légation russe, ils n'avaient rien à voir avec le ministère de la Justice... »

Le vendredi 7 septembre, à 10 h 30 du matin, Igor Gouzenko se retrouvant enfin face à Slim Harvison, chef des services secrets canadiens, put lui expliquer ce que contenaient les documents qu'il transportait dans Ottawa depuis un jour et une nuit.

« Une première analyse des documents permit de comprendre que l'Union soviétique faisait de l'espionnage sur une grande échelle », lit-on dans le rapport du BSC.

Le récit de Gouzenko fut difficile à croire jusqu'à ce qu'il commence à *montrer les documents...* Des agents opéraient à l'intérieur des ministères. Même celui des Affaires étrangères n'y échappait pas...

Les réseaux étaient dirigés par le colonel Zabotin, assisté du lieutenant-colonel Motinov, du commandant Sokolov, du personnel du conseiller commercial à Ottawa, des secrétaires et autres employés de la mission militaire...

Gouzenko était tellement épuisé qu'on n'osa pas le presser de questions. On décida de l'emmener dans une cachette, où on pourrait l'interroger tout à loisir sans redouter d'être surpris par Pavlov et ses hommes.

Cet après-midi-là, on conduisit les Gouzenko au Camp X * à bord d'une voiture banalisée de la police montée. Le choix de cette retraite sûre n'était pas seulement dicté par la crainte du NKVD. Il fallait aussi éviter une intervention directe de politiciens et de mandarins pas nécessairement conscients en agissant ainsi de servir la cause de Moscou. Le service du renseignement de la police montée se méfiait des protestations des députés dénonçant les méthodes de la police secrète et son non-respect des droits civiques. Ainsi que l'avait souligné Gouzenko, quand le gouvernement de l'Ontario fut publiquement accusé d'utiliser ses détectives comme une « Gestapo », l'ambassade soviétique avait encouragé les communistes locaux à parler de méthodes fascistes. Stephenson et le BSC se trouvaient dans une situation encore plus précaire : ils n'avaient pas d'existence légale en tant que force de police.

* Le Camp X se trouvait dans l'Ontario, province dirigée par les conservateurs. Le gouverneur, un adversaire de Mackenzie King, n'avait jamais caché son mépris pour les valses-hésitations du Premier ministre quand il s'agissait de soutenir la cause des Alliés. Pour éviter que King n'intervienne dans la guerre secrète, il avait organisé l'achat clandestin des terres sur lesquelles le Camp X était installé.

Stephenson avait organisé ce coup des services secrets sans déranger le gouvernement fédéral. Il lui faudrait continuer à manœuvrer en coulisse. Robertson s'était remis du choc provoqué par la découverte des soupçons qui pesaient sur son service. Il recommençait à s'inquiéter des répercussions politiques possibles pour les libéraux au pouvoir... et en particulier pour Mackenzie King.

On avait raconté à Robertson le comportement curieux de l'ambassadeur soviétique Georgi Zarubin en ce mardi soir. Tout le monde connaissait l'ambassadeur, cet homme direct et chaleureux, l'âme même de la bienveillance des Russes à l'égard de leurs alliés. Mackenzie King, qui avait décidé de se faire l'artisan d'une politique extérieure canadienne indépendante, avait consacré de nombreuses heures à discuter avec Zarubin d'une coopération entre voisins de l'Arctique. L'ambassadeur plaisait aux mandarins des Affaires étrangères qui souffraient du snobisme inverti de ce que l'on finirait par appeler le « chic radical ». Zarubin était le démenti vivant du mythe présentant la diplomatie comme le domaine réservé des privilégiés. Ouvrier à l'âge de treize ans, c'est du moins ce qu'annonçait la biographie officielle concoctée par les services secrets russes, il semblait promis à de hautes fonctions dès son retour à Moscou. Si un Russe semblait peu porté à s'engager dans le minable milieu de l'espionnage, c'était bien le jovial amateur de vodka qu'était Georgi Zarubin.

Pourtant, on avait vu l'ambassadeur arpenter les berges du canal et du fleuve au beau milieu de la nuit avec Pavlov, le chef du NKVD. Que cherchaient-ils ? La police montée et ceux qui écoutaient le trafic radio du NKVD en conclurent que Son Excellence avait, grâce à une personne extérieure, eu vent du rapport communiqué à Mackenzie King et à son ministre de la Justice, où l'on évoquait le suicide éventuel de Gouzenko. C'était le corps qu'ils recherchaient.

Robertson jugea cette explication un peu tirée par les cheveux. Soit, lui répliqua-t-on, mais alors pourquoi ne pas étudier la réaction à chaud de Zarubin lorsqu'on lui poserait la question ? L'ambassadeur russe devait assister à la garden-party donnée en fin d'après-midi par le haut commissaire britannique.

Le maître espion Nick Zabotin était invité, lui aussi. Stephenson plaça des observateurs, au cas où le colonel saisirait cette occasion pour demander l'asile politique. La veille, quand une fouille frénétique des dossiers de l'ambassade soviétique avait confirmé que l'absence de Gouzenko n'était pas due à un simple retard, le colonel Zabotin avait essayé de mener sa propre enquête. Mais Pavlov s'était déjà entretenu avec le remplaçant de Gouzenko qui signala plusieurs incohérences. Prises séparément, elles ne portaient pas à conséquence, mais ensemble elles devenaient accablantes. Gouzenko s'était arrêté à la résidence du colonel Zabotin, avait fouiné dans les laboratoires, puis il était parti voir un film avec des amis. En arrivant au cinéma, il avait prétendu avoir déjà vu ce film qui venait pourtant juste de sortir sur les écrans canadiens. Il déclara ensuite qu'il allait rejoindre sa femme. En fait, Pavlov lui-même l'avait vu entrer dans l'ambassade.

Pavlov fit jouer la hiérarchie politique. Dans les cas impliquant des activités antisoviétiques, le NKVD prenait le pas sur le GRU. Dès cet instant, le colonel Zabotin avait dû comprendre que son sort était réglé. Il fallait agir vite : son rappel et le châtiment n'étaient plus qu'une question de temps. Il passa plusieurs coups de téléphone à des amis extérieurs – non pas à des agents mais à des relations qui l'avaient chaleureusement accueilli. Il appela le haut commissaire britannique, Malcom MacDonald, mais une secrétaire lui répondit que celui-ci se trouvait en réunion. Voulait-il laisser un message ? Zabotin demanda que MacDonald le rappelle, puis, sachant que Pavlov avait des oreilles partout, il précisa que c'était au sujet de la garden-party.

Peu après ce coup de téléphone, Pavlov fit son apparition dans le bureau de Zabotin. Le colonel pouvait faire une croix sur la garden-party, lui dit le chef du NKVD.

Nicolai Zabotin avait-il organisé son passage à l'Ouest? Son attirance pour le style de vie occidental n'était un secret pour personne. Son dossier le décrivait comme peu fiable sur le plan politique à cause de ses origines aristocratiques. C'était un professionnel du renseignement, il jouait le jeu pour le plaisir. Il avait plus de points communs avec les chefs de renseignement ennemis qu'avec ses propres collègues. Leur expérience des arts ésotériques et le sentiment du danger partagé les rapprochaient.

Si Zabotin et certains de ses employés songeaient à changer de camp pour échapper à la vengeance de Moscou, des mesures avaient été prises du côté canadien pour rendre la chose difficile. La nouvelle de la fuite de Gouzenko n'était connue à Ottawa que de la poignée de politiciens qui voulaient éviter à tout prix une rupture diplomatique avec les Soviétiques.

Le haut commissaire britannique, Malcom MacDonald, empanaché et galonné de rouge, de blanc et d'or, accueillait ses invités au son d'une fanfare militaire.

Soudain l'ambassadeur Zarubin se présenta devant Malcom MacDonald, accompagné de Pavlov qui faisait office d'interprète. MacDonald savait pertinemment que Zarubin parlait anglais, mais il apprécia néanmoins le décalage qui lui donnait le temps d'étudier les réactions de Zarubin. Les représentants de la Couronne n'ignoraient rien des activités nocturnes de l'ambassadeur soviétique.

– A vous voir, on dirait que vous avez pêché toute la nuit, dit MacDonald.

Cette réflexion fit sursauter Pavlov et rougir Zarubin.

– Les oiseaux vous ont-ils confié des petits secrets récemment? reprit Zarubin après une longue pause.

– Non, répondit MacDonald. Pas plus que vous n'avez pris de gros poisson ces jours derniers.

Les Russes s'éloignèrent. L'échange n'avait rien d'offensant. Il était de notoriété publique que Zarubin aimait pêcher et que MacDonald observait les oiseaux.

Puis Mackenzie traversa la pelouse. Le Premier ministre canadien était encore sous le coup de l'émotion. De son côté, l'ambassadeur russe avait retrouvé toute son assurance et il était prêt à monter à l'attaque. Ils se donnèrent l'accolade, puis Georgi Zarubin demanda à King de lui accorder toute son attention. Staline avait une proposition à faire. Le dirigeant de l'Union soviétique avait l'impression que l'immense effort de guerre du Canada était un peu éclipsé par les États-Unis et la Grande-Bretagne, ses deux grands alliés. Le grand dirigeant désirait faire savoir à King que l'Union soviétique était prête à rendre hommage à un grand Canadien. En bref, Staline voulait cimenter leur amitié éternelle en conférant les plus hautes décorations...

On devait découvrir par la suite que le grand Canadien auquel pensait Staline était un général qui avait servi en Europe. Les observateurs présents interprétèrent l'incident comme une tentative éhontée de flatter l'orgueil de King. King lui-même dirait plus tard que le visage de l'ambassadeur trahissait son anxiété pendant son discours. Quel que fût le but de la manœuvre, ce n'était que le début du jeu soviétique. King était associé au nationalisme canadien, et les services secrets russes avaient recruté des agents en faisant appel aux sentiments communistes et farouchement nationalistes des Canadiens.

King se retira en hâte, de peur d'être compromis. La

104

garden-party se poursuivit. Soudain on appela le haut commissaire britannique au téléphone. Lorsqu'il revint, ce petit homme à la silhouette chaplinesque avait perdu son dynamisme habituel. Malcom MacDonald venait de sentir l'odeur du scandale dans son propre bureau.

9

EN VUE D'EXPULSION

Le samedi matin, l'ambassadeur soviétique exigea que le ministère des Affaires étrangères « recherche et arrête I. Gouzenko, criminel notoire coupable d'avoir volé de l'argent appartenant à l'ambassade, et le remette aux autorités soviétiques en vue d'expulsion ».

C'était le test. Stephenson attendit. Officiellement, il ne pouvait plus faire grand-chose pour inciter Mackenzie King à réagir. Le Premier ministre manquait de cran. Beaucoup considérait ce fanatique du spiritisme, qui consultait plus consciencieusement sa défunte mère que son cabinet, et ce mémorialiste compulsif, qui consignait tout dans son journal, comme un être creux et pompeux.

L'ambassadeur Zarubin et le NKVD avaient toutes les raisons de croire qu'ils parviendraient à pousser King à leur rendre Gouzenko en recourant soit à la flatterie soit au chantage. Le NKVD était bien placé pour savoir que les services du contre-espionnage occidentaux étaient tombés en discrédit, car il avait lancé des campagnes de désinformation dans ce but précis. Les agents du NKVD avaient vu des politiciens paralysés par la hantise que l'Union soviétique ne s'oppose à la création des Nations unies. Ils avaient joué sur la peur des diplomates pour faire pression sur de grands soldats comme le maréchal Alexander, commandant suprême des forces alliées en

Méditerranée, dont la capitulation devant les exigences du NKVD n'était pas étrangère à la situation précaire de Gouzenko.

Gouzenko avait appris cette stupéfiante histoire de la bouche d'un agent du NKVD récemment arrivé à l'ambassade. Cet homme travaillait au quartier général du SMERSH à Vienne quand, en mai 1945, Staline avait ordonné l'exécution de six généraux russes blancs et de milliers de civils retenus par les Britanniques en Autriche. Le NKVD suggéra que les Britanniques remettent, sans faire trop d'histoires, ces gens aux mains des Soviétiques. Mais les Britanniques répliquèrent que, pour la majorité, il s'agissait de « personnes déplacées de nationalités autres que soviétiques ». Leurs chefs avaient amené ces groupes composés d'hommes, de femmes et d'enfants dans ces camps en principe sûrs des Britanniques, pensant qu'on les traiterait comme des personnes déplacées. Néanmoins, le Foreign Office ordonna au maréchal Alexander de « rapatrier » de force cette troupe de Russes, pour respecter l'accord conclu à Yalta trois mois plus tôt. Ce pacte d'une monstrueuse injustice permit aux Soviétiques de prétendre que les Baltes, les Polonais et les Roumains – dont les terres avaient été octroyées par Hitler à Staline en 1939 – étaient des « citoyens russes », que les millions de Russes blancs émigrés étaient aussi des « citoyens » et que tous ces « citoyens » devaient être rapatriés en URSS, par la force si cela s'avérait nécessaire.

Semon Krasnov, l'un des généraux cosaques concernés, avait combattu les communistes aux côtés d'Alexander pendant la révolution russe. En 1919, le jeune officier Alexander avait été affecté aux troupes antibolcheviques et, en 1945, il arborait toujours la médaille que lui avait remise le général. A présent, Krasnov attirait l'attention d'Alexander sur la « situation particulière de l'armée cosaque ».

Cette démarche resta sans effets. Londres eut le dernier

mot. « L'armée cosaque » serait rendue aux Soviétiques. Prévoyant les problèmes qu'allait soulever ce rapatriement forcé, le NKVD conseilla aux Britanniques de recourir à un subterfuge. Pour calmer les esprits, on ferait semblant de mener les chefs à une réunion avec Alexander. Les Britanniques firent monter ces hommes dans des wagons qui finirent dans les camps du NKVD où des cages attendaient les prisonniers. La manœuvre d'apaisement échoua. Les Russes résistèrent. Des femmes tentèrent de se suicider en se jetant contre les clôtures électrifiées, et les soldats britanniques se retrouvèrent en train de matraquer des Russes en prières devant des autels improvisés.

L'opportunisme politique avait gagné la partie. Pourtant, légalement, le général Semon Krasnov n'était pas « rapatriable », pas plus d'ailleurs que quatre des cinq généraux restants, car ils avaient acquis d'autres nationalités européennes avant la guerre. Mais Staline avait ordonné au SMERSH d'étendre la signification du terme *citoyen* à tous les « témoins indésirables et opposants au communisme et au système soviétique ». Et les escouades du SMERSH s'emparèrent des cosaques avec la coopération du département d'État américain et du Foreign Office. Cette tentative d'apaisement à l'égard de Staline ne fit qu'accroître son mépris. Grâce à Nikolai, petit-fils du général Krasnov, on sait que les hommes du SMERSH tenaient les diplomates britanniques en piètre estime. Par miracle, Nikolai avait échappé au destin des six généraux – tous exécutés à Moscou –, et il était repassé à l'Ouest après une longue incarcération en Sibérie, parce qu'il avait fini par faire admettre sa nationalité yougoslave. Nikolai décrivit la réunion qui eut lieu le 4 juin 1945 entre son grand-père, lui-même et V. N. Merkulov, l'un des trois chefs du NKVD. Merkulov s'exclama en les voyant : « Cela fait vingt-cinq ans que nous attendions ces retrouvailles. » En fait, le général Krasnov et les autres antibolcheviques seraient tués ou envoyés en Sibérie. Ils avaient été stupides de faire confiance aux petits boutiquiers anglais et surtout « au Foreign Office, ce bordel dirigé par une mère maquerelle diplomate... qui fait commerce de vies humaines * ». Stephenson ne voulait pas que Gouzenko connaisse le même sort que les cosaques. Plus il y aurait de gens au courant de l'existence du transfuge, moins grand serait le risque que certains concluent un accord secret pour débarrasser le monde de la présence gênante de la famille de Gouzenko.

Le lendemain de la demande soviétique, Stephenson rencontra Mackenzie King, Malcom MacDonald et Norman Robertson, et se rendit compte que l'ordre du jour était « d'étouffer l'affaire ». Bien qu'il n'eût aucune responsabilité officielle, Stephenson parvint à attirer Robertson dans son camp et, ensemble, ils obtinrent l'autorisation de suivre une autre tactique, plus flatteuse pour l'orgueil de King. Comme l'affaire Gouzenko était née sur le sol canadien, c'était à King de prendre l'initiative. Le gouvernement de King conférerait avec les dirigeants américain et britannique pendant que l'enquête se poursuivrait. Ensuite, King se rendrait personnellement à Londres et à Washington pour mettre les dirigeants au courant.

« C'était terrible et effrayant », nota King dans son journal.

Au Camp X, les Gouzenko trouvaient aussi la situation effrayante. Ils se cramponnaient l'un à l'autre, coupés qu'ils étaient de leur environnement familier. Ils savaient à peine où on les avait menés. La base était entourée du plus grand secret. Après la guerre, elle avait été investie

---

* L'opinion publique ne devait apprendre cette trahison que dans les années 70, quand des enquêteurs découvrirent que de nombreux documents significatifs avaient été soustraits des archives officielles. Le comte Nikolai Tolstoï, héritier de la branche aînée des Tolstoï de Russie, dut remonter aux sources pour obtenir les faits qu'il expose dans *Victims of Yalta*.

d'une nouvelle mission, si confidentielle qu'à Washington, plus d'un an plus tôt, on avait évoqué la « nécessité d'adopter une loi interdisant la divulgation non autorisée des communications ayant trait au renseignement ». On mit en place un système complexe qui réunit la NSA, le quartier général des British Government Communications et les stations d'écoute canadiennes. Leur tâche consistait à surveiller, décoder et analyser le trafic radio soviétique. Dans les laboratoires du BSC, une batterie de machines de surchiffrement et de transmission très performantes collaborait à cet effort.

On ne pouvait se permettre de mettre Gouzenko et sa famille dans la confidence. Traités pratiquement comme des prisonniers, ils n'avaient pas le droit de se déplacer dans le camp ou d'en sortir. Les Gouzenko vivaient donc dans un univers de baraquements, de longs bunkers entourés de barbelés et de terrains vagues où l'on remarquait encore des cratères d'explosion. Ce camp était bordé au sud par les eaux noires du lac Ontario.

On avait dit aux quelques élus au courant de la fuite de Gouzenko que le transfuge avait été emmené au nord d'Ottawa. Igor avait compris que le camp se trouvait au sud, mais il voulait bien croire que ces mensonges empêcheraient ses assassins de découvrir sa cachette. Ses gardiens lui rappelaient étrangement les gardes du NKVD des vastes camps de travail de Russie, d'où l'on ne pouvait pas espérer s'échapper. Gouzenko avait entendu dire que ces camps ne dépendaient d'aucune juridiction précise et que le NKVD se comportait comme il le souhaitait avec ses prisonniers. Il se sentait isolé et vulnérable; à part ses interrogateurs, personne ne savait qu'il était là avec sa famille.

Il n'avait pas tardé à comprendre que les autorités le considéraient comme une véritable calamité. Même les robustes agents de renseignement de la police montée semblaient faire des réserves à son égard et, au début des interrogatoires, il eut l'impression qu'ils se demandaient

110

s'il ne faisait pas preuve d'égoïsme en mettant ainsi en danger la vie de ses parents restés en Union soviétique. Mais peut-être interprétait-il mal leurs questions. Cliff Harvison avait fait appel à des hommes parlant russe qui, à ce stade, étaient encore sur leurs gardes et voulaient s'assurer que Gouzenko n'était pas un agent double.

Ignorant qu'on le soupçonnait encore, Gouzenko pensa que ses cerbères partageaient le sentiment général : à savoir qu'il fallait ménager Staline et qu'un bon Russe se devait d'être loyal au dirigeant qui avait résisté aux nazis. Gouzenko s'étonnait que si peu d'Occidentaux se souviennent du pacte germano-soviétique. Staline s'était parfaitement bien entendu avec Hitler. Une semaine avant la guerre éclair qui allait déclencher la Seconde Guerre mondiale, Staline avait porté un toast au « Führer que tout le monde aime ». En ce 23 août 1939, des croix gammées ornaient les murs du Kremlin qui fêtait la signature du pacte. Gouzenko connaissait l'existence du protocole secret qui divisait l'Europe entre l'Allemagne et l'URSS – partage que Staline avait l'audace de considérer comme encore valide aujourd'hui.

Quand Hitler envoya ses chars en Russie, toute trace de cette fête germano-russe disparut des archives. Gouzenko et sa femme s'en rendirent compte en compulsant les fichiers de la bibliothèque Lénine. Étudiants en architecture, ils comprirent très vite que l'on « purifiait » les journaux de tous les événements passés qui entraient en contradiction avec les prises de position gouvernementales du moment *. On les mit en garde contre le « caractère

* A Ottawa, Gouzenko avait étudié un article de George Orwell sur la façon dont les communistes réécrivaient l'histoire dans le numéro du 17 novembre 1944 de *Tribune*, revue britannique de gauche. « On peut falsifier l'histoire en recourant à l'omission », écrivait Orwell. Il citait un chef du parti communiste français qui avait déserté l'armée de son pays et maquillé les archives pour que l'on pense qu'il n'avait pas été déçu par le pacte germano-soviétique. Altérer les documents était une tentation à laquelle succombaient tous les hauts fonctionnaires. Orwell avait prédit que l'on se

anti-social des Juifs » et plus tard, quand Gouzenko travailla au Centre de Moscou, il apprit que Staline approuvait les programmes d'extermination de Hitler car « plus les Allemands employaient de main-d'œuvre dans les camps de la mort, moins ils auraient de troupes à envoyer en Russie ». Si l'on en croit une étude effectuée par le GRU après l'invasion de la Russie par Hitler, sur un total de 8,3 millions de soldats, seulement 260 000 d'entre eux se battaient sur le front russe.

Staline avait approuvé la politique des nazis à l'égard des Juifs pour des raisons d'ordre pratique, et Gouzenko eut l'impression que Staline n'était pas très satisfait du renversement d'alliances auquel l'avait poussé la trahison de Hitler. Au Centre de Moscou, Gouzenko s'était rendu compte que des milliers d'agents russes avaient été infiltrés en Grande-Bretagne, au Canada et aux États-Unis, ce qui prouvait que, bien qu'en guerre avec les nazis, les Soviétiques s'intéressaient de très près à l'Occident.

A présent, les dirigeants d'Ottawa voulaient flatter Staline en renvoyant un transfuge à Moscou – et à une mort certaine. Et s'ils avaient mis au point un subterfuge qui leur permette d'éviter un scandale public ? Et si les chefs des services secrets des deux camps s'étaient entendus ? Gouzenko, qui avait passé sa vie d'adulte dans ce qu'il appelait « le royaume de l'intrigue », savait pertinemment que ce genre d'arrangements secrets était possible. Ils renverraient ce cadavre encombrant à Moscou dans le plus grand secret...

Gouzenko repensa à son rêve de devenir écrivain. Il décida que, plutôt que de se torturer, il ferait mieux d'esquisser le roman qu'il voulait écrire sur la lutte d'un grand écrivain contre Staline. Mais une fois de plus la réalité dépassait la fiction.

livrerait aux modifications, aux altérations et à la suppression de documents secrets. « Cela n'a pas beaucoup d'importance, ajoutait-il. Il suffit de rester vigilant et de s'assurer que ces mensonges ne finiront pas par s'infiltrer... dans les livres d'histoire. »

C'est alors qu'on le prévint qu'un nouvel interrogateur venait d'arriver.

Gouzenko n'avait jamais entendu parler de Stephenson ou du BSC. Son maître espion Zabotin n'avait rien su de leur existence parce que les chefs de renseignement russe commençaient tout juste à recevoir des informations à leur sujet. Ce dimanche soir, on mena Gouzenko dans un baraquement isolé où il rencontra celui qui était connu sous le nom de M. Quiça? un homme qui semblait avoir la dureté des interrogateurs du NKVD. Mais sous les paupières lourdes et tombantes, le regard gris acier ne trahissait qu'une immense fatigue. Son calme avait quelque chose de rassurant. Gouzenko connaissait les signes révélateurs de la puissance et il fut soulagé d'être enfin confronté à un homme qui semblait avoir l'autorité nécessaire pour passer à l'action.

— Ici vous êtes à l'abri, dit Stephenson.

— Ma femme est enceinte. Notre fils est né au Canada. Ma famille doit être protégée, quel que soit le sort que me réserve l'avenir.

— Ici, reprit Stephenson d'une voix douce, c'est moi qui dirige. Si je vous dis que vous êtes en sécurité, vous pouvez me croire.

Gouzenko le crut. Encouragé par l'expression qui se peignait sur le visage austère de l'inconnu, Gouzenko commença à ouvrir son cœur.

Leur conversation ne fut jamais rendue publique. Les deux hommes, l'espion et le maître espion, avaient trop longtemps séjourner dans le monde de la clandestinité pour ignorer que, dans les moments de grand danger, on doit se faire confiance et se taire.

Puis Gouzenko alla rejoindre sa famille. Il savait que dans cet univers du clair-obscur le blanc pouvait soudain virer au noir. Mais maintenant il était sûr d'une chose : sa famille avait trouvé un ami.

TROISIÈME PARTIE

SEPTEMBRE 1945
LA FIN
DE L'ÂGE DE L'INNOCENCE

10

WILLIAM STEPHENSON
TIENT BON

William Stephenson entra dans la cathédrale Saint-Patrick et s'approcha de l'autel. Il n'était pourtant pas connu pour sa piété : quand il était à l'apogée de sa carrière d'industriel, ses détracteurs disaient de lui qu'il traitait d'égal à égal avec Dieu. A dix-neuf ans, dans les tranchées, il avait détesté ces prières qui s'échappaient des lèvres tremblantes des mourants. Mais il s'était toujours senti coupable d'avoir survécu et, depuis, il se recueillait souvent pour honorer la mémoire des disparus. En cet instant, il songeait que leur sacrifice ne signifierait bientôt plus rien si les démocraties lasses de se battre persistaient à vouloir faire confiance à Staline.

La guerre qui venait de prendre fin avait été la plus meurtrière de l'histoire de l'humanité. Depuis septembre 45, on n'ignorait plus rien des horreurs de l'holocauste. On commençait à mesurer la portée de la bombe atomique, et il devenait difficile à présent de la considérer comme une délivrance miraculeuse, ainsi que le faisait Churchill. Si l'homme avait été capable de commettre de semblables atrocités pendant la Seconde Guerre mondiale, il n'hésiterait peut-être pas à provoquer l'anéantissement de la planète. « La mort nous guette ! » proclamaient les premiers manifestants antinucléaires.

Des savants en renom proposaient, en gage de bonne foi, de donner aux Soviétiques les renseignements qu'ils possédaient déjà grâce à leurs réseaux d'espionnage. Des journaux américains avaient reproduit une caricature parue dans *Krokodil,* magazine satirique russe : on voyait l'Oncle Sam et Mme John Bull poussant un landau sur lequel on lisait *Bombe A.* Ils expliquaient aux curieux qu'ils avaient l'intention d'élever leur rejeton dans une école privée.

Il semblait à présent que seules les Nations unies pourraient jouer un rôle modérateur. Beaucoup d'Occidentaux étaient prêts à tout pour que l'URSS soutienne cet organisme naissant, car ils craignaient qu'un boycott soviétique n'ait les mêmes conséquences désastreuses que le refus des États-Unis d'adhérer à la vieille Société des Nations. « Staline se sert de cette menace pour nous faire chanter », déclara Churchill, mais personne n'écoutait plus le dirigeant déchu. Aux rênes du pouvoir, on trouvait maintenant des gens comme Mackenzie King dont l'inertie calculée avait failli réduire définitivement Gouzenko au silence. On observait avec inquiétude toutes les assemblées politiques pouvant avoir de l'influence sur l'avenir des Nations unies. A Londres, les ministres des Affaires étrangères discutaient des accords de paix. Aux États-Unis, on préparait la première réunion du Conseil de sécurité. Pendant ce temps, Staline mettait tranquillement en application le protocole secret signé avec Hitler, qui l'autorisait à dominer la moitié de l'Europe, à commencer par la Pologne. Pour rassurer l'Occident, Staline garantissait cyniquement qu'il y aurait des élections libres et que l'on instituerait un système parlementaire calqué sur le modèle de la Belgique d'avant-guerre, tout en sachant pertinemment que le parti communiste n'accepterait jamais que la Pologne se permette de telles extravagances.

Staline et ses agents profitaient sans vergogne de l'état

d'esprit régnant alors dans les forces armées alliées qui ne cachaient pas leur admiration pour l'« oncle Joe ». Le ministère de la Guerre américain avait promis une démobilisation rapide. Mais, malgré les allées et venues incessantes du *Queen Mary* et de quelque 843 transports de troupes, seuls 70 000 soldats avaient été rapatriés. Cette lenteur allait bientôt faire naître une vague d'émeutes dans plusieurs villes d'Europe et d'Asie, remettant en question la réputation de discipline de l'armée américaine. Ces soldats héroïques se rebellaient contre les « politiciens incapables » qui les gouvernaient. Même le général George C. Marshall n'échappa pas aux critiques : c'était lui qui avait donné sa parole que ceux qui avaient servi deux ans (une longue période pour une guerre où l'espérance de vie des hommes de troupe ne dépassait pas quelques semaines) rentreraient au pays pour célébrer le premier Noël de la paix.

Manifestement, cette promesse ne pouvait pas être tenue. En fait, le général Marshall ralentissait le mouvement car il anticipait sur les nouveaux conflits à venir. Il était de ceux qui craignaient qu'une troisième guerre secrète ne se développe déjà dans l'ombre.

Stephenson sortit de la cathédrale et s'arrêta devant la statue d'Atlas qui se dressait devant le Rockefeller Center. Albert Einstein lui avait fait remarquer que la sphère qui pesait sur les épaules d'Atlas ressemblait à une danse d'atomes. Obsédé par ses préoccupations, Stephenson eut l'impression d'y voir plutôt un symbole de la ronde des espions atomiques et de l'infiltration des services secrets occidentaux. Stephenson était loin d'être sûr que l'on prêterait l'oreille aux cris d'alarme lancés par Gouzenko. Sa visite au Camp X l'avait convaincu de l'intégrité du transfuge. Il était persuadé que le Russe n'abandonnerait jamais sa résolution de dénoncer les intentions de Staline à l'égard de l'Occident. Il suffisait de se reporter au dossier intitulé *I. Corby : Sa vie* pour s'en convaincre.

Dès le début de la crise, on avait rebaptisé Gouzenko du nom de Corby. Son dossier, constitué à partir de renseignements glanés ici ou là sur Gouzenko et ses maîtres espions soviétiques, renfermait sa fausse biographie mise au point par le Centre de Moscou à l'intention du service de l'immigration canadien. Les Russes savaient ce qu'ils faisaient en fabriquant ce genre de légendes pour leurs agents. Les Britanniques avaient découvert depuis longtemps que les formulaires de demandes de passeport ou de visa représentaient une source intéressante de renseignements sur leurs auteurs. Le poste d'officier de l'immigration était une des couvertures traditionnelles des agents britanniques « légaux » placés à l'étranger. C'était d'ailleurs ainsi qu'Intrepid avait commencé sa carrière à New York.

L'ambassade soviétique, qui exigeait le renvoi de la famille « Gusenko », envoya le signalement suivant au gouvernement canadien :

IGOR : né le 13 janvier 1919. Arrivé au Canada le 20 juillet 1943. Taille : 1,67 m. Poids : 70-75 kilos. Cheveux : bruns. Yeux : gris. Nez : droit. Porte quelquefois des lunettes.

SVETLANA : née le 12 décembre 1919. Arrivée au Canada le 20 juillet 1943. Taille : 1,69 m. Poids : 70 kilos. Cheveux : chatains. Yeux : bleus. Silhouette : mince. Nez : droit. Un enfant : Andrei.

Les enquêteurs du BSC arrivèrent à un résultat légèrement différent : « L'homme que l'administration canadienne connaît sous le nom d'Igor Sergeievitch Gouzenko est né non pas à Gorki mais à Rogochen, village proche de Moscou, en 1919. Sa femme s'appelle en fait Svetlana Borisovna Gouzenka et elle n'est pas arrivée au Canada à la date mentionnée ci-dessus. » Le père d'Igor Gouzenko, soldat de l'armée rouge, est mort à Petrograd. Élevé par sa grand-mère maternelle, Ekaterina Andreievna Filkova, orthodoxe très pratiquante, Gouzenko rejoignit sa mère à l'époque où elle enseignait dans des kolkhozes. Il fréquenta l'école Maxime Gorky dans une banlieue ouvrière de Moscou, puis l'Institut d'architecture de la ville. Ses études développèrent ses dons artistiques. Remarqué par le NKVD, il entra à l'académie militaire de Kubishev où on l'initia au renseignement et termina sa formation d'employé du chiffre au Centre de Moscou.

Maintenant que Gouzenko était passé à l'Ouest, il fallait le protéger de la vengeance des commandos soviétiques et des manœuvres des sympathisants communistes placés dans les bureaucraties occidentales. Gouzenko avait déjà fait certaines révélations sur les communistes actifs occupant des postes de confiance. Ils savaient tirer parti des craintes des politiciens convaincus que l'Union soviétique devait être traitée avec ménagement, et qui, par conséquent, préféraient que l'on réduise Gouzenko au silence plutôt que de voir les relations avec Moscou se détériorer. En outre, Gouzenko rassemblait des documents venant prouver qu'il existait bien des agents soviétiques parmi les hauts fonctionnaires occidentaux, et que certains d'entre eux étaient en mesure de falsifier son témoignage.

A la réception de la demande officielle d'expulsion déposée par l'ambassade soviétique qui stipulait que Gouzenko était un grand criminel, le BSC prit immédiatement des précautions sans précédent pour préserver le secret des communications radio échangées entre les Alliés à propos de l'affaire Corby. On peut lire dans l'histoire du BSC : « Les considérations de sécurité revêtaient une telle importance que l'on dut faire appel aux directeurs opérationnels pour effectuer le travail de copie indispensable. *On avait déjà la preuve que d'autres employés du chiffre alliés avaient été compromis*, c'est pourquoi on décida de n'utiliser pour les transmissions que les postes du BSC au bureau de New York. Les documents se rapportant à l'affaire ne furent jamais confiés aux secrétaires. »

Jusqu'ici, seuls Hoover à Washington et l'Intelligence Service de Londres connaissaient l'existence de l'affaire Corby. Tous les renseignements avaient été transmis par câbles aériens en utilisant le nouveau système d'encodage du BSC. On avait informé Pavlov, le chef du NKVD, que la police montée canadienne allait rechercher Gouzenko.

« Pour donner le change, dit le rapport du BSC, un nombre considérable de policiers firent semblant de ratisser le pays pour retrouver Gouzenko. » De son côté, le FBI avait lancé un avis de recherche officiel. Au Canada comme aux États-Unis, la police n'excluait pas l'éventualité que des traîtres infiltrés dans ses propres rangs passent l'information aux limiers de Moscou, espérant que ceux-ci seraient ainsi les premiers à mettre la main sur le transfuge. On voulait donner l'impression que Gouzenko errait sans protection quelque part en Amérique du Nord.

On souhaitait retarder d'autant l'arrivée d'une protestation officielle de Moscou qui ne manquerait pas d'intimider Mackenzie King. Cette manœuvre détournait l'attention générale de la famille Gouzenko et différait le moment où le NKVD lancerait une nouvelle opération pour récupérer le transfuge avant qu'il ne parle trop. Le Camp X, très bien gardé, était sûr. Mais que faire des agents infiltrés dans les services de sécurité? Cette éventualité pouvait choquer en cette période d'innocence officielle, et des hommes comme Hoover et Stephenson risquaient de se faire ridiculiser en soulevant un tel problème. Mais les événements allaient prouver qu'ils avaient raison. « Malgré les mesures de sécurité prises pour le protéger, Gouzenko était un agneau cerné par les loups, lit-on dans le rapport du BSC. Au royaume des espions, un roturier n'a aucun droit. »

L'inviolabilité du Camp X faisait courir un autre risque à Gouzenko : tout pouvait lui arriver sans que l'opinion publique n'en sache rien. Comme en témoigna Dick Ellis à la fin de la guerre, « Il nous est arrivé de " perdre " des ennemis de la Grande-Bretagne qui avaient été capturés aux États-Unis et amenés clandestinement au Canada. Le FBI nous faisait des reproches et Hoover exigeait des explications, et je ne pouvais que leur répondre : Désolé, mais apparemment nous l'avons " perdu ". *Nous nous étions débarrassés du corps avec la bénédiction de la Couronne*, pour reprendre l'expression du SIS. »

Stephenson allait faire en sorte que personne ne « perde » Gouzenko. Il avait compris que certains hommes du SIS dont le manque de zèle avait éveillé ses soupçons à plusieurs reprises représentaient un danger pour Gouzenko. Il s'agissait d'hommes qui, dans le passé, avaient omis de donner au FBI des informations concernant des éléments communistes subversifs installés aux États-Unis. Il fallait aussi se méfier des « officiers de renseignement » inexpérimentés qui mettaient actuellement l'Europe sens dessus dessous en quête de découvertes qui assureraient leur avenir. Il avait télégraphié au SIS de Londres qu'il prenait l'affaire en main. Stewart Menzies, directeur général du SIS, répliqua en envoyant aussitôt Roger Hollis, futur chef du contre-espionnage, qu'il chargeait de la partie confidentielle de l'interrogatoire de Gouzenko. Stephenson refusait qu'un étranger pénètre à l'intérieur du Camp X. Il envoya un nouveau télégramme à Londres : « On vous envoie votre homme par le prochain bateau. » Stephenson voulait confier l'affaire à des agents du SIS en qui il avait toute confiance : des hommes dont il avait pu tester les capacités pendant la guerre et sur qui il pouvait compter pour faire subir au transfuge les différentes phases de l'interrogatoire.

Il avait fait tout ce qui était en son pouvoir pour protéger Gouzenko des importuns. On hospitaliserait

Svetlana sous un faux nom quand l'heure de l'accouchement viendrait. On apporta des jouets au petit Andrei. Les agents de la police montée prirent les empreintes des pieds de la famille pour leur acheter des bottes fourrées. De son côté, Stephenson fit certaines acquisitions à New York, qui furent apportées par camions militaires au camp pour éviter que le secret de la cachette de Gouzenko ne soit éventé. On donna de nouveaux noms et de nouvelles biographies à la famille, ouvrant ainsi la voie à leur future naturalisation britannique.

Une fois ces détails réglés, Stephenson revint aux problèmes spécifiques de son organisation. La présence du BSC à New York faisait l'objet de critiques presque quotidiennes, et l'obligation de secret l'empêchait de défendre ce qu'il considérait comme un concept vital. L'affaire Gouzenko venait confirmer la nécessité d'accélérer les communications entre les puissances alliées. New York s'avérait le meilleur centre de dégagement possible. Mais Stephenson pensait trop en termes pratiques au goût de ses rivaux. L'une de ses recrues, l'écrivain Roal Dahl, devait déclarer par la suite : « Aucun politicien de l'après-guerre ne voulait entendre parler de lui, parce qu'il ne tenait pas compte des chinoiseries administratives et qu'il arrivait à des résultats. Et dans ce monde de l'après-guerre, même les bureaucrates du renseignement s'essayaient au jeu de la politique. »

Stephenson croyait passionnément à l'Alliance atlantique et à la nécessité de passer par le renseignement pour la préserver. La guerre avait permis d'acquérir une expérience irremplaçable. Il n'avait pas été facile de maintenir une bonne entente entre ces services spéciaux dirigés par des patriotes enthousiastes d'horizons différents, mais Stephenson et Donovan y étaient parvenus. Ils connaissaient toutes les ficelles. La coordination de ces services exigeait du doigté. Si le BSC disparaissait trop vite, il faudrait des années pour remonter une agence digne de ce nom. Et Stephenson était tout prêt à transformer le BSC en ASC (American Security Coordination), si l'on conservait l'infrastructure d'origine. C'était l'idée de coordination qui importait – concept simple sur le papier, mais difficile à concrétiser quand on avait affaire à des agences concurrentes relevant de gouvernements différents.

L'affaire Gouzenko allait être un moyen de prouver que la coordination américano-anglo-canadienne était de taille à relever le défi soviétique. Ce que Gouzenko apportait dépassait le cadre de l'espionnage atomique. Il voulait faire comprendre à l'Occident que ses services de sécurité étaient tous infiltrés par ses vieux maîtres des services secrets soviétiques.

Il n'avait pas évoqué le problème des deux ELLI avec Stephenson. On avait identifié l'un d'eux : il s'agissait d'une dénommée Kathleen Willsher, secrétaire particulière de Malcom MacDonald, haut commissaire britannique. Elle rendait compte à son officier, traitant par l'intermédiaire de Fred Rose, responsable national du parti travailliste progressiste, et d'un directeur de la Banque du Canada.

Gouzenko voulait parler de l'autre ELLI sous le sceau du secret le plus absolu. Il ignorait qu'il ne reverrait plus Stephenson, et ce n'est pourtant qu'à des hommes de cette trempe qu'il faisait confiance. Il pensait qu'ELLI et certains autres espions à la solde des Soviétiques avaient été recrutés parmi des gens du cru et introduits ensuite dans les services de sécurité occidentaux. Il ne pouvait se permettre de risquer d'alerter une taupe russe susceptible de se venger et détruire ses preuves. Pour Gouzenko, la seule solution était de s'adresser à une personne sûre qui ne s'empresserait pas d'ébruiter le renseignement dans les services secrets. Malheureusement, Gouzenko se jeta justement dans les griffes de l'agent double qu'il redoutait.

11

WILLIAM DONOVAN ESSAYE DE SAUVER L'OSS

A l'extérieur, les choses évoluaient rapidement. Churchill, contemplant la Manche après l'invasion de l'Europe par Hitler, s'était exclamé : « Les aigles partent. A présent les vautours se rassemblent. » Les vautours utilisaient la propagande pour miner l'entente américano-anglo-canadienne. Le président Truman ne voulait pas entendre parler de Donovan et de son Office des services stratégiques. A l'OSS, certains pensaient que la Grande-Bretagne cherchait à restaurer son empire. D'autres se préparaient à entrer dans un service de renseignement encore secret qui dépendrait du département d'État. Coordonner les actions des services secrets américano-anglo-canadiens en temps de paix serait impossible, disait-on, parce que chaque pays concerné poursuivait ses propres objectifs : le Canada voulait afficher une indépendance totale à l'égard de l'Angleterre et du grand frère américain : les propagandistes estimaient que les États-Unis s'embarquaient dans une croisade schizophrénique pour l'indépendance de ce que l'on appellerait bientôt les pays du tiers monde, tout en s'enrichissant grâce à la pratique d'une nouvelle forme de colonialisme économique; quant aux Britanniques, ils étaient préoccupés par la perte d'un empire et la nécessité de se trouver un nouveau rôle dans ce monde transformé.

Le département d'État tentait de se tailler la part du lion dans les nouvelles opérations de renseignements. Le président Truman réclamait à son secrétaire d'État James Byrnes un projet « pour couvrir le domaine du renseignement dirigé vers l'étranger ». Le 20 septembre 1945, l'OSS cesserait d'exister, et Truman se débarrasserait enfin du général Donovan, cet homme « dont il n'avait nul besoin * ».

Donovan avait fait l'esquisse « d'une agence de renseignements moderne et centralisée, libre de toute influence ministérielle; sous l'égide d'un directeur nommé par le président, et exclusivement responsable de l'espionnage et du contre-espionnage à l'étranger... destinée à anticiper et contrer toute subversion et pénétration de notre sécurité nationale par une action de l'ennemi ». Sachant que Truman redoutait l'avènement d'un service « gestapiste », il avait conseillé que l'on « interdise à cette agence de se livrer à des activités clandestines sur le territoire américain ».

Donovan était trop arrogant au goût de ses rivaux des armes conventionnelles. Ils considérèrent son projet comme une excroissance de la Quatrième Arme, dépendant elle aussi du budget limité de la défense et menaçant de perpétuer l'idée que l'on pouvait renverser des gouvernements ennemis en recourant au terrorisme, au sabotage et à la guérilla. Cette crainte était partagée par Moscou, dont les amis en Occident appuyèrent les objections bien intentionnées des militaires. Les Russes ne connaissaient que trop le travail effectué par Donovan dans l'Europe libérée, où il avait sondé les chefs nazis capturés, supervisé d'ambitieuses études de campagnes de guerre et utilisé toutes les sources de renseignement disponibles sur l'Union soviétique. Si Donovan devait prendre la tête d'une agence calquée sur le modèle des services secrets de

* Cf. Thomas Troy, *op cit.*

l'Alliance et de la Quatrième Arme, le cauchemar de Staline deviendrait réalité : on assisterait à un rassemblement de forces capables d'encourager la rébellion dans son vaste empire cimenté par la terreur.

La volonté de l'Occident de ménager Staline jouait en faveur des Russes. Stephenson s'en était rendu compte lorsque l'OSS s'était trouvé dans l'incapacité d'intenter une action en justice contre un magazine, maintenant disparu, dans les bureaux duquel on avait découvert trois cents documents volés – y compris des rapports subtilisés au quartier général du BSC, qui portaient la mention BOMBE A.

Le chef de l'OSS avait déclaré à Stephenson que cette découverte « l'avait laissé sans voix ». Une enquête prouva que ce magazine était en contact constant avec les services secrets soviétiques. Quand cette affaire fut sur le point d'être jugée pendant l'été 1945, le ministère de la Justice reçut l'ordre de suspendre les poursuites jusqu'à la fin de la conférence préliminaire sur la création des Nations unies pour ne pas contrarier les Soviétiques.

Pour occuper Donovan, l'administration Truman finirait par le nommer adjoint du juge Robert Jackson au procès international des criminels de guerre nazis. Il passa donc beaucoup de temps en Europe à expliquer la position des États-Unis vis-à-vis des crimes de guerre nazis. Néanmoins Donovan ne tarda pas à comprendre que, pendant que le gouvernement américain s'attaquait aux criminels de guerre, de nouveaux groupes d'action clandestine recrutaient d'anciens escrocs nazis pour travailler contre les Russes. La notion de coordination avait cédé la place à une rivalité farouche entre des agences concurrentes aux politiques souvent contradictoires. Il craignait que la brutalité soviétique n'en fût qu'à ses balbutiements dans les territoires dominés par Staline. Réagir par la panique était une erreur. Les Soviétiques avaient l'avantage : le comité central du parti dirigeait les agences communistes avec une poigne de fer. A l'opposé, la coordination, qui avait donné de si bons résultats pour l'Occident pendant la guerre, s'était effritée. Apparemment on allait diviser l'OSS entre les forces armées et le département d'État, réduisant ainsi à néant une expérience durement acquise.

Avant que cette menace ne se concrétise, Donovan avait proposé de se charger de l'organisation de CROWCASS, bureau central d'enregistrement des criminels de guerre qui devait être basé à Paris. Financé par le FBI, Scotland Yard et les services du renseignement occidentaux, ce centre identifierait les criminels nazis, allemands ou autres.

Donovan se heurta à différentes formes de résistance. Ses rivaux des services secrets, plus décidés à recueillir des renseignements qu'à appliquer la loi, offraient la nationalité américaine à des centaines de nazis, criminels de guerre compris, en échange de leur coopération. Le général Reinhard Gehlen, le célèbre expert du renseignement soviétique de Hitler, avait réussi à obtenir l'immunité en proposant des milliers de microfilms décrivant en détail des opérations soviétiques. Un membre du Congrès devait déclarer des dizaines d'années plus tard : « Nous disposions apparemment de plus de services de renseignements qu'il n'y avait de pays à espionner. » Ces services qui se multiplièrent à la veille de la défaite nazie n'étaient pas centralisés. Chacun cherchait à récolter des résultats spectaculaires dans cette nouvelle guerre contre l'ennemi, dans l'espoir de s'assurer un avenir après la guerre.

Pendant les deux semaines qui suivirent la défection de Gouzenko, Donovan laissa échapper quelques fuites dans une dernière tentative de sauver le concept de l'OSS. OSS : LE COUPERET S'ABAT SUR NOTRE INESTIMABLE SYSTÈME D'ESPIONNAGE, titra le *Daily News* de Chicago annonçant une série d'articles qui durent convaincre les Russes que quelques Américains au moins croyaient à la nécessité d'un service du renseignement bien à eux. UNE LUTTE SAUVAGE MENACE D'ÉCLATER POUR LE CONTRÔLE DE L'OSS... MATA HARI, C'EST BIEN MAIS MAINTENANT L'ESPIONNAGE EST L'AFFAIRE DES IDÉALISTES... SI L'OSS N'EXISTAIT PAS, IL FAUDRAIT L'INVENTER. En fait, le général Donovan livrait un combat désespéré depuis la mort du président Roosevelt en avril. « Donovan, écrivait Drew Pearson à l'époque, va terriblement regretter Roosevelt. C'est lui qui avait donné carte blanche à Donovan... Y compris pour des projets grandioses de création d'un service d'espionnage après la guerre... Truman, qui est contre l'espionnage en temps de paix, sera moins indulgent *. »

Stephenson avait observé le combat d'arrière-garde de Donovan pour sauver l'OSS. En voyant les journaux remplis d'histoires d'hommes de l'OSS décorés pour leur héroïsme pendant la guerre, il savait que cette dernière campagne ne serait qu'un sursis. L'époque où il pouvait se reposer sur Donovan était révolue, il était temps de se tourner vers ses alliés de la première heure, Hoover et le FBI.

---

* Thomas Troy, *op. cit.*

12

J. EDGAR HOOVER SOUPÇONNE l'EXISTENCE D'ÉLÉMENTS SUBVERSIFS

J. Edgar Hoover s'inquiétait lui aussi de la prolifération des agences « pirates ». Truman avait rejeté sa proposition d'élargir au reste du monde les opérations de renseignements menées par le FBI en Amérique du Sud, parce qu'il l'interprétait comme une manifestation d'ambition démesurée. Pourtant, Hoover était un véritable patriote que les agissements des Soviétiques et le chaos provoqué par la concurrence entre les services britanniques et américains préoccupaient, car seul le Centre de Moscou semblait en bénéficier.

Le directeur du FBI avait été mis au courant de l'affaire Corby dès le début. Pour contrebalancer la pusillanimité de Londres et d'Ottawa, Stephenson s'était assuré le soutien de Hoover – comme il en avait l'habitude depuis les jours sombres de 1940, quand, passant outre la neutralité américaine, Roosevelt avait donné sa bénédiction à une « union secrète » entre le FBI et l'Intelligence Service. Le but de la manœuvre était de montrer combien Hoover dépendait de lui et de minimiser le pouvoir de cet homme qui n'hésitait pas à accumuler des notes confidentielles sur ceux qui pourraient lui rogner les ailes. Maintenant Hoover comprenait que Gouzenko lui serait utile pour promouvoir son projet auprès du président.

Les rapports entre les deux hommes étaient tendus. Dès son entrée en fonctions, Truman avait clairement fait savoir qu'il entendait bien tenir Hoover à distance. Le jour où Truman reçut le directeur du FBI, il appela son conseiller militaire chargé de l'armée, des anciens combattants et du FBI, le général Harry Vaughan, lui présenta Hoover et déclara : « C'est vous qui remettrez à M. Hoover tout ce que je veux lui donner, et chaque fois que M. Hoover aura quelque chose pour moi, c'est à vous qu'il s'adressera. »

Un scandale d'espionnage arrangerait les affaires du directeur du FBI : cela prouverait qu'il ne se trompait pas quand il prétendait que les États-Unis grouillaient d'éléments subversifs soviétiques. Hoover soupçonnait depuis longtemps ce que Gouzenko devait révéler après sa défection : l'existence d'agents soviétiques dans l'entourage du président, de relais dans une demi-douzaine de villes américaines pour les réseaux d'espionnage russes, ainsi que l'infiltration du projet Manhattan. Il s'était même préparé à brûler les dossiers confidentiels des agents du FBI plutôt que de les voir tomber entre les mains de successeurs douteux.

Certains de ses soupçons se vérifièrent lors de la capture des archives de la Gestapo. Contrairement aux services secrets alliés, la Gestapo n'avait pas eu scrupule à torturer les espions russes qu'elle interrogeait. Le lendemain du 6 juin 1944, les Soviétiques et les forces occidentales comprirent que ces archives contenaient peut-être de précieux renseignements sur les opérations des services secrets soviétiques en Europe. Ce fut le début d'une course effrénée. Les détachements spéciaux soviétiques réussirent à s'emparer d'une grande partie de ces preuves compromettantes, pendant que d'autres équipes opéraient à l'intérieur des territoires libérés par les Alliés. Du côté américain, on forma à la hâte des escouades spéciales pour récupérer ce qui restait. Les escarmouches se poursuivirent pendant des mois. Les spécialistes américains et anglais passèrent au peigne fin les quelques rares dossiers pertinents de la Gestapo qu'ils étaient parvenus à sauver.

En ce mois de septembre 1945, Hoover venait d'apprendre que la Grande-Bretagne avait demandé au service du contre-espionnage de l'armée américaine de ne rien révéler des opérations secrètes des Soviétiques sur le sol anglais. *Pourquoi?*

Hoover craignait que les services secrets soviétiques n'aient profité de la guerre pour infiltrer leurs homologues occidentaux. Seulement, le FBI manquait de spécialistes des opérations des services secrets russes. On commençait à se faire une idée du type de ces opérations grâce aux archives de la Gestapo, à l'analyse laborieuse de l'écoute des communications radio soviétiques et aux révélations d'autres transfuges russes. Il semblait qu'à la rupture du pacte germano-russe, les Britanniques eussent repris en main les réseaux d'espionnage antinazis que les Soviétiques avaient mis en place en Grande-Bretagne.

Londres n'avait jamais admis l'existence de ces réseaux soviétiques. Un jour, Hoover demanda des renseignements de routine. Le SIS mit tellement de temps à réagir que Stephenson dut rappeler son chef à l'ordre : « Si vous ne voulez pas que l'on (Hoover) m'accuse une fois de plus de dissimuler des informations utiles sur les activités des communistes en Angleterre, faites en sorte que l'on m'envoie rapidement toute la documentation disponible, afin que je puisse respecter nos engagements. » Cette protestation resta sans réponse pendant des semaines, puis Stephenson reçut une vague promesse que l'on prendrait des mesures dans ce sens et le silence s'installa à nouveau *.

* Quand on lit cela dans le rapport du BSC, resté secret jusque-là, on se rend compte que Hoover avait raison de soupçonner que Londres ne coopérait pas aux enquêtes menées sur les activités soviétiques à cause d'un accord passé avec Moscou.

Cet incident s'était produit en 1943, quand le SIS en savait plus que le FBI sur les activités soviétiques. Le bureau américain fut édifié sur ce point lorsque l'examen des archives de la Gestapo révéla l'existence de ce que les nazis appelaient *Die Rote Kapelle*, l'Orchestre rouge, ensemble de réseaux qui couvraient l'Europe entière, Grande-Bretagne comprise. Les interrogateurs allemands avaient reconstitué l'histoire du réseau grâce à des agents secrets russes, membres de la *Rote Kapelle*, qui avaient été capturés en 1941 après l'invasion de l'URSS. Il était clair à présent que les premiers réseaux remontaient à 1935, que la Grande-Bretagne et les États-Unis en avaient été les principales cibles, et que la priorité avait été donnée à l'infiltration des services secrets américains et anglais. On avait eu recours aux meilleurs spécialistes de l'espionnage du Centre de Moscou pour recruter des communistes nés dans les pays visés, et ils avaient rencontré un immense succès en Angleterre. A la suite de la rupture du pacte, ces ressortissants britanniques pro-soviétiques avaient été récupérés par le SIS de Londres.

Un échange entre le Centre de Moscou et un chef communiste de la clandestinité, Tito, nom de code WAL-TER, illustrait bien la versatilité de l'espionnage russe. Le 23 avril 1943, Tito envoya de son quartier général yougoslave ce message à son officier traitant à Moscou : « VEUILLEZ VÉRIFIER DE TOUTE URGENCE AUPRÈS DU PARTI COMMUNISTE CANADIEN SI P..., S..., A... ET E... FONT PARTIE DE LA MISSION BRITANNIQUE. » Les noms étaient ceux d'occupants du Camp X, des recrues du SOE d'origine yougoslave. On pense que ce sont ceux qui furent dépêchés par le SIS du Caire pour renforcer les troupes de Tito.

Ces faits ahurissants ne faisaient surface que maintenant, à mesure que les analystes déchiffraient la masse de messages interceptés pendant la guerre. Ce fut l'occasion pour Hoover de découvrir la clé de bien des mystères. Le changement à peine perceptible de la politique de Londres, par exemple. La paix revenue, le nouveau SIS de Londres, sous la supervision du Foreign Office, espaça progressivement ses échanges avec le FBI et se rapprocha des Américains qui devaient remplacer l'OSS par une agence du renseignement centralisée. Pour Hoover, cette manœuvre signifiait que l'on cherchait à rompre les liens qui avaient existé pendant la guerre entre les chasseurs d'espions des Alliés. Par une ironie du sort, ceux qui s'opposaient à un système du renseignement centralisé étaient loin d'être des sympathisants soviétiques. L'amiral Ernest J. King avait déclaré au ministre de la Marine James Forrestal qu'il « se demandait si une agence de ce genre s'accordait à nos conceptions politiques ». Quant au président Truman, il souligna à plusieurs reprises : « Ce pays n'a pas besoin d'une Gestapo, sous quelque forme que ce soit. » En l'occurrence, il pensait surtout au FBI.

Dans l'esprit de Hoover et de Stephenson, Gouzenko avait de l'importance, dans la mesure où il pouvait être l'instrument d'un retour à la sagesse dans la concurrence acharnée que se livraient les différents services. Si l'on parvenait à donner suffisamment de relief au témoignage de Gouzenko, on réussirait peut-être à venir à bout de l'aversion de Truman pour l'idée d'une agence centralisée. Tous les patrons de l'espionnage commencèrent à s'en rendre compte au fur et à mesure que la nouvelle de la défection du Russe filtrait dans le réseau international du renseignement – les cellules de prison et les amphithéâtres tsaristes désaffectés du Centre de Moscou, les garennes de Broadway à Piccadilly du « Cirque » de Londres, le service du contre-espionnage de la police montée canadienne et les agences rivales de Washington.

Songeant à leur collaboration de 1940, Hoover suggérait maintenant, si l'on en croit l'histoire secrète du BSC, que « l'on reprenne les rendez-vous réguliers si fructueux pendant la guerre entre lui-même et Stephenson ». Hoover

« précisa qu'il était convaincu que les services de renseignements représentaient la seule protection possible contre la bombe atomique et qu'ils devraient étroitement collaborer dans l'intérêt même de la civilisation ».

Ils court-circuiteraient les bureaucraties. Ils limiteraient le nombre de ceux qui auraient accès au dossier Gouzenko pour réduire les risques des fuites. Hoover mettrait les ressources du FBI à la disposition de Stephenson; de son côté, ce dernier continuerait à tenir Hoover au courant des révélations de Gouzenko, afin que le FBI puisse rapidement prendre des mesures contre les suspects se trouvant sur le sol américain.

Leur collaboration de 1940 devait aussi être tenue secrète. Comme le note l'histoire du BSC : « Le fait que le département d'État n'en ait pas eu connaissance prouve la force de la neutralité américaine. »

En 1940, Roosevelt avait confié au FBI la responsabilité des enquêtes sur l'espionnage et les « violations de neutralité », et cette directive était un obstacle à la reprise de la collaboration Hoover/Stephenson. En 1945, la guerre terminée, Hoover aurait dû examiner les « violations » dont s'était rendu coupable le BSC et exiger son départ. L'occupation américaine de l'Allemagne et du Japon avait commencé, et il fallait que l'occupation britannique de Manhattan cesse.

Hoover savait pertinemment que Stephenson pouvait lui être d'un grand secours pour combattre cette nouvelle horde d'ennemis. Les deux hommes partageaient la même inquiétude à propos du mouvement visant à laver les Soviétiques de tous soupçons. Hoover n'avait pas que des qualités, et les observateurs pro-soviétiques s'empressaient de le souligner, apportant de l'eau au moulin de ses détracteurs.

Il faut cependant remarquer que Hoover avait réussi à contrecarrer les projets des Russes dans certaines circonstances; c'est lui qui avait empêché Roosevelt d'accorder à

136

Moscou l'autorisation de placer des missions du NKVD et du GRU à Washington.

La même demande avait reçu un accueil favorable à Londres, malgré l'opposition de Stephenson. Londres toléra donc la présence d'une large représentation du NKVD qui vint épauler quelques-uns des meilleurs experts du GRU déjà dans la place. Le NKVD avait infiltré des agents en Europe avec l'aide des Britanniques, selon les termes de l'accord secret passé entre les Anglais et les Soviétiques pour coordonner les opérations clandestines. En outre, le général Donovan de l'OSS avait échangé des renseignements avec le NKVD et le GRU. On arrivait au paradoxe suivant : les échanges continuaient entre les Soviétiques et les Anglais, alors que la coordination anglo-américaine périclitait. Lorsque Stephenson émit des doutes sur le bien-fondé de cette politique, se demandant si elle ne risquait pas de remettre en cause les opérations de lutte contre la subversion russe, on lui dit de ne pas s'inquiéter. Les spécialistes du contre-espionnage du SIS contrôlaient la situation.

13

MACKENZIE KING SAUVE LE MONDE CHRÉTIEN

Une première traduction rapide des documents volés par Gouzenko avait livré les nom et nom de code d'un savant britannique à la solde des Soviétiques, en poste au Canada. Le Camp X avait transmis un récapitulatif au directeur du SIS à Londres :

> L'affaire la plus urgente concerne l'espion répondant au nom de code d'ALEK. Il s'agit d'Alan Nunn May, physicien nucléaire anglais, qui travaille actuellement au Canada et doit regagner l'Angleterre par avion dans dix jours, avec pour mission d'entrer en contact avec des officiers soviétiques basés à Londres.

Le savant-espion connu sous le nom d'ALEK par le Centre de Moscou et rebaptisé PRIMPROSE par le BSC devait partir pour l'Angleterre le dimanche 16 septembre, en principe pour reprendre ses fonctions de maître de conférences au King's College de l'Université de Londres, mais surtout pour rencontrer un contact soviétique le 7 octobre. Fallait-il l'autoriser à rentrer comme prévu ? Cette question fit l'objet d'une vive controverse pendant la semaine qui suivit la défection de Gouzenko. Les chefs des missions diplomatique, militaire et scientifique britanniques à Washington s'opposaient au retour du professeur, sous prétexte que le risque de « détournement ou de capture » était trop grand. Stephenson interprétait cette décision comme une façon déguisée de s'assurer que May ne mènerait pas les enquêteurs aux contacts soviétiques de Londres, dont l'identité était encore inconnue. Quelqu'un cherchait-il à protéger les Soviétiques tout en prétendant vouloir garder May sous surveillance occidentale? La seule manière de confondre May était de le surprendre en train de passer des renseignements à ses correspondants londoniens.

Stephenson admettait que l'on ne devait pas risquer de voir May tomber entre les mains des Russes, mais cela ne voulait pas dire non plus qu'il fallait l'empêcher de quitter le Canada. Pour sortir de cette impasse, il décida de s'adresser à Sir Alexander Cadogan, secrétaire général du Foreign Office. Utilisant la ligne directe et protégée du BSC, il lui expliqua les avantages qu'il y avait à laisser May continuer à suivre les instructions de Moscou tout en gardant un œil sur lui. Il valait mieux qu'il se promène à sa guise, sans savoir qu'il conduisait ses poursuivants à la source même des réseaux d'espionnage soviétiques en Grande-Bretagne.

Cadogan acquiesça mais fit remarquer que cette solution présentait certains risques sur le plan politique. Comme tout avait commencé sur son sol, c'était au Canada de se charger de cette affaire. Même si d'autres pays étaient impliqués, chacun avait ses préoccupations propres. Le jour où cette affaire deviendrait publique, les politiciens responsables de cette situation feraient l'objet de critiques préjudiciables à leur carrière. En outre, il était extrêmement ardu de démanteler un réseau d'espionnage. Les citoyens des pays démocratiques n'appréciaient pas les enquêtes menées par la police secrète. Au Canada, le Premier ministre pouvait prendre un décret-loi secret, ne mettre que trois ou quatre de ses ministres dans la confidence et être quitte. A six mille kilomètres de distance, Stephenson entendit presque Cadogan se racler la gorge et reconnut le léger bégaiement diplomatique annonceur de retards bureaucratiques.

Tous ces points seraient éclaircis, reprit Stephenson, lors de la conférence extraordinaire que King allait organiser dans une semaine ou deux avec le président Truman et le Premier ministre britannique. Pour l'instant, il fallait d'abord faire en sorte que les Russes n'apprennent pas l'existence des contre-mesures. Il y avait dû avoir des fuites à propos de l'affaire Corby à Washington, car apparemment des fonctionnaires non autorisés étaient au courant et tentaient d'empêcher le professeur May d'avoir un comportement susceptible d'en révéler plus sur les opérations soviétiques. Il était capital que May respecte les instructions des Soviétiques concernant la rencontre avec ses contacts à Londres. Ses officiers traitants avaient conseillé à May d'essayer à nouveau dix jours plus tard si le premier rendez-vous fixé au 7 octobre devait échouer, et d'attendre chaque fois dix jours avant de retenter l'expérience. Un message du Centre de Moscou expliquait la marche à suivre :

Lieu : Great Russell Street, en face du British Museum vers Museum Street du côté de Tottenham Court Road... ALEK portera le *Times* sous le bras gauche. Le contact aura un exemplaire du *Picture Post* dans la main gauche... Pour engager la conversation, ALEK dira, « Mikel envoie son meilleur souvenir ».

On appela le professeur John Cockroft à son laboratoire de recherche de Montréal pour le prier de se rendre de nuit à Ottawa. Ce savant, qui avait été le premier à

140

bombarder l'atome de lithium et à en réaliser la fission, venait d'être secrètement nommé directeur de la nouvelle centrale atomique canadienne de Chalk River près d'Ottawa. On avait besoin de ses lumières pour faire une estimation des renseignements que May avait pu donner à ses chefs soviétiques. Cockroft devait garder son voyage secret.

A l'examen des télégrammes décodés apportés par Gouzenko, Cockroft fut en mesure d'affirmer que May avait trahi la plupart des secrets de la bombe atomique. Cockroft et May avaient participé en bout en bout à l'expérience de Los Alamos. Crockroft déclara à Stephenson que May était un de ceux qui en savaient le plus sur la bombe atomique et qu'il n'ignorait rien de l'état des recherches sur les armes nucléaires. May avait déjà livré à son maître-espion Zabotin des échantillons de combustible atomique et « avait pu avoir clandestinement accès au métal d'uranium irradié dans la pile X, qui contenait un milligramme de plutonium. Des échantillons de ce genre avaient une valeur inestimable ». La pile atomique X était la nouvelle centrale expérimentale destinée à produire de l'énergie et de nouveaux composants de la bombe atomique. Le professeur May « connaissait les plans de l'usine d'eau lourde canadienne et savait que l'on construisait un réacteur de graphite aux États-Unis. Il connaissait les procédés de séparation du plutonium et de l'U-233 et pressentait très certainement les rôles relatifs de l'U-235 et de l'U-239 dans les bombes américaines ».

On demanda à John Cockroft de continuer à jouer les conseillers officieux auprès du comité de Mackenzie King. Le Premier ministre canadien avait formé ce comité à la hâte pour étudier toutes les répercussions politiques et diplomatiques possibles d'une action officielle. Les révélations de Cockroft forcèrent King à envisager la promulgation d'un décret-loi spécial qui autoriserait la police canadienne à surveiller May et à procéder à son arrestation s'il tentait de se mettre à nouveau en rapport avec ses collègues soviétiques au Canada.

On renvoya Cockroft à son laboratoire avec la délicate mission de continuer à travailler aux côtés d'un espion atomique comme si rien ne s'était passé.

Mackenzie King était littéralement captivé par ce mélodrame qui allait peut-être lui donner l'occasion de se mettre en avant. Des espions atomiques en liberté! Un savant atomiste célèbre surgissant de l'ombre comme par magie! Le Premier ministre canadien était comblé. Et puis ce monde secret soviétique mis à nu par les révélations de Gouzenko sur le lexique du Centre de Moscou était une confirmation palpitante de l'efficacité soviétique. D'après ce lexique, LESOVIA était le nom de code attribué au Canada, METRO celui du quartier général des services secrets russes à Ottawa. Le NKVD était le voisin qui fournissait un « toit » aux opérations illégales et des « chaussures » sous la forme de faux passeports à ceux qui passaient clandestinement les frontières. Le Canada était un fournisseur de passeports privilégié : on trouvait même dans un ministère canadien un homme surnommé l'Exécuteur qui procurait les passeports pendant que le Docteur se chargeait des retouches. GRANT était le nom de code de Zabotin et du centre d'espionnage d'Ottawa qui renvoyait les secrets américains au Centre de Moscou, alias GISEL.

« On peut dire que mon action dans la lutte contre les intrigues russes visant à déstabiliser le monde chrétien fut des plus courageuses », se félicita King dans son journal truffé d'ambiguïtés. Un jour, il semblait éperdu d'admiration pour les techniques soviétiques, et le lendemain, il rassemblait son courage pour sévir contre les espions d'origine canadienne. Dans ces moments-là, il réfléchissait aux risques politiques qu'il courrait si on devait l'accuser plus tard d'avoir eu recours à des méthodes dignes de la « Star Chamber ». La *Chambre étoilée*, qui enquêtait sur des affaires relevant de la Sûreté nationale aimaient à lui rappeler ses détracteurs, avait été dissoute en Angleterre en 1641. Toutefois, King s'était entouré d'un tel mystère pendant la guerre que la presse avait presque perdu l'habitude de fourrer son nez dans les affaires du gouvernement. King s'était servi du prétexte de la guerre pour prendre des décisions arbitraires et il était tout prêt à recourir encore à ses pouvoirs extraordinaires.

Paradoxalement, cette manie du secret avait plutôt desservi la sécurité nationale en donnant les coudées franches au Centre de Moscou pour manipuler ses agents placés au gouvernement. Les fonctionnaires corrompus subtilisèrent des dossiers sans que personne y trouve à redire puisque c'était « confidentiel » et que les instructions venaient « d'en haut ». Les documents apportés par Gouzenko mettaient ces faits en évidence, et c'était précisément ce que King cherchait à dissimuler. Il lui fallait donc réduire Gouzenko au silence et, si cela s'avérait impossible, faire un coup d'éclat.

La première préoccupation de King était de tirer un avantage personnel de l'affaire. Cette situation pouvait provoquer la chute de son gouvernement, mais il n'en avait cure. Il fallait que ce soit bien clair pour Washington et Londres. Stephenson vit une lueur d'espoir dans l'insistance du Premier ministre, et lorsque celui-ci voulut que l'on arrête May sur le sol canadien, Stephenson fit valoir que, si l'on se servait de May pour démasquer d'autres réseaux d'espionnage en Grande-Bretagne et aux États-Unis, l'impact sur les foules serait plus grand. King passerait pour un modèle de patience et de subtilité politique. En outre, si le Premier ministre se précipitait à Washington et à Londres pour mettre personnellement le président Truman et M. Attlee au courant, sa démarche paraîtrait bien plus efficace si, dans l'intervalle, on s'arrangeait pour laisser les Soviétiques dans une ignorance totale de ce qui se passait en coulisse. Pas d'arrestations. Pas de déclarations officielles.

Si l'on pouvait persuader King de jouer les saint Michel, les bureaucrates du SIS de Londres n'oseraient pas intervenir de peur d'offenser l'amour-propre canadien. Le fait que King ait autorisé ces retards récents parce qu'il craignait pour son avenir politique ne devait pas le disqualifier comme aide potentielle. Quant aux déclarations officielles, Stephenson allait s'assurer qu'il n'y en aurait que dans la mesure où cela pouvait servir sa propre cause.

PRIMROSE revêtait maintenant une importance capitale pour les plans de Stephenson et de Hoover visant à détruire l'image favorable de Staline. Pour amadouer le dictateur réputé difficile, les Occidentaux étaient prêts à toutes les concessions, même les plus basses. La grande obsession était de maintenir les bonnes relations avec l'Union soviétique. Londres, Washington et Ottawa tiraient systématiquement le rideau sur tout ce qui pouvait embarrasser Staline. Mais il serait plus ardu de dissimuler la mise au jour des réseaux d'espionnage dirigés par les Soviétiques dans tous les pays de l'Alliance atlantique.

Les révélations de Gouzenko sur les objectifs à long terme des services secrets russes concernant la mise en place d'agents « d'influence » inquiétèrent particulièrement les officiers du renseignement favorables au transfuge. Ses interrogateurs le poussèrent dans ce sens. Gouzenko, qui voulait donner dans le plus grand secret ses raisons de croire que les Soviétiques avaient infiltré les services de sécurité occidentaux, fut contraint de ne pas faire de révélations explosives. Ses interlocuteurs du contre-espionnage s'intéressaient en effet davantage aux preuves qu'il avait de l'existence d'agents soviétiques en sommeil et de sympathisants dont la participation à

144

certaines conférences pouvait changer le cours des choses dans le sens souhaité par Moscou. Gouzenko avait révélé la liste de ces agents pro-soviétiques, et elle était fort longue. Les hommes de Stephenson avaient déjà passé plusieurs heures à vérifier les noms avec les chefs du contre-espionnage canadien. On lit dans le rapport du BSC :

> L'annuaire des fonctionnaires fédéraux devint vite un ouvrage de référence indispensable. Les réseaux de GRANT couvraient tout le pays, se concentrant sur les centres de décision politiques et commerciaux. Le plus alarmant, c'était le degré de pénétration des ministères canadiens. Aucun n'y échappait. Les services du renseignement de la Marine et de l'Armée de l'air, le ministère des Munitions et des Fournitures, les Affaires étrangères, le Parlement. Certains des agents concernés avaient la responsabilité de la sauvegarde des renseignements qu'ils passaient à l'URSS et presque tous avaient accès aux documents ultraconfidentiels (souvent relatifs aux affaires les plus secrètes des États-Unis et de Grande-Bretagne)... Les qualifications exigées de ces agents étaient extrêmement élevées. La liste envoyée par GRANT à Moscou le 5 janvier 1945 est révélatrice du taux de réussite du réseau. Ce courrier comprenait plus de cent documents officiels provenant des services gouvernementaux canadiens, y compris des lettres envoyées à Mackenzie King par l'ambassadeur du Canada à Moscou.

Grâce à ces listes, on estima à plus de deux cents le nombre de documents officiels transmis par GRANT à GISEL dans les cinq premiers jours de 1945, ce qui impliquait un volume d'échanges considérable. « Les mesures prises pour protéger à la fois la sécurité et l'identité des agents étaient remarquables, lit-on dans les notes du BSC. Les contacts étaient pris avec une prudence extrême. Nous étions confrontés à un vaste réseau d'espionnage parfaitement organisé. Une fois prise la décision à propos du professeur May, nous nous rendîmes compte que toute action directe contre ces réseaux aurait un retentissement énorme sur les relations avec l'Union soviétique. »

Mackenzie King révéla à Stephenson que ses conseillers en politique étrangère faisaient pression sur lui pour qu'il ne bouge pas. Déchiré entre son désir de sauver « le monde chrétien » et celui de sauver sa peau sur le plan politique intérieur, King fit savoir au directeur du BSC qu'il penchait maintenant pour une approche secrète et directe des Soviétiques « qui permettrait de construire de meilleures relations à l'avenir », et il ajouta que « révéler l'existence de l'espionnage soviétique au monde entier serait aussi désastreux que de ne rien entreprendre du tout ».

King était devenu une masse de contradictions. Il voulait avoir à la fois le beurre et l'argent du beurre. Il avertirait le président américain et le Premier ministre du danger. Il se transformerait en un nouveau saint Michel terrassant le dragon soviétique. Mais, dans le même temps, il persuaderait Staline de coopérer davantage avec l'Occident. Si l'on en croit le dossier Corby, King était d'avis « qu'une franche discussion avec Moscou... pourrait inciter les Russes à modifier leur attitude. Si l'on agitait la menace de réduire les missions soviétiques en Occident et de supprimer les prêts de l'Occident à l'Union soviétique tout en proposant l'adoption d'une politique d'échange pour les secrets atomiques, les Russes seraient peut-être disposés à reconsidérer leur position ».

King n'avait pas trouvé cette idée tout seul. Mais elle ne lui déplaisait pas parce qu'elle le hisserait au même niveau que les trois Grands. Il n'avait pas été invité à Yalta et n'avait jamais caché sa contrariété de voir Roosevelt, Churchill et Staline prendre des décisions sans consulter le Canada qui avait pourtant largement contribué à l'effort de guerre. En outre, cette démonstration de diplomatie secrète impressionnerait favorablement l'électorat canadien qui n'appréciait pas que son rôle dans la guerre ne soit pas reconnu à sa juste valeur. L'alternative, un scandale d'espionnage souillant le gouvernement, pourrait faire tomber le parti libéral qui était « la source de toute sa puissance et de sa gloire et, partant, beaucoup plus important à ses yeux que la nation canadienne ». Convoquer Gouzenko devant une commission d'enquête publique pourrait porter préjudice au parti, parce qu'il donnerait les noms d'agents soviétiques qui s'étaient infiltrés dans des instances gouvernementales mises en place et dirigées par les libéraux. Si King parvenait à détourner l'attention de ces agents tout en réalisant un coup diplomatique avec les Russes, cela arrangerait tout le monde, c'est-à-dire King et Moscou.

Mais quel genre de coup? Arracher des Soviétiques la promesse de réduire leurs activités d'espionnage en offrant en échange une coopération en matière d'énergie atomique? On a du mal à croire que King fût aussi naïf. Pourtant c'était un animal politique rusé. Il tenait en haleine les sénateurs et les juges en puissance, en leur accordant des sinécures s'ils promettaient de le servir loyalement. A l'âge de soixante-dix ans, il consultait encore l'esprit de sa défunte mère, persuadé qu'elle le guidait de l'au-delà. Il était d'une dangereuse naïveté avec les communistes, croyant sincèrement qu'ils considéraient le Christ comme leur maître...

Avec King qui s'agitait dans tous les sens, le risque était grand que May ne puisse pas mener à bien ses projets initiaux. Stephenson avait réussi à convaincre Washington et Londres de laisser May suivre les instructions des Soviétiques. Mais la nervosité de King compromettait sérieusement les espoirs de voir May démasquer malgré lui les réseaux soviétiques en Grande-Bretagne.

14

PRIMROSE RENTRE À LONDRES

Au moment du décollage, Alan Nunn May savait seulement que l'Université de Londres devait avoir un besoin urgent de ses services pour juger utile de demander une place prioritaire sur un avion de la RAF. Stephenson n'avait pas osé intervenir personnellement pour hâter le retour du professeur. Plus il resterait dans l'ombre, mieux cela vaudrait.

Deux jours avant le départ, un message codé était arrivé sur son bureau du BSC : « PRIMROSE a priorité absolue sur le vol de la RAF quittant Montréal le 16 septembre prochain. » Tout semblait se passer comme prévu. En réalité, c'était loin d'être le cas.

Deux hommes de la police montée devaient être placés à bord du bombardier que prendrait May. A l'époque, les bombardiers remplaçaient les avions de ligne réguliers. Partant plus ou moins à dates fixes, ils transportaient des passagers dont les réservations s'effectuaient auprès des autorités militaires. Ce système posait un problème délicat aux agents en mission secrète. Obligés de s'adresser à une tierce personne pour prendre leur billet, ils couraient le risque de se faire repérer par le contrôle des passeports si les noms ne correspondaient pas. Les deux hommes de la police montée voyageaient en civil sous des noms d'emprunt. L'un d'eux connaissaient bien Popeye, surnom du chef des mouvements secrets de la base de Montréal. Il fallait éviter que ce dernier vende la mèche en saluant son ami devant May. Quelqu'un devait l'occuper. Mais qui? Il fallait trouver quelqu'un qui soit à la fois au courant de l'affaire et suffisamment haut placé pour que le chef des mouvements secrets ne puisse refuser l'invitation. Mackenzie King? Impossible. Les deux hommes ne s'étaient jamais rencontrés, et Popeye devinerait que quelque chose d'important se tramait. On ne pouvait pas non plus faire appel à un officier supérieur des renseignements. Popeye devinerait qu'il y avait du sensationnel dans l'air et il en était très friand.

On était confronté à ce genre de problèmes stupides et apparemment anodins qui surgissent toujours à la dernière minute. Si May entendait Popeye s'étonner de voir son ami en civil, il aurait des soupçons. Il n'était pourtant pas question de mettre Popeye dans la confidence. Son indiscrétion était légendaire.

Quelqu'un suggéra que l'on drogue Popeye au moment critique, mais on renonça à cette idée quand Malcolm MacDonald proposa ses services.

« En tant que haut commissaire britannique, il serait temps que j'invite cet officier supérieur de la RAF à prendre un verre. Enfin, au moins un sherry », s'empressat-il d'ajouter en se souvenant que Popeye était mortellement ennuyeux.

Le simple verre de sherry se transforma en apéritif, puis en dîner, lui-même suivi d'un échange prolongé d'anecdotes autour d'un porto et enfin d'un cognac. L'avion du professeur May avait eu des problèmes techniques avant le décollage. Popeye, un peu déconcerté par l'attention que lui prodiguait le haut commissaire britannique, fut légèrement surpris de voir celui-ci bondir quand le téléphone sonna. MacDonald écouta, dit merci et revint précipitamment dans la bibliothèque. Il tira son invité un peu gris de son fauteuil et le poussa vers la porte.

« C'est tellement gentil d'être venu! murmura MacDonald hors d'haleine. Je sais que vous avez une longue route à faire. Désolé de vous avoir retenu aussi longtemps. Au revoir, cher ami. »

La porte à peine refermée, MacDonald se rua sur le téléphone. Son interlocuteur de tout à l'heure lui avait dit que May avait enfin quitté le sol canadien. MacDonald était préoccupé par le chef des mouvements secrets, plus dangereux qu'on ne l'aurait cru, à son avis. Popeye avait déclaré au haut commissaire qu'il « pensait qu'il se passait quelque chose de bizarre concernant des rouges et des espions ». Il avait fait allusion à « deux personnages suspects en service commandé » qui voyageaient avec des ordres de mission bidons. Voulant à tout prix prévenir Londres qu'ils allaient vraisemblablement recevoir des messages étranges et alarmistes de Popeye, le haut commissaire contacta le MI5.

Il était trop tard. Popeye avait regagné la base sans perdre une minute, où il avait vérifié les raisons du retard tout en méditant sur MacDonald et les complots de gauche. Après tout, le père de MacDonald avait été « un Premier ministre rouge ». Il prévint la police de la RAF de Prestwick en Écosse, où le bombardier devait se poser. Il fallait interroger les deux officiers de la police montée, ces deux « civils bidon », selon les termes de Popeye. Celui-ci faisait preuve d'une prudence normale en temps de guerre. Les vols transatlantiques étaient traités comme des affaires hautement confidentielles. Peu de gens avaient accès aux listes des passagers, parce qu'il était arrivé que des avions allemands à grand rayon d'action interceptent des vols de VIP, comme si on les avait prévenus. On prenait de telles précautions à l'époque qu'une fois un avion de chasse britannique avait descendu un appareil allié par erreur. On n'avait pas averti le porte-avions qui lui servait de base de l'existence de ces bombardiers convertis, et encore moins qu'ils risquaient de survoler un convoi traquant les bombardiers allemands *.

L'avion du professeur May devait se ravitailler au Labrador, et de mauvaises conditions atmosphériques aggravèrent son retard. Cela donna au MI5 le temps de poster un homme à Prestwick. Sinon, on aurait assisté au spectacle absurde de l'arrestation de deux officiers de la police montée pour activités subversives, pendant que le véritable espion prenait le large.

May était enfin dans le collimateur du MI5. Cela semblait garantir que tout se passerait bien. On surveilla May quand il s'installa dans une chambre meublée près de King's College sur le Strand et lorsqu'il reprit contact avec un pays encore touché par la guerre. Il apprit à se réhabituer au rationnement. Il retourna dans ses anciens lieux de prédilection, que les bombes avaient réduits en cendres. Et il ne se passa rien d'autre. Alan Nunn May se comporta exactement comme on pouvait s'y attendre de la part d'un professeur respectable et un peu excentrique qui était revenu à Londres après un séjour dans l'univers de la bombe atomique.

La surveillance du professeur May se poursuivit. La date du premier contact prévu avec le réseau soviétique approchait. Il n'y avait aucune raison pour que le rendez-vous du savant avec ses officiers traitants des services secrets russes échoue. On les arrêterait dès qu'ils se

* Certains avions alliés pouvaient aisément passer pour des Condor allemands, qui suivaient souvent les convoyeurs britanniques et américains à la trace pour renseigner par radio leurs sous-marins à l'affût. Les bombardiers anglais catapultés des avions-cargos disposaient de très peu de temps pour abattre les Condor. Un pilote camarade de l'auteur, captant en plein brouillard un message lui signalant la présence d'un ennemi et s'attendant à voir un Condor, descendit un avion qui transportait des personnalités alliées. Le pilote se retrouva devant le conseil de guerre. Lors de l'audience, on projeta le film enregistré par sa cinémitrailleuse ainsi que le film de l'attaque d'un bombardier ennemi. Comme l'amiral présidant le conseil admit qu'il était impossible de faire la différence, le pilote fut innocenté.

seraient compromis. Seuls quelques privilégiés du quartier général du SIS savaient que l'on allait intervenir. Si l'on avait conservé une liste de tous ceux qui étaient dans la confidence, bien des énigmes seraient résolues à ce jour. L'« épuration » des dossiers classés secrets ou non s'est chargée de faire disparaître cette information.

« Il est possible qu'il y ait des fuites, quand les arrestations auront lieu, déclara innocemment Cadogan à ses amis. » Cette réflexion dut amuser un ou deux de ses collègues, car la fuite s'était déjà produite. « Et cette arrestation aura peut-être des répercussions politiques sur nos relations avec la Russie », ajouta Cadogan. Cet avertissement fit certainement sourire Moscou qui ne tarda pas à intercepter le message. « Le gouvernement de Sa Majesté est prêt à accepter cette conséquence, mais il aimerait savoir si ses homologues canadien et américain sont d'accord. »

Mackenzie King effectua à nouveau une manœuvre maladroite. Il avait projeté de s'adresser directement à Staline par l'intermédiaire de V.M. Molotov, le commissaire du peuple aux Affaires étrangères soviétiques. King venait d'apprendre par Gouzenko que c'était le bureau de Molotov qui recevait certains des renseignements volés à Ottawa. L'initiative britannique remettait en question l'intervention de King auprès de Molotov. Cadogan avait dû être piqué au vif par l'intransigeance de Molotov à la conférence des ministres à Londres, pensa King. Ce n'était pas une raison pour prévenir les États-Unis et le Canada que Londres agirait seul si le besoin s'en faisait sentir. King réfléchit. Si les Britanniques procédaient effectivement à des arrestations, et si l'on publiait le fait, que se passerait-il si King n'était pas intervenu dans l'intervalle? Il trouva la solution : il allait préparer le terrain, au cas où.

On adopterait des décrets-lois spéciaux, en vertu desquels on pourrait arrêter et interroger les suspects sans tenir compte de leurs droits civiques. En attendant, on envoya des équipes d'experts de la police à Ottawa afin d'étudier les documents Gouzenko, ce qui élargit encore le cercle des initiés. « Grâce à des efforts presque surhumains, la police montée devait être prête à agir le soir du 7 octobre, date du premier rendez-vous de May avec son officier traitant soviétique », lit-on dans le rapport du BSG. « Le temps manquait. Tout le monde se prépara fiévreusement à l'urgence qui pouvait se présenter. »

Aux États-Unis, Hoover et le FBI prirent leurs dispositions, sachant que l'affaire Corby pouvait jouer un grand rôle dans l'avenir du FBI, mais aussi très conscients que le moindre faux pas pouvait être fatal à l'agence. La ligne dure adoptée par les Britanniques n'enthousiasmait pas le département d'État. L'aversion du président Truman pour les méthodes de la police secrète prédominait encore. (« Le directeur de l'indiscrétion centralisée devrait être équipé d'une cape en papier et d'une dague de bois », avait-il déclaré un jour.) Hoover comptait beaucoup sur Stephenson, le BSG et l'alliance pour monter l'affaire qui l'aiderait à faire changer Truman d'avis. Il devait se contenter d'autoriser Stephenson à prendre les initiatives, et il fallait surtout éviter toute action prématurée.

Puis, tout à coup, le veille de son départ pour la Maison-Blanche avec le dossier Corby sous le bras, King fit une nouvelle pirouette. « Ses conseillers » l'avaient incité à « agir avec circonspection, dit-il aux Britanniques. Le Canada n'était pas prêt à agir ».

A l'époque, on crut que King était psychologiquement incapable de prendre une décision. Ce n'est que bien plus tard qu'on avança qu'il n'était peut-être qu'une marionnette actionnée par des fils invisibles. A Washington, Hoover en était déjà arrivé à la conclusion que les conseillers pro-soviétiques étaient responsables de la politique aberrante des États-Unis, et il était convaincu que la situation était pire au Canada. Il avait de sérieux doutes à propos de l'ambassadeur canadien à Washington, Lester B. Pearson, futur Prix Nobel et secrétaire général des Nations unies. Stephenson préférait attendre, même si chaque jour de retard avantageait l'ennemi. Plus que quelques heures, et le professeur May se compromettrait. Alors, King serait obligé d'agir.

Dans le message qu'il adressa à Londres, King, citant encore les mêmes conseillers, dit qu'il serait « très difficile de se fonder sur le matériau disponible pour acquérir une conviction, étant donnée la source ».

La dernière partie de phrase est révélatrice. King sous-entendait que la source n'était pas digne de confiance. Pourtant, il s'agissait de Gouzenko. Il n'y avait aucune raison de dévaloriser Gouzenko, mais peut-être des commis de l'État pro-soviétiques tentaient-ils de discréditer le transfuge.

Tout semblait dépendre de May. On ne pourrait pas rejeter son témoignage avec un méprisant, « étant donné sa source ». L'importance de cet homme dans le domaine de la physique nucléaire et sa réputation mondiale faisaient de lui un traître imposant. Personne n'aurait le front de dire que les opérations policières avaient été coordonnées de façon antidémocratique dans trois pays différents une fois qu'il serait pris sur le fait.

Mais PRIMROSE ne semblait pas vouloir abandonner ses habitudes. Il continua ses promenades autour de King's College. Il était revenu dans un pays dominé par la grisaille. A l'époque, tout en Grande-Bretagne avait l'air recouvert d'une poussière grise laissée par une guerre dont le pays n'allait jamais vraiment se remettre. « Les herbes du Blitz » poussaient dans les cratères des bombes, symboliques de la négligence avec laquelle on accueillait les soldats qui rentraient. Il n'y avait pas de programme d'aide à l'ancien combattant en Angleterre. Moins bien loti que le GI américain, il devait se sortir tout seul du marasme dans lequel l'avaient plongé six ans de guerre. Il n'avait plus de nouvelles frontières à conquérir; le vieil empire diminuait comme une peau de chagrin, et le Canada limitait l'immigration des ressortissants britanniques. L'ancien combattant ironisait sur sa situation. « L'ennui avec les Yankees qui sont en Angleterre, disait-il, c'est qu'ils sont sur-payés, sexuellement sur-excités et sur notre dos. » Peut-être cette réaction amère était-elle due à la jalousie, ou à la fatigue. Ou peut-être était-ce une reconnaissance implicite du pouvoir et de la richesse des États-Unis qui semblaient menacer des traditions, une culture et un empire édifié grâce à des siècles de luttes farouches.

Les Anglais avaient oublié la générosité d'esprit des Américains et n'appréciaient pas leur largesse financière. Cela faisait maintenant cinq ans et demi que le *New York Times* avait écrit au début de la Bataille d'Angleterre : « La langue de Chaucer, de Shakespeare et de Milton deviendra-t-elle bientôt le dialecte d'une race asservie dans les îles Britanniques ? Il faut revenir des siècles en arrière pour trouver les commencements de la liberté anglaise... Il est midi à Londres, mais ce n'est plus l'heure de l'empire. Il n'y a plus d'empire... Il est midi pour le peuple anglais d'Angleterre, dont sont issues toutes les grandes figures de cette nation. Midi pour ce qu'ils sont et ont été, pour toutes ces choses qui rendent la vie digne d'être vécue aux yeux des hommes libres. »

Mais l'heure n'était plus aux bons sentiments. Un nouveau président américain, Harry Truman, entendit son secrétaire d'État, Dean Acheson, déclarer : « L'Angleterre a perdu un empire mais elle ne s'est pas encore trouvé un rôle. » Cette opinion, rendue publique ultérieurement, allait provoquer une protestation officielle de Londres. Déterminée à rester une grande puissance sans vouloir pour autant redéfinir le rôle d'une grande puissance dans l'âge atomique, la Grande-Bretagne partait à la dérive. Il y avait deux gouvernements en Angleterre : celui de Sa Majesté à Westminster et le gouvernement permanent des bureaucrates, dont le principal organe de perception était le SIS. Et ce second gouvernement semblait adopter une attitude étrangement languissante à l'égard des espions, malgré la récente mise en place de la section IX exclusivement chargée des opérations anti-soviétiques. La silhouette grise du professeur May se profila dans ce paysage gris. Est-ce grâce à la bienveillante négligence de certains ou à cause de la trahison volontaire de certains autres ? Toujours est-il qu'il ne fit pas de faux pas.

15

HARRY TRUMAN PREND LES CHOSES EN MAIN

Le dimanche 30 septembre, Harry Truman, trente-troisième président des États-Unis d'Amérique, se leva avant l'aube. Il se doucha, se rasa, s'habilla avec un soin méticuleux qui démentait son attitude désinvolte et, à 7 heures, partit faire sa petite promenade quotidienne dans Lafayette Park.

Dans Virginia Avenue, à moins d'un kilomètre de là, l'Américain auquel les Soviétiques souhaitaient voir attribuer le poste de secrétaire général à la conférence des Nations unies de San Francisco étudiait la note que lui avait fait parvenir l'ambassadeur du Canada à Washington. Cet Américain n'était autre qu'Alger Hiss, directeur du bureau des affaires politiques extraordinaires de Truman.

Dans cette note, Lester B. Pearson donnait un aperçu de ce que son Premier ministre entendait annoncer à Truman ce matin-là : « Nous évoquerons ce que nous avons appris de l'espionnage russe sur le territoire américain et de leurs exigences en matière de renseignements militaires, et le cas d'un messager envoyé aux États-Unis qui se révéla inspecteur de l'Armée rouge, et qui profita de cette occasion pour poursuivre ses activités d'espionnage aux États-Unis. »

Ces révélations ne prirent pas Truman au dépourvu, car il y était préparé. Ce qui l'étonna, en revanche, c'est l'attitude hésitante de Mackenzie King, Premier ministre de ce grand voisin du nord que Truman considérait vaguement comme le dernier vestige de l'empire britannique. Se préoccupant rarement de l'effet que pouvaient avoir ses décisions sur son électorat, il trouva « étrange » l'inquiétude manifestée par Mackenzie King quand il lui vint soudain à l'esprit que l'on parlait de trahison sur une grande échelle. « Cette révélation va bouleverser l'opinion américaine, disait King. C'est la preuve qu'une cinquième colonne opère dans nos pays. »

King était arrivé avec un paquet brun sous le bras. Il avait mal dormi, mal déjeuné et jugea « déplacé » l'air optimiste qu'affichait le président Truman. Pour le faire redescendre sur terre, il ouvrit son paquet, en tira une grande enveloppe et dit sur un ton presque désinvolte : « Dans ces documents, on parle d'un sous-secrétaire du département d'État qui serait une taupe soviétique... Enfin, si l'on en croit Corby. »

Le Premier ministre canadien ignorait que le président était déjà au courant de cette rumeur. Le nom d'Alger Hiss avait été prononcé. Hiss s'était rendu à Yalta en qualité d'assistant d'Edward Stettinius. On ne connaissait pas encore l'ampleur de cette trahison.

Truman reprit après un long silence.

— Nous pensions que Corby parlait de l'assistant d'un assistant ?

— Je n'en sais pas plus que ce qui est dit dans ces papiers, répondit King sans se démonter. Peut-être que cette histoire est sans fondement...

Cette réunion secrète dura deux heures, et King avait encore beaucoup à dire.

— Il faut que vous fassiez quelque chose à propos de la mission soviétique à New York. Le vice-consul Yakovlev y dirige un réseau d'espionnage. Si vous ou nous les dénonçons, il faudra les renvoyer à Moscou. Cela entraînera une rupture des relations diplomatiques. Et les répercussions que cela aura sur les Nations unies sont incommensurables.

— Rassemblez toutes les preuves avant de passer à l'action, murmura Truman.

King leva le nez de ses papiers.

— Vous pensez aussi que nous devrions agir de concert?

— Pas la peine de nous lancer avant d'être prêts. Les Britanniques refuseront que nous intervenions sans les consulter, et la réciproque est vraie.

King eut l'air reconnaissant. Truman étant connu pour son aversion à l'égard de la procrastination, cette proposition ressemblait davantage à un délai prudent. King passa à un rapport sur l'évolution de l'affaire PRIMROSE.

King se mit à lire le rapport confidentiel. On raconta plus tard que c'est à ce moment-là que le président Truman perdit toutes ses illusions sur les prétendues bonnes intentions de l'Union soviétique. En quatre ans, les États-Unis avaient dépensé deux milliards de dollars pour la recherche atomique. Ils avaient fait appel aux meilleurs savants et aux plus grandes ressources industrielles pour construire une arme destinée à vaincre le Japon. Les Soviétiques avaient profité de la victoire; ils avaient déclaré la guerre au Japon au dernier moment pour partager le butin. Jamais les Soviétiques n'auraient pu fournir le même effort que les États-Unis pour la construction de la bonbe, alors ils s'étaient débrouillés autrement. En recourant au double jeu, le Centre de Moscou avait acquis une multitude de graphiques, de formules, de données sur tout, du processus de diffusion gazeuse utilisé pour séparer l'U-235 et l'U-238 aux méthodes de déclenchement de l'explosion des deux types de bombes. Ces procédés peu recommandables avaient per-

159

mis aux Soviétiques d'économiser de longues et coûteuses recherches. Truman était atterré.

— Monsieur King, pourriez-vous me dire où se trouve ce PRIMROSE à présent?

— Il est à Londres depuis dix jours.

— Et quand va-t-on l'arrêter?

— Le jour de mon arrivée à Londres, répondit King en rangeant ses papiers. C'est le jour où PRIMROSE doit en principe rencontrer son contact soviétique et où je mettrai le Premier ministre Attlee au courant de l'affaire.

— Vous allez mettre Attlee au courant?

— Il voudra connaître votre position. Scotland Yard est sur le coup, quant aux implications politiques... King ne termina pas sa phrase.

— Alors permettez-moi de vous faire une suggestion, dit Truman. Allez voir Halifax avant de quitter Washington.

Mackenzie King le regarda d'un air surpris.

— Lord Halifax, murmura Truman, est un allié loyal mais un ennemi imprévisible.

— Je vous remercie de ce conseil, monsieur le président.

— Bien. Je vais le prévenir de votre visite après déjeuner.

Truman reconduisit le Premier ministre et revint s'asseoir à son bureau. Après Hiroshima et Nagasaki, il avait remplacé son canon miniature par une charrue. Comme Churchill, il espérait que les bombes atomiques seraient un mal pour un bien, parce qu'elles mettaient fin à la notion même de guerre.

Truman soignait sa réputation d'homme pragmatique. Pas de subterfuges. Ne jamais monter deux factions l'une contre l'autre. Pourtant, il avait suggéré à King de rencontrer Lord Halifax, l'ambassadeur britannique à Washington. Halifax avait été le ministre des Affaires étrangères de Chamberlain à l'époque de la politique

160

d'apaisement à l'égard des dictateurs. Si, à Washington, il se cantonnait dans son rôle d'élégante figure de proue, à Londres il pouvait pratiquer l'obstruction s'il pensait que l'on prenait des décisions sans le consulter.

En fait, songeait Truman, peut-être prenait-on des décisions sans le consulter. Les premiers rapports sur l'affaire Corby lui étaient parvenus par l'intermédiaire de Hoover qui était fort capable d'utiliser ce dossier pour servir ses ambitions. Truman pensait que la direction du FBI et d'une nouvelle agence « donnerait la grosse tête » à Hoover. Il lui avait conseillé de « modérer son impatience », mais celui-ci faisait la sourde oreille.

Truman contempla la petite charrue. Il avait été ravi de se débarrasser du canon. Après tout, on ne fabriquait pas les socs avec des épées. Pas encore. Il était possible d'endiguer une guerre secrète, justement parce qu'elle était secrète. Peut-être pourrait-on effrayer les Soviétiques en leur montrant les preuves de leur traîtrise. L'ennui, c'était que Hoover fût seul à diriger les enquêtes coordonnées par le BSC – le maintien de l'alliance avec les services spéciaux britanniques déplaisait à Truman. Après tout, les Britanniques ne gouvernaient pas l'Amérique. Lord Halifax comprenait parfaitement que les Américains n'appréciaient pas cette ingérence discrète dans leurs affaires. Bon point pour lui. S'il ne contestait pas l'utilité de Stephenson et du BSC dans les moments de crise, il n'en voyait pas la nécessité en des temps plus tranquilles.

Il n'était pas question d'offenser Halifax en prenant des décisions derrière son dos. S'il prenait effectivement des mesures contre les Soviétiques, Truman voulait que ses alliés l'approuvent. Pour une fois, il hésitait. Hoover avait besoin de temps pour mener ses enquêtes, mais trop de retard permettrait aux Russes de mettre leurs agents à l'abri et de détruire des preuves.

On prétendit par la suite que cette affaire préoccupait moins Truman que Mackenzie King. Truman pensait que « même si les Russes travaillaient effectivement sur la bombe, les États-Unis ne pouvaient éternellement garder leurs secrets ». Le monopole américain du secret atomique était appelé à disparaître dans les cinq ou dix années à venir *. Cette thèse était soutenue par les détracteurs qui étaient persuadés qu'on agitait l'épouvantail de l'espionnage pour déclencher une guerre froide entre les Américains et les Soviétiques, et par ceux qui, prêchant l'évangile selon Moscou, soutenaient que les Américains devraient partager tous les secrets en matière d'armement.

En fait, le président s'était très vite rendu compte que « les Russes ne comprenaient que la force » et que l'URSS « cherchait à dominer le monde ». Pourtant, il estimait qu'il fallait garder le contact avec les Soviétiques. Le pire était que Staline se comportait comme s'il accordait une faveur à ses alliés en acceptant la discussion, comme si le président des États-Unis était une mauviette à la tête d'une nation déchirée par les grèves, les hausses des prix, le marché noir et les problèmes de logement. Cette volonté des services secrets russes de percer les secrets d'un pays qui d'après eux s'effondrait dénotait une certaine arrogance.

Dean Acheson, du département d'État, qui avait assisté à l'entretien de Truman avec King, déclara par la suite, avec toute la condescendance du politicien averti, que Truman était un naïf – « mais il faut dire qu'à l'époque il se familiarisait encore avec les lourdes responsabilités d'un président des États-Unis ». Cette faculté d'adaptation déplaisait à ceux qui voulaient donner l'impression que c'étaient les États-Unis et non l'Union soviétique qui

* J.L. Gaddis : *The United States and the Origins of the Cold War 1941-47* (New York, Columbia U. Press, 1972).

jouaient les trouble-fête. Ceux-là préféraient présenter Truman comme un homme manipulé par les bellicistes. En fait, il considérait que « la bombc atomique était trop dangereuse pour être confiée à un monde sans lois ». « C'est pourquoi, avait-il déclaré à la conférence des Trois Grands à Potsdam, nous qui possédons le secret de fabrication de la bombe n'avons pas l'intention de révéler ce secret tant que l'on n'aura pas trouvé le moyen de contrôler la bombe et de protéger le monde de la destruction totale. »

Une alliance avec la Grande-Bretagne et le Canada contre les Soviétiques demandait mûre réflexion. Si la réalité était aussi effrayante que l'affaire Corby semblait l'indiquer, lui donner trop de publicité pourrait nuire au rêve des Nations unies. La réaction de l'opinion publique américaine compromettrait tout espoir d'arriver à un semblant d'accord avec les Soviétiques. La liste des demandes de renseignements de Moscou, révélée par Gouzenko, montrait l'ampleur de l'attaque soviétique :

1. Les méthodes et procédés technologiques utilisés par la production américaine d'explosifs et de produits chimiques.

2. Renseignements sur le transfert des troupes américaines d'Europe vers les États-Unis et le Pacifique, ainsi que sur les quartiers généraux de la 9e armée, des 3e, 5e, 7e et 13e corps d'armée, de la 18e division blindée, des 2e, 4e, 8e, 28e, 30e, 44e, 45e et 104e divisions d'infanterie, du 10e régiment de chars d'assaut, et la position de la division d'infanterie brésilienne. Dire si oui ou non il y a un état-major pour les troupes américaines en Allemagne, si oui, donner son emplacement et le nom du commandant. La position du commando des troupes parachutées ainsi que les destinations futures.

3. Obtenir du Conseil national de la recherche, agence gouvernementale canadienne pour les armes secrètes, des

modèles de radars, des photos, des données techniques, des rapports périodiques sur la progression des travaux sur le radar et les développements à venir prévus.

4. Les formules des explosifs et des échantillons à obtenir dans l'usine secrète d'explosifs.

5. Des précisions sur le projecteur électrolytique de la bombe V.

6. Des recherches relatives aux explosifs et à l'artillerie.

7. Des précisions sur le détecteur de radar antiaérien américain et sur les périscopes de navigation.

8. La liste des divisions armées rapatriées d'Europe et des détails sur les divisions divisées, re-formées ou en cours de reformation.

9. L'effectif des troupes d'après-guerre et leur système d'organisation.

10. Des renseignements du ministère (canadien) des Munitions relatifs à la guerre chimique et aux usines produisant des armes en général.

11. Les torpilles électroniques utilisées dans la marine américaine.

12. Les « bombes » sous-marines et les torpilleurs à charge double.

Le rapport du BSC concluait : « On notera que les objectifs de Moscou sont extrêmement variés et qu'ils dépassent ce que les défenseurs de l'URSS décrivent comme la conséquence logique du refus de l'Occident de partager le secret de la bombe atomique. »

Ces exigences montraient aussi l'intérêt porté par les Russes au retentissement qu'avait l'aide américaine sur le moral des Anglais. Les services secrets soviétiques avaient demandé des renseignements sur les mesures prises par les Américains contre le V1 à leur réseau d'Ottawa. Un vol expérimental d'une réplique du V1 effectué sur le site de la première explosion atomique avait permis aux savants américains de mettre au point une fusée de proximité, VT, destinée à être fixée sur l'ogive des obus antiaériens. Grâce à la réussite de ce projet, la destruction totale du sud de l'Angleterre fut évitée. Quelque 8 000 V1 avaient été lâchés sur Londres, tuant 6 000 civils et en blessant 18 000 autres avant que les obus équipés de VT n'entrent en action. Ces obus qui explosaient en arrivant à proximité de la cible eurent des résultats immédiats, parvenant à abattre 90 des 94 V1 de la vague suivante. « Les Anglais qui ont la vie sauve peuvent remercier John Hopkins », écrivit un physicien nucléaire britannique. Le laboratoire de physique appliquée de John Hopkins avait fabriqué l'antidote du V1. Le Centre de Moscou voulait savoir jusqu'où allait la reconnaissance des Britanniques et si cette gratitude à l'égard des Américains risquait de porter ombrage à toute collaboration future avec les services secrets anglais.

Truman devait prononcer son premier message au Congrès sur la question atomique trois jours plus tard. Son discours avait besoin d'être retravaillé.

« Je propose d'entamer des pourparlers d'abord avec nos partenaires dans cette découverte, la Grande-Bretagne et le Canada, puis avec d'autres nations pour essayer de parvenir à une entente sur les conditions qui permettraient à la coopération de remplacer la rivalité dans le domaine de la puissance nucléaire... Les procédés de fabrication de la bombe ne seront pas évoqués lors de ces discussions. »

Cette déclaration était un défi à l'Association des savants d'Oak Ridge qui, disait-on, représentait 96 % des scientifiques impliqués dans le projet atomique américain. La semaine précédente, l'association avait déclaré que la bombe ne devait pas devenir la pierre angulaire de la politique étrangère de l'Alliance atlantique et « qu'aucun monopole durable de la bombe atomique n'était possible ».

Depuis qu'il avait entendu parler du professeur May, Truman doutait un peu du discernement des savants en matière de politique.

Mackenzie King commençait à croire que les Britanniques ne discutaient d'espionnage et de la bombe qu'au cours de leurs garden-parties. Comme Lord Halifax en donnait une cet après-midi-là dans le parc de l'ambassade, il ne put consacrer que quelques minutes à King. Ils passèrent dans la bibliothèque. Assis sur un canapé qui faisait face à la porte-fenêtre, le Premier ministre canadien ébloui par le soleil se demanda si Lord Halifax ne l'avait pas délibérément placé à cet endroit. Son hôte, quant à lui, avait choisi une chaise qui tournait le dos à la lumière. « C'est le genre de trucs auquel ont recours les émules de Mussolini, ils s'arrangent pour voir votre visage, mais mettent le leur dans l'ombre », nota King dans son journal.

Clignant des yeux, King exposa l'affaire Corby dans ses grandes lignes. Tout en parlant, il sentit la présence d'une troisième personne dans la pièce. Ce témoin silencieux s'appelait Donald MacLean. King changea de place, mais le soleil l'aveuglait toujours.

— MacDonald m'en avait déjà parlé à Ottawa, dit Halifax.

— J'ai estimé de mon devoir d'en informer aussi nos amis américains, reprit King en se croisant les jambes.

— Oui, oui, bien sûr, répondit Halifax. Je pense que le Premier ministre britannique et le président Truman pourront trouver une solution. M. Attlee arrive bientôt et...

— Je prends le bateau demain pour l'Angleterre, répliqua King un peu sèchement. J'ai l'intention de dire à M. Attlee que nous autres Canadiens entendons être consultés dans cette affaire. Nous sommes les plus exposés. Cette horrible affaire a débuté sur notre sol, et

166

si quelqu'un doit souffrir de ses retombées, ce sera nous.

– Effectivement, murmura Lord Halifax.

Si King avait songé à s'informer, il aurait appris que le troisième homme, Donald MacLean, utilisait sa position à l'ambassade britannique pour obtenir le poste d'expert privilégié du Foreign Office pour les questions relatives à la bombe américaine et aux recherches atomiques. Apparemment, King n'évoqua pas ce problème avec Lester B. Pearson, son ambassadeur à Washington qui connaissait certainement les fonctions de MacLean. King ne cacha rien de l'affaire à Pearson, si bien que ce dernier ne tarda pas à redoubler d'efforts pour inciter Stephenson à dissoudre le BSC, en partant du principe qu'il était embarrassant politiquement parlant qu'un Canadien dirigeât ce genre d'agence sur le territoire américain. Pearson avait refusé la proposition du FBI de contribuer à la mise en place d'un service de renseignements canadien, arguant que les Canadiens étaient parfaitement capables d'organiser leurs propres services de sécurité.

En attendant, King voguait sur l'Atlantique en compagnie de Norman Robertson à bord du *Queen Mary*. Les deux hommes discutèrent de la question des réglementations internationales en matière d'énergie atomique et du problème du partage des secrets avec les Russes.

Le soir où PRIMROSE devait rencontrer son contact soviétique, le paquebot arrivait au port de Southampton. Un messager se trouvait déjà à bord, ayant emprunté un remorqueur pour rejoindre le *Queen Mary*. On devait apprendre par la suite que ce personnage anonyme n'était autre que Roger Hollis, interrogateur présumé de Gouzenko. Après avoir dirigé le MI5, il mourut sans avoir le temps de répondre aux lourdes charges qui pesaient sur lui. Hollis était venu remettre à King un message de Dean Acheson, envoyé du président américain. Truman demandait que l'on ne procède à l'arrestation de PRIMROSE que si l'on surprenait celui-ci la main dans le sac.

C'est Lord Halifax qui avait transmis le message. Cette succession d'intermédiaires ne laissait pas de surprendre. Mackenzie King avait résolu ce genre de problèmes en mettant en place un petit comité qui restait constamment en liaison directe avec le BSC et le Camp X. King pensa que cela sentait l'intrigue, mais attribua cette décision au désir légitime de Truman de ne pas brusquer les choses à Washington. Après mûre réflexion, il finit par déclarer qu'il était d'accord avec le président. On n'arrêterait l'espion que « si les circonstances présentaient toutes les garanties voulues ».

Ce même soir, 7 octobre, les guetteurs du MI5 se mirent en position devant le British Museum. En vain. Ni PRIMROSE ni ses camarades inconnus ne se montrèrent.

16

CLEMENT ATTLEE FAIT CAVALIER SEUL

La nouvelle du rendez-vous manqué de PRIMROSE fut rapportée aux Chequers, résidence campagnarde des Premiers ministres britanniques, par une estafette qui connaissait bien les routes étroites du Buckinghamshire. Quelques heures plus tôt, elle était venue de Bletchley Park (tout proche) avec un rapport décodé en provenance de Moscou. Les Russes prétendaient qu'il n'y avait pas de secrets atomiques et affirmaient que l'Union soviétique disposerait très bientôt de sa propre énergie atomique et de bien d'autres choses.

On avait reçu un second message de Bletchley Park, en provenance cette fois du BSC de New York : « W. H. Lawrence, spécialiste scientifique du *Times* écrit : " Des savants atomistes de haut niveau ont averti le Congrès de l'impossibilité de maintenir le monopole de la bombe atomique. " »

Clement Attlee réfléchit à ces derniers développements tout en attendant son invité à dîner. Il était entré en fonctions deux mois et demi auparavant, lors du vote travailliste qui avait renversé Churchill. Le grand événement de la carrière politique d'Attlee avait coïncidé avec la première explosion de la bombe atomique. Ce concours de circonstances devait le hanter jusqu'à la fin de ses

169

jours. A Potsdam, il avait exhorté les trois Grands à déclarer : « Cette invention rend nécessaire la fin de toute guerre... Le seul espoir d'éviter la catastrophe réside dans une action conjointe des Britanniques, des Américains et des Soviétiques. »

Ce soir-là, Attlee se trouvait devant un choix difficile : renoncer à la bombe ou décider d'en construire une sans aide américaine.

Limehouse, sa propre circonscription, avait essuyé le plus fort des bombardements allemands. Les cockneys de ce lugubre faubourg londonien savaient par expérience qu'une bombe mise au point était toujours utilisée, même si elle était terrifiante. Il suffisait de penser aux mines terrestres allemandes, à la bombe à retardement géante, aux bombes incendiaires, aux torpilles piégées qui décimaient les équipes de secours, aux bombes d'une tonne qui descendaient silencieusement au bout d'un parachute au milieu de la nuit, aux bombes volantes, aux V2. La seule façon d'empêcher l'ennemi de se servir d'une nouvelle bombe était d'en posséder une plus grosse et plus puissante. Attlee craignait qu'en dépit de la contribution britannique à la fabrication de la bombe atomique, les Américains ne tiennent la Grande-Bretagne à l'écart de leurs futurs projets atomiques. La raison en était fort simple : Attlee était un socialiste, en d'autres termes un croque-mitaine aux yeux des Américains, un communiste infiltré dans le camp allié. En fait, il faisait partie de la Fabian Society, dont le socialisme s'inspirait plus de la Bible que de Karl Marx. Le Kremlin le considérait comme beaucoup plus dangereux que les conservateurs bon teint. Il était le dissident par excellence qui risquait de faire des émules, rejetant la doctrine russe selon laquelle le socialisme s'édifiait d'abord en Union soviétique, ce qui impliquait que les camarades devaient être d'abord loyaux à Moscou.

L'arrivée de Mackenzie King ramena Attlee aux considérations présentes. Les deux hommes ne s'appréciaient guère. Le voyage en voiture n'avait pas entamé l'orgueil démesuré de King. De prime abord la nouvelle du rendez-vous manqué de PRIMROSE l'ennuya. Puis il vit le bon côté de la chose. On gagnait du temps. Il fit part à Attlee du désir de Truman de garder l'affaire secrète jusqu'à la fin des enquêtes en cours. Il venait juste de recevoir le message du président recommandant que l'on ne procède pas à l'arrestation de May.

Attlee fronça les sourcils. Il n'avait pas entendu parler de ce message qui pourtant avait dû passer par le Foreign Office et le SIS. Mais l'attitude soviétique le préoccupait davantage. Il expliqua à King l'arrière-plan du télé-gramme de Moscou. Molotov, ministre des Affaires étran-gères soviétique, se proposait de déclarer officiellement que les secrets de fabrication de la bombe atomique ne pouvaient être réservés à une élite.

Staline lançait un défi. Ou vous partagez le secret ou attendez-vous à être confronté à une course à l'armement atomique sans précédent.

« Je crains, dit Attlee, que les événements ne me poussent à faire un choix qui répugne au pacifiste et au socialiste que je suis. »

En fait, il avait déjà pris la décision de demander à sa « commission de l'énergie atomique » de commencer dans le plus grand secret ses travaux sur la bombe anglaise.

Le lendemain matin, les deux ministres parcoururent la verdoyante campagne du Buckinghamshire. Clement Attlee avait une idée précise derrière la tête en proposant cette promenade. Il avait vu les aviateurs anglais passer du bombardement précis d'objectifs strictement militaires à la destruction massive de villes entières. Les Américains avaient eux aussi été amenés à massacrer des civils. Attlee avait aussi observé avec inquiétude les progrès des méthodes de la guerre secrète. A ses yeux, la Quatrième Arme utilisait des techniques terroristes qui menaçaient la civilisation et n'avaient pas leur place en temps de paix. Le Buckinghamshire avait abrité cette Quatrième Arme occidentale dirigée contre les nazis. Pour Attlee, cette campagne symbolisait l'innocence et pourtant elle avait donné naissance à de nouvelles armes. Attlee voulait être sûr que les révélations alarmantes de Gouzenko ne précipiteraient pas l'Occident sur la voie de l'autodestruction et il espérait que cette excursion aiderait King à comprendre la nature du dilemme.

Ils se rendirent d'abord au centre nerveux clandestin de la flotte de bombardiers de la RAF. Du site numéro un de High Wycombe étaient partis les ordres télétypés destinés aux groupes de bombardiers basés dans le sud de l'Angleterre, lançant en l'espace d'une nuit des milliers de jeunes gens qui détruisirent maison par maison toutes les zones urbaines d'Allemagne. Les deux dirigeants passèrent devant Springfield House où avait vécu le « bombardier » Harris dont les hommes rejoignaient à vélo les abris où l'on se réunissait pour choisir les prochaines cibles. Certains l'avaient surnommé le « Boucher », écœurés par le peu de cas que faisait ce général de l'armée de l'air anobli des équipages et des civils. Attlee raconta qu'une fois, à Washington, Harris s'était fait siffler pour excès de vitesse par un agent de la circulation.

— Vous auriez pu tuer quelqu'un, monsieur!

— Jeune homme, j'en tue des milliers chaque nuit.

Et pourtant Harris avait commencé sa carrière comme simple clairon. Puis il avait servi dans tout l'empire britannique, gravissant chaque fois un échelon supplémentaire.

— Trop de pouvoir corrompt, dit Attlee. Personne n'échappe à ce genre de corruption. Donnez la bombe atomique à un homme et, un jour, il trouvera une bonne raison de l'utiliser.

172

Comme le chauffeur prenait la direction du nord, Attlee reprit :

– Trop de pouvoir secret corrompt.

Ils arrivaient au cœur du monde secret de la Quatrième Arme, dont Attlee lui-même connaissait peu de choses. Il savait que Bletchley Park était un manoir gothique construit à l'époque victorienne et situé au centre d'un réseau de bases clandestines reliées aux armes secrètes, aux espions, aux saboteurs et aux résistants de l'Europe occupée. Ces bases se dissimulaient dans certaines des plus belles retraites de la campagne anglaise, de Great et Little Brickhill à Fenny Stratford, où les professeurs de décryptage allaient boire une bière au pub sur la vieille voie romaine. En face, les opératrices radio étanchaient leur soif dans un autre pub. Au milieu de ces prairies, de ces grands ormes aux branches chargées de corneilles, la guerre secrète avait remporté d'incomparables victoires grâce à des miracles d'improvisation. En ces lieux, à mi-chemin entre Oxford et Cambridge, des savants avaient créé COLOSSUS, une bande perforée photo-électrique qui encodait et déchiffrait quelque 25 000 caractères par seconde. L'affaire Corby était une véritable aubaine pour eux en cette période de rationnement du chiffre.

C'était le pays d'ULTRA. Dans ce complexe, on avait découvert des techniques qui avaient permis aux commandants alliés d'anticiper les mouvements de l'ennemi. Pour Attlee, ULTRA symbolisait le patriotisme à l'état pur et une loyauté aveugle à la cause de la libération de l'Europe opprimée. Cette découverte était comparable à celle de la bombe atomique qui avait mis les bellicistes japonais à genoux. Les savants qui avaient mis la bombe au point étaient de la même race que ceux qui avaient brisé les codes.

Ce jour-là, la campagne avait l'air sale. La circulation n'était pas très dense du fait du rationnement de l'essence. Rares étaient les cheminées qui fumaient, car le charbon restait introuvable et le bois était réquisitionné pour les petites industries.

Près de Leighton Buzzard, Attlee prit en stop un jeune lieutenant de vaisseau qui marchait tête nue sous la pluie. Le jeune homme expliqua qu'il était pilote de chasse et qu'on l'avait envoyé en permission prolongée parce qu'il n'y avait pas grand-chose à faire à cause du rationnement. Comme il n'était pas officiellement démobilisé, il n'était pas en civil, mais il avait pris un travail parce qu'on lui avait supprimé sa solde. C'était pour cette raison qu'il ne portait que sa tenue de combat, mais ni calot ni imperméable.

— Si ça continue comme ça, il va y avoir une révolution, dit-il au moment où la voiture arrivait devant la gare d'Ivinghoe.

Avant que le jeune lieutenant descende, King lui suggéra :

— Au lieu de faire la révolution, venez donc au Canada. Et passez me voir si vous avez le temps.

Le jeune homme leur serra la main en grimaçant un sourire. Il savait à qui il avait affaire, mais il n'était pas impressionné. Son expérience de soldat l'avait confronté à de plus grands dangers. Son sourire disparut. Regardant Attlee, il dit :

— Je ne voulais pas vous manquer de respect, monsieur.

Attlee, pensant qu'il faisait allusion à son uniforme dépareillé, lança une plaisanterie sur les boutons dorés.

— Non, monsieur. Je parlais de la révolution.

— Nous y arriverons par des moyens pacifiques, promit Attlee. Mais personne n'aura de brioche pour que tout le monde puisse manger du pain.

C'était une philosophie qui manquait d'attraits. Nombreux étaient les jeunes anciens combattants qui songeaient sérieusement à émigrer au Canada. Mais l'atmosphère était telle à l'époque que l'on comparait les Britanniques qui partaient à des rats qui quittent un bateau en détresse. Ce patriotisme de l'après-guerre était l'arme maîtresse d'Attlee. De toute façon, il s'était arrangé pour qu'il soit extrêmement difficile à l'immigrant britannique d'emporter sa fortune avec lui, si tant est qu'il en eût.

Attlee imposait des économies draconniennes pour faire face aux dépenses élevées que représentait la construction d'une arme nucléaire indépendante. L'homme qui avait de « bonnes raisons d'être modeste » selon l'expression de Churchill profitait au maximum de la très sévère loi des secrets officiels pour miser sur une bombe exclusivement britannique. Il expliqua à King que l'attitude des Soviétiques ne lui laissait pas le choix. Pas plus d'ailleurs que la réaction des Américains devant l'intransigeance soviétique. Les progrès accomplis par la RAF dans le domaine du bombardement stratégique facilitaient le passage à l'étape suivante, l'arme atomique. Attlee voulait que le Premier ministre canadien comprenne combien cette décision avait été pénible : Keynes avait dit à ses admirateurs socialistes que la situation économique des Anglais n'avait aucune chance de s'améliorer. Quant à l'historien Taylor, il pensait que la guerre avait ruiné la Grande-Bretagne mais enrichi les États-Unis.

Mackenzie King commença à voir où Attlee voulait en venir. Il avait besoin des savants britanniques qui avaient travaillé sur la bombe au Canada et qui participaient maintenant au développement des utilisations pacifiques de l'énergie atomique. Il avait aussi besoin du soutien du Canada pour créer une arme de dissuasion indépendante. Mais King ne changerait pas d'avis sur un point : le Canada ne deviendrait jamais une puissance atomique au sens militaire du terme.

Attlee dépêcha Lord Addison auprès de King, dans sa

suite du Dorchester. « La Russie possédera bientôt le secret de la bombe, dit-il à King. En matière d'espionnage, ils disposent de moyens stupéfiants. Quand ils occupaient l'Allemagne, les services du renseignement de l'Armée rouge savaient exactement où trouver les savants allemands dont ils avaient besoin. Nous savons que ces savants et ce précieux équipement travaillent en Russie à l'heure actuelle. Il est indéniable qu'ils ont mis en place des réseaux d'espionnage d'une remarquable efficacité dans les trois pays de l'Alliance. »

Addison était un mandarin londonien qui cherchait à profiter du statut de dominion du Canada. Sa visite avait quelque chose de condescendant. Il semblait surtout impatient de mettre King au courant de la situation, et King mit un certain temps à faire comprendre à Son Excellence qu'il n'en savait pas autant qu'il le croyait sur PRIMROSE. Addison ignorait, par exemple, que les Russes étaient si bien organisés qu'un messager leur avait rapporté un échantillon d'uranium fourni par PRIMROSE.

Attlee semblait avoir des problèmes avec ses ministres et hauts fonctionnaires qui minimisaient l'importance de Gouzenko. Cela inquiéta Norman Robertson, qui s'étonnait de voir les fonctionnaires du Foreign Office traiter PRIMROSE comme une vulgaire affaire criminelle. Lors d'un dîner avec Ernest Bevin, il fut tout aussi surpris que King quand il se rendit compte que le ministre des Affaires étrangères ne paraissait pas mesurer la gravité de ce qui venait de se produire. Comment Bevin pouvait-il en savoir si peu ? Cherchait-on à dissimuler quelque chose ? Pour essayer d'en avoir le cœur net, Robertson alla voir celui que King décrit dans son journal comme le « chef des services secrets ». Stewart Menzies dirigeait le SIS depuis le début de la guerre. Le minable bureau qu'il occupait se trouvait près de la section IX, le nouveau département

176

antisoviétique situé au quatrième étage du bâtiment de Broadway. Les locaux du SIS ressemblaient à un labyrinthe de bureaux symboliquement situés à mi-chemin entre Buckingham Palace et Parliament Square.

Cette rencontre déconcerta les deux Canadiens, qui découvrirent à cette occasion que le légendaire Intelligence Service semblait lui aussi être contre Attlee. Selon King, le chef du SIS en était arrivé à la conclusion qu'il valait mieux attendre la rencontre de Truman, Attlee et King à Washington pour entreprendre une action quelconque contre l'espionnage soviétique. Une action trop précipitée et la publicité qui en résulterait « risqueraient d'inquiéter l'opinion publique... et de gâcher les chances de parvenir à un accord pour la bombe atomique ». Le général Menzies lui-même ne paraissait pas savoir grandchose de l'affaire.

QUATRIÈME PARTIE

OCTOBRE 1945
MOSCOU OUVRE LE FEU

17

LE KREMLIN
EFFACE SES TRACES

Des mains invisibles s'ingéraient dans l'affaire. Dans son bureau de New York, Stephenson se voyait réduit à fulminer en silence. C'était Churchill qui lui avait donné les pleins pouvoirs pendant la guerre. A présent, la guerre était finie, et Churchill ne gouvernait plus. Les discussions entre la mission canadienne et le directeur du SIS de Londres avaient permis de rétablir des rapports de routine en matière de renseignements, ce qui était un bon point. Stephenson ne nourrissait pas d'ambitions personnelles dans ce domaine, il voulait seulement reprendre ses activités normales. Sa mise à l'écart ne le gênait pas, mais son instinct lui disait qu'une opération du contre-espionnage était en train de mal tourner.

PRIMROSE ne s'était présenté à aucun des trois rendez-vous fixés par le Centre de Moscou. La note du 7 octobre 1945 de l'historien du BSC rend bien l'impression de catastrophe imminente : « Les quelques hommes au courant à Londres, Washington et Ottawa attendaient anxieusement pendant que le MI5 installait ses guetteurs dans les rues sombres autour du British Museum. Mais PRIMROSE ne quitta pas son appartement ce soir-là. » Ni les autres soirs, d'ailleurs.

Quelqu'un avait prévenu le professeur May. Peut-être un « résident », soviétique, travaillant sous couverture diplomatique. Mais pour arrêter l'enquête, il faudrait l'intervention d'un agent soviétique placé à l'intérieur même des services de sécurité occidentaux. Stephenson répugnait à formuler des soupçons. En temps de guerre, les hommes se faisaient totalement confiance, et pour Stephenson, la loyauté passait avant tout. Il devait croire que le directeur du SIS, Stewart Menzies, savait où il allait. La situation instable du BSC mettait Stephenson en porte-à-faux. Le directeur du BSC ne pouvait agir que dans la limite des pouvoirs qu'il détenait encore. Il lui restait sa formidable puissance de persuasion et l'autorité que lui donnait le poids de l'expérience.

Les rapports remis à Attlee minimisaient l'importance de l'affaire. Tout portait à croire que Moscou savait que PRIMROSE était sous surveillance, mais cela n'empêcha pas Attlee de demander à Mackenzie King, qu'il recevait à dîner à Londres, s'il « pouvait entreprendre une enquête ».

Entreprendre une enquête! Cela faisait maintenant sept semaines que Gouzenko avait choisi la liberté! Stephenson fut consterné quand on lui rapporta la conversation. Mackenzie King avait répondu qu'effectivement « il n'était pas recommandé d'attendre plus longtemps », et avait ajouté avec un embarras évident que certains documents avaient disparu de l'Office de l'immigration canadien « à propos duquel nous avons quelques soupçons ».

Stephenson comprit que le Premier ministre canadien mollissait à nouveau. Le 21 octobre, King confia l'affaire à son ministre de la Justice, St Laurent. « Je vais me mettre en rapport avec le ministre, déclara-t-il à Attlee, pour voir si nous ne pourrions pas nous arranger pour interroger dès maintenant les différentes personnes impliquées. »

Stephenson consulta Hoover. Le FBI avait été chargé, en l'absence d'autres organisations structurées, de poursuivre l'enquête sur le territoire américain. Le jour du départ de King pour l'Angleterre, les pionniers du renseignement américain, soudain devenus les « anciens de l'OSS », commencèrent à hanter des couloirs inconnus : 1 362 agents dans le nouveau bâtiment du département d'État et 9 028 autres au ministère de la Guerre.

« Mon cher Donovan, écrivit Truman au chef de l'OSS, nous édifions les services du renseignement actuels sur les fondations que l'OSS a construites pendant la guerre. »

« Merci infiniment, Bill Donovan, la porte est là ! » s'exclama Stephenson en apprenant la nouvelle. Le directeur du BSC était inquiet. L'affaire Corby symbolisait les hésitations politiques de l'Alliance atlantique sur le plan de l'armement atomique. Dans ces trois pays, les luttes de factions rivales laissaient le champ libre au Centre de Moscou pour récupérer ses agents « brûlés », enterrer plus profondément encore ses « espions en sommeil », remplacer ses réseaux compromis et monter une violente campagne de propagande contre les recherches effectuées par l'Occident sur un nouveau type de bombes. Mais cette stratégie soviétique n'eut pas l'effet escompté. Elle ne fit que conforter les partisans de la ligne dure dans leur choix, persuadés maintenant que toutes les inquiétudes légitimes à propos des armes nucléaires à venir étaient inspirées par les communistes.

Hoover connaissait autant de difficultés avec les agences rivales que Stephenson avec le SIS de Londres, mais il avait l'énorme avantage de posséder un service discipliné. En outre, Bill Donovan, son principal concurrent, n'était plus dans la course.

Pendant que King et Attlee réfléchissaient aux dispositions à prendre pour arrêter les espions présumés, Hoover étudiait les documents qu'il venait de recevoir. Tout tendait à prouver que le Centre de Moscou avait consacré ces dernières semaines à « éponger les dégâts ». Pour les services secrets russes, c'était une procédure de routine. Sur le plan clandestin, cela consistait à limiter les dégâts subis par les réseaux existants et à passer aux systèmes de secours. Sur le plan diplomatique, cela voulait dire que l'on mettait au point une stratégie visant à diviser les Alliés sur l'action à entreprendre contre Moscou. On allait briser la « glace » – ces bandes de papier d'étain qu'on largue autour d'une flotte de bombardiers pour aveugler et troubler les radars ennemis. La « glace » des services secrets soviétiques se composait de faux indices semés pour brouiller les pistes. Dans cette histoire, les Alliés étaient handicapés et les Soviétiques bénéficiaient des procédés démocratiques en vigueur dans les pays touchés. Hoover, par exemple, n'avait juridiquement pas le pouvoir d'arrêter l'espion « V », dont les activités pendant cette période d'attente prouvaient sans aucun doute possible que les Soviétiques obtenaient des renseignements de première main sur l'affaire Corby et qu'ils protégeaient *sur le territoire américain* leurs agents menacés.

Réalistes, les Soviétiques avaient sacrifié les espions du genre de PRIMROSE. Même si Alan Nunn May présentait un intérêt en tant que physicien nucléaire pour la Russie, il était « brûlé ». On ne risquerait pas d'officiers traitants pour le sauver. Stephenson l'avait compris. Dans l'intervalle, il avait enquêté avec Hoover et Gouzenko sur l'identité de « V », autre espion qui opérait encore aux États-Unis.

L'été précédent, le directeur russe du directoire du renseignement militaire (GRU) avait prévenu par message radio le colonel Zabotin à Ottawa qu'il fallait de toute urgence « fournir des papiers à V ». L' « Exécuteur », qui travaillait au bureau de l'immigration canadien, devait fabriquer des formulaires de demande correspondant à un passeport maquillé subtilisé à un volontaire canadien qui avait participé à la guerre d'Espagne. L'Exécuteur réclamait 3 000 dollars pour ses services, une petite fortune en 1945.

Telles sont les déductions que l'on avait pu faire en

étudiant le dossier FRED volé par Gouzenko à l'ambassade soviétique. On trouvait aussi dans ce dossier un compte rendu des contacts de FRED avec le Docteur et d'autres agents non identifiés opérant au Canada.

Le FBI, grâce à un accord conclu officieusement entre Hoover et Stephenson, se chargea de l'examen des documents relatifs à des opérations menées vraisemblablement aux États-Unis. Avec l'aide de Gouzenko, ils firent un rapprochement entre « V » et un homme du nom d'Ignacy Witczak qui vivait à Los Angeles. Mais il ne s'agissait pas du véritable Witczak, Juif polonais qui avait émigré au Canada en 1920 et qui avait été tué en Espagne. L'imposteur avait pris l'identité de Witczak en arrivant aux États-Unis le 13 septembre 1938 à bord du *SS Veedamsk* en provenance de Boulogne. Ce Witczak s'installa avec sa jeune femme en Californie, et cet « étudiant » reçut chaque mois pendant les sept années suivantes des virements d'une source inconnue à sa banque de Los Angeles.

Au milieu de l'année 45, il semble que le besoin se fit sentir de donner de nouveaux papiers à l'agent soviétique. On utilisa l'ancien passeport. D'après le trafic radio du GRU, il apparaissait que l'office de l'immigration canadien servait de pourvoyeur de « documents » à un grand nombre d'agents russes travaillant à l'Ouest. Le FBI s'empara de l'affaire Witczak dix jours après la défection de Gouzenko – passage à l'acte rapide quand on pense aux mystérieux retards qui ralentissaient constamment les enquêtes britanniques. A la mi-septembre, Witczak prit peur, partit pour New York d'où il commença à correspondre avec sa femme en recourant à un « code ouvert ». Le FBI, qui ouvrait les lettres à la vapeur, n'eut aucun mal à les déchiffrer.

Deux jours avant la rencontre de King et de Truman, Witczak vit un agent du renseignement soviétique connu à New York, qui lui donna l'ordre d'aller à Washington. Dans sa lettre à sa femme, Bunia, il racontait : « Ce matin, mon oncle m'a appelé, il voulait me voir à deux heures. Je me suis inquiété... En fait, il désirait seulement que je fasse un voyage à Washington. »

Le lendemain du jour où le Premier ministre canadien prenait congé de Truman, Witczak écrivait : « Les choses semblent se compliquer pour moi, et il est donc possible qu'un changement de climat soit nécessaire pour ma santé, mais je ne suis pas encore sûr... As-tu vu le Dr H. ? Peut-être lui as-tu déjà parlé ? »

Qui était ce Dr H. ? Le FBI lut la réponse de Bunia avec le plus grand intérêt : le Dr H. avait suggéré qu'ils prennent tous les deux soin de leur santé. On plaça Bunia sous surveillance.

Apparemment Witczak commençait à être perturbé par ce que ses contacts soviétiques lui avaient dit. A présent il s'appelait Harry dans ses lettres : « Quand un certain Harry arriva à Washington, deux spécialistes vinrent le chercher à la gare et, pendant trois heures, ne le quittèrent pas des yeux... Si tout va bien, pourquoi tout ce cirque ? Il est fort possible que les médecins américains aient été informés de la maladie de Harry par leurs homologues canadiens... Lorsque Harry alla à Washington, il pensait que l'on exagérait la gravité de son état... Soudain, quand Harry se sentit mal à Washington, il comprit qu'il se passait quelque chose et que dorénavant Harry devait être prudent... On a dit à Harry qu'en cas de crise grave, il devait immédiatement se rendre à l'hôpital de New York et y rester. »

« L'hôpital de New York » était le consulat général soviétique. Et Anatoli Yakovlev, vice-consul, était le « docteur ».

Donc, dans la première semaine d'octobre, avant le premier rendez-vous prévu de PRIMROSE avec son contact soviétique au Bristish Museum, le Centre de Moscou avait sonné l'alarme à propos de la défection de Gouzenko. C'était maintenant tout à fait clair et cela

186

indiquait l'existence d'agents doubles soviétiques pas encore repérés. Stephenson en informa les autorités canadiennes et britanniques en utilisant les lignes du BSC : « Il ne fait plus aucun doute que les services secrets soviétiques ont été prévenus. » L'absence de réaction de Londres devait prendre toute sa signification ultérieurement.

Le soir du premier rendez-vous manqué de PRIMROSE, Witczak écrivait à sa femme : « Les docteurs ont dit qu'ils veulent retarder leur décision jusqu'à dimanche soir, jour où l'histoire du cas arrivera de l'hôpital d'origine. »

Cette lettre laissait penser que ses officiers traitants attendaient que Moscou les informe de ce qui s'était passé à Londres. Les Russes n'étaient pas encore sûrs que May coure le risque d'être arrêté, qu'il se rende ou pas au rendez-vous. S'il n'était pas arrêté, cela confirmerait que l'Ouest avait peur d'agir parce qu'il y avait un problème beaucoup plus grave en jeu – les bonnes relations avec Staline.

« Il y avait autre chose, commenta Stephenson par la suite. Les Russes connaissaient notre respect des lois. La fin de la guerre mettait un terme aux procédures d'urgence. Il n'est jamais simple d'arrêter des espions en temps de paix parce qu'il faut fournir des preuves difficiles à rassembler. Les Russes le savaient. Ils voulaient voir dans quelle mesure les choses avaient repris leur cours normal. Cela leur donnait des points de repère pour l'avenir. Ils purent ainsi continuer leurs activités d'espionnage en toute impunité. »

Pour l'instant, Witczak n'avait rien fait d'illégal. Il avait certes falsifié des documents, mais le FBI préférait fermer les yeux pour le moment. Cependant les agents du FBI s'arrangèrent pour rendre leur filature plus évidente afin de l'amener à commettre une erreur. Le film des événements figure dans le rapport du BSC :

Le seul épisode comique de l'affaire Gouzenko fut le cinéma que fit Witczak pour semer le FBI... A New York, il s'inscrivit dans différents hôtels sous des faux noms. Il dormit dans des salles d'attente de gares ou aux bains turcs. Comme il ne se lavait jamais, ne se rasait jamais et ne changeait jamais de vêtements, les passants commencèrent à se retourner sur son passage. Ces regards amusés ne firent qu'aggraver sa « maladie », qu'il appelait maintenant dans ses lettres ses « brûlures d'estomac » ou ses « rages de dents ». Une fois, ce bonhomme hirsute se mit à courir comme un dératé pour semer ceux qui le suivaient. Il tourna si rapidement un coin de rue qu'il fonça dans un agent du FBI. Comme l'homme s'était poliment excusé, Witczak lui offrit un café dans un drugstore. Et ce couple étrange passa le reste de la journée à converser...

Les agents filés ont une méthode pour repérer si on les suit : ils s'engouffrent dans une porte à tambour et se plaquent contre un mur pour voir qui apparaît sur leurs talons. Witczak améliora ce procédé : il s'engagea dans une porte à tambour et, pour des raisons connues de lui seul, refusa d'en sortir et tourna jusqu'à ce que le portier de l'hôtel le jette dehors. Dans un autre hôtel, l'homme du FBI eut l'occasion de se réjouir en voyant Witczak se faire éjecter par le détective des lieux qui l'avait surpris dans l'escalier de secours. Witczak expliqua qu'il n'arrivait pas à trouver la sortie...

Si le FBI avait eu le droit d'arrêter Witczak, ils n'auraient eu aucun mal à le faire parler, étant donné son état de nervosité.

En Californie, le FBI avait découvert que le Dr H. était le représentant du NKVD rattaché au consulat soviétique local. La femme de Witczak le rencontrait à des carrefours. Une fois de plus, le FBI dut se contenter de surveiller et d'attendre. Ottawa leur envoya la confirmation que les passeports de l'homme et de sa femme avaient été falsifiés, donnant ainsi une raison légale d'engager des poursuites contre l'Exécuteur. C'est le renseignement auquel King avait fait allusion lors du dîner avec Attlee.

Stephenson était convaincu que le départ en flèche du Centre de Moscou dans la lutte pour récupérer Gouzenko était dû à la politique de désinformation orchestrée par les services secrets russes. Comme Truman, Attlee et King étaient conseillés par des « imbéciles utiles » conscients ou inconscients, il ne fallait pas chercher plus loin la raison des lenteurs, des revirements, des coûteux retards et de la pusillanimité qui ponctuèrent l'affaire. Le seul moyen de lutter efficacement contre les techniques de désinformation et les « imbéciles utiles » était de faire éclater la vérité. Stephenson était de plus en plus persuadé que, pour obliger les Occidentaux à passer à l'action, il faudrait publier l'affaire. Gouzenko avait fourni des pistes incroyables, et Stephenson croyait comme Hoover qu'il suffirait peut-être de montrer certains éléments au président Truman pour l'inciter à prendre des mesures.

Igor Gouzenko avait confirmé avec documents à l'appui qu'une femme du nom d'Elisabeth Bentley avait joué les officiers de liaison entre les informateurs soviétiques placés dans les instances gouvernementales américaines et l' « hôpital » de New York. Ancienne élève de Vassar, cette femme d'un certain âge n'avait pourtant pas la tête de l'emploi. Pourtant, au nom de l'idéologie, elle avait fini, comme bien des citoyens au-dessus de tout soupçon, par renseigner les Soviétiques sur les décisions les plus secrètes des Alliés occidentaux, y compris le débarquement du 6 juin 1944.

Poussée par le remords et un drame personnel, Elisabeth Bentley ne tarda pas à expliquer en détail au FBI ses cinq années de messagère soviétique. Elle avait fait la navette entre Washington et New York pour porter à ses officiers traitants soviétiques les documents officiels qu'elle dérobait dans les ministères. Ses fournisseurs de renseignements comprenaient plus d'une trentaine de fonctionnaires : parmi eux, on trouvait Lauchlin Currie, secrétaire particulier du président Roosevelt de 1939 à 1945, Harry Dexter White, ancien sous-secrétaire au Trésor et directeur du Fonds monétaire international (déjà repéré par le BSC) et Alger Hiss.

Pensant que les Soviétiques ne parviendraient pas à force d'intrigues à salir le tableau final, Stephenson et Hoover gardèrent pour eux la masse de preuves qui s'accumulaient. Leur calcul était le suivant : le système démocratique avait plus de points forts que de faibles, et il était temps d'utiliser ses points forts. Le devoir de réserve que le gouvernement n'allait pas manquer de rappeler n'arrêterait pas la presse si celle-ci avait envie de parler. Si les dirigeants essayaient d'étouffer l'affaire pour des raisons politiques, la presse, elle, ferait éclater l'affaire au grand jour. Le président Truman ne s'était jamais soucié de flatter l'opinion publique pour des motifs strictement politiques, mais il était très sensible aux critiques. Ni l'administration de Truman ni le gouvernement de King ne voudraient risquer un scandale public.

King était un survivant. Son désir ardent de se maintenir coûte que coûte au pouvoir se traduisait par des discours moralisateurs sur la nécessité de s'entendre avec les Russes. Il s'identifiait totalement avec le parti libéral qui, à ses yeux, était le seul élément de salut pour le Canada. Donc, pour le salut du monde, il fallait ménager les Soviétiques. Cette prise de position n'allait pas faciliter la tâche des deux autres Alliés quand ils voudraient faire preuve de fermeté à l'égard de Staline. Stephenson savait par expérience que Staline méprisait les poules mouillées et redoublait d'ambition lorsqu'il pouvait les piétiner.

190

Les trois dirigeants de l'Alliance devaient bientôt se réunir à Washington. Le plus tôt sera le mieux, pensa Stephenson. Il était sûr qu'ils parviendraient à une conclusion courageuse et sensée, dès qu'ils seraient libérés des influences néfastes au travail à Londres. Truman n'était pas du genre à se laisser marcher sur les pieds et il avait tôt fait de classer ceux qui lui mentaient et le considéraient comme un stupide petit mercier incapable de tenir un rôle mondial. Le président était l'incarnation du caractère entêté de l'Américain moyen. Son expérience personnelle de la mauvaise foi soviétique l'avait mis hors de lui. Molotov avait eu l'occasion de remarquer ce trait de caractère lors de la visite de courtoisie qu'il rendit au successeur de Roosevelt. Truman accusa les Russes de ne pas respecter les accords de Yalta. Molotov répondit que l'Union soviétique avait été fidèle à ses engagements. Pas en Pologne, rétorqua Truman. La promesse de Staline d'organiser des élections libres était de la foutaise. Tant que les pantins rouges camperaient en Europe de l'Est, la Pologne ne serait pas admise aux Nations unies. Molotov laissa éclater sa colère :

— Jamais on ne m'a parlé sur ce ton !

— Vous feriez bien de vous y habituer, aboya Truman. Si vous aviez respecté vos engagements, je ne vous parlerais pas sur ce ton !

Imperturbable, l'Union soviétique continua à mobiliser ses partisans pour une campagne visant à pousser les Américains à révéler les détails de la fabrication de la bombe atomique. « La seule façon d'éviter une course aux armements et l'autodestruction nucléaire est de lever le secret atomique », proclamait Moscou. Bon nombre de physiciens atomistes souscrirent à cet argument. Niels Bohr fut de ceux-là. On avait aidé ce savant à fuir le Danemark pour échapper aux nazis, et maintenant c'était Moscou qui allait en profiter.

18
DISSENSIONS
ENTRE LES ALLIÉS

Quatre jours après le troisième et dernier rendez-vous manqué de PRIMROSE avec ses contacts soviétiques à Londres, Truman prononçait son premier discours de politique étrangère à New York. Il s'apprêtait à rencontrer les dirigeants britannique et canadien pour discuter de l'avenir atomique et il précisa une fois de plus : « Les procédés de fabrication de la bombe atomique ne seront pas évoqués lors de ces pourparlers. »

L'Alliance s'effritait. Mais avant que l'on n'atteigne le point critique, Mackenzie King voulait aborder la question de la bombe atomique avec les Soviétiques. Il avait l'intention de leur faire une proposition : si les Soviétiques cessaient d'espionner l'Ouest, peut-être l'Ouest serait-il disposé à partager ses secrets atomiques. King était toujours partisan de rendre Gouzenko si cela pouvait améliorer les relations avec Moscou. On ne saura peut-être jamais jusqu'où King était prêt à aller. Les notes de son journal relatives à ce sujet ont disparu. On sait en revanche que les Soviétiques firent de cette réunion secrète un tel étalage d'impertinence qu'ils écartèrent King du bourbier dans lequel bien des savants-espions s'étaient enlisés.

Staline s'attaqua à Mackenzie King. Une rencontre eut

lieu entre le Premier ministre canadien et l'ambassadeur soviétique, Feodor Gousev, dont les Britanniques savaient qu'il dirigeait les opérations du NKVD. Le contre-espionnage anglais avait fait mine d'essayer de prendre le professeur May la main dans le sac, mais il ne tenta rien pour empêcher King de discuter de l'affaire avec le chef du renseignement à l'étranger le plus puissant de Staline.

A Kensington Palace Gardens, rue privée voisine du palais de brique habité par la famille de George VI, les Soviétiques mangeaient, buvaient, dormaient et travaillaient dans un manoir construit à l'époque de la splendeur victorienne. Des ormes et des chênes bordaient l'allée encombrée de feuilles mortes. Quand King arriva, son œil exercé remarqua les vitres sales et les rideaux crasseux derrière les barreaux qui protégeaient les fenêtres de l'ambassade de toute intrusion.

A l'intérieur, en revanche, tout n'était que calme et lumière. Feodor Gousev serra son distingué visiteur dans ses bras, ce qui contrastait avec l'accueil froid qu'il lui avait réservé treize jours auparavant lors d'une réception diplomatique. « Nous sommes de vieux amis, grommela l'ambassadeur. Nous pouvons parler ouvertement sans être dérangés *. » Un autre homme du NKVD assistait

---

* A l'époque, l'ambassade soviétique n'était pas truffée de micros. Les services secrets britanniques avaient mieux à faire. Depuis la mort de Hitler, ils consacraient leur temps et leur énergie à résoudre les énigmes de la guerre, à interroger des survivants bien informés du IIIᵉ Reich et à étudier les opérations politiques et militaires. Comme tout était placé sous le sceau du secret, personne, sinon les initiés, ne savait ce qu'était la véritable tâche du SIS et de ses renforts. On finirait par apprendre, grâce à des scandales d'espionnage qui éclateraient par la suite, que leur travail consistait à faire disparaître les renseignements embarrassants. Anthony Blunt, historien d'art et membre du MI5 pendant la guerre, fut envoyé en zone américaine en Allemagne occupée pour récupérer des lettres écrites par le duc de Windsor à des chefs nazis avant la guerre. On craignait que des Américains peu scrupuleux ne trouvent ces missives et ne les publient à New York. Après cette dangereuse incursion en « territoire ennemi », Blunt devint un favori de

à l'entretien – officiellement un conseiller commercial.

L'ambassade soviétique était à l'abri du contre-espionnage britannique. Gousev déclara que, d'après ce qu'il avait compris, Attlee devait bientôt rencontrer Truman pour parler de la bombe. Comme le Canada avait joué un grand rôle dans la mise au point de la bombe, son Premier ministre participerait certainement aux discussions, n'est-ce pas? King répondit par l'affirmative. Il partait pour Washington dans deux jours. Gousev feignit d'être agréablement surpris. Bien sûr, King comprenait qu'une quatrième personne devait se joindre à cette réunion, pour représenter la Russie. Gousev cita la Fédération américaine des savants atomistes :

– Si l'Occident ne partage pas le secret de la bombe, il y aura une course à l'armement nucléaire.

Cette citation commode aurait dû alerter King qui n'ignorait pas que la fédération servait de porte-parole aux Soviétiques.

Le conseiller commercial demanda si King avait vu dans l'*Evening Standard* de la veille la caricature de Truman portant dans ses bras une bombe minuscule sur laquelle était collée une étiquette : SECRET. Étonné, King répondit qu'effectivement il s'en souvenait.

– Pourtant, il n'y a pas de secret, reprit le conseiller en éclatant de rire.

Pendant le déjeuner, on échangea des plaisanteries lourdes, et l'arrivée des digestifs n'arrangea rien. Gousev fit remarquer combien les Russes prenaient soin de leur estomac.

– La révolution ne sert à rien, dit-il, si on ne peut ni manger ni boire. En Angleterre, continua-t-il, même l'aristocratie ne sait pas manger. Les propriétaires ter-

la famille royale. Son anoblissement ainsi que son poste de conservateur des œuvres d'art de la famille royale lui permirent d'échapper aux chasses aux espions qui suivirent. Blunt finit par avouer son rôle d'agent double.

riens illustrent bien la boutade d'Oscar Wilde, « Les innommables à la poursuite des immangeables ! »

King rapporta tout cela dans son journal en ajoutant un commentaire prudent : il s'était contenté de « goûter » aux alcools. Il captait les signaux que Gousev lui envoyait sur ordre de Moscou. Selon la tradition russe, le message était enfoui sous des allusions et des références obscures. Il s'agissait sans aucun doute d'une menace voilée, à transmettre à Truman lors du sommet : si les États-Unis interdisaient aux Russes l'accès aux usines de bombes atomiques, l'Union soviétique ignorerait les Nations unies et commencerait à construire ses propres bombes. Laissant entendre que l'espionnage soviétique devenait inutile quand l'information était disponible, Gousev montra qu'il était au courant des grands projets nucléaires dans l'Ouest canadien et à Chalk River, qu'il connaissait l'existence de la mine canadienne qui était la principale source de matériaux nucléaires de l'Occident et qu'il n'ignorait rien de la recherche atomique militaire à Petawawa, base située dans le sud de l'Ontario.

Petawawa, répliqua vivement King, travaillait sur des substances libérées par l'énergie atomique et accessoirement sur les applications pacifiques de cette nouvelle science.

Gousev digéra l'information avec un sourire approbateur. Ne serait-il pas plus sage que le Canada renonce *officiellement* à la bombe ?

King ne s'engagea pas. Il sentit le danger. Il n'en resta pas moins aimable, toujours convaincu que la diplomatie tranquille était le meilleur moyen d'apaiser les inquiétudes *authentiques* des Russes à propos des intentions militaires de l'Occident. Cependant, il se méfiait des manœuvres maladroites de l'ambassadeur. Elles révélaient une arrogance qui sous-entendait en fait : « Nous sommes des purs sur le plan idéologique, et vous autres, vous êtes méprisables et stupides. »

King dissimula son agacement, et la conversation se poursuivit dans l'atmosphère oppressante du salon surchargé de meubles, de draperies et d'échantillons de l'art soviétique : un portrait en pied de Staline, un buste en bronze de Staline et un tableau représentant le profil héroïque de Staline.

King était loin d'être aussi stupide que les Russes le croyaient. Il pensa plus tard qu'ils prenaient trop souvent l'Occident au pied de la lettre. Les dirigeants des démocraties avaient tant d'ennemis avoués que les habitants d'une dictature pouvaient en conclure que les gouvernements étaient à la fois « idiots et condamnés ». Il était sûr maintenant que Gousev était au courant de l'affaire PRIMROSE et de la chasse aux réseaux d'espionnage soviétiques en Grande-Bretagne. Stimulé par les attaques de Gousev, de politicien timide King se transforma soudain en patriote en colère... et sa colère fut d'autant plus terrible qu'elle était rare. Les Russes étaient tombés dans leur propre piège. King écrivit ensuite : « Les Russes peuvent riposter à toutes les révélations que nous ferons (à propos de l'affaire Corby) en disant que la bombe a été en fait conçue au Canada et mise au point par des savants américains... C'est l'excuse qu'ils trouveront pour justifier leur espionnage. »

Le Premier ministre était-il aussi coupable de trahison que ceux que l'on finit par appeler les « espions atomiques » ? Pas vraiment. King savait une chose qui resta secrète pendant trente-huit ans : Londres avait abrité une mission du NKVD dont les agents furent assistés par le BSC et l'OSS. L'initiative de Gouzenko avait déclenché un processus qui mena à la rupture totale de cet arrangement très secret à sens unique, qui permit aux Soviétiques d'être informés des opérations de renseignement de l'Occident. Un « conseiller » soviétique pour les gouvernements en exil faisait tout ce qui était en son pouvoir pour provoquer l'apparition de gouvernements procommunistes dans l'Europe d'après-guerre. Entre 1943 et 1945, c'était chose courante de voir des dirigeants s'asseoir à la même table que des chefs du renseignement russe camouflés en diplomates. Cette situation incroyable resta secrète jusqu'au jour où des amis de King décidèrent de rompre le silence officiel quand on accusa le Premier ministre d'avoir été indiscret lors de son déjeuner avec le NKVD. Cependant, ils n'osèrent pas révéler ces faits à l'opinion publique. Seulement maintenant il est clair qu'au moment de la rencontre de King, Moscou avait reçu des centaines d'études top-secrètes de l'OSS, et que les Britanniques avaient apporté un soutien logistique au chef des opérations subversives du NKVD, le colonel A.P. Ossipov.

Une semaine après le déjeuner du NKVD, Molotov prononça son discours tant attendu à Moscou. Il se fondait apparemment sur la même analyse que le NKVD : les secrets de la bombe atomique ne pouvaient rester le monopole d'un ou de plusieurs pays.

Le lendemain, 7 novembre, Churchill s'adressa au Parlement britannique : « Les États-Unis ne souhaitent pas révéler les méthodes de fabrication qu'ils ont développées sur une échelle gigantesque au prix d'énormes dépenses. » Churchill parlait en connaissance de cause. Stephenson avait pris la décision d'ignorer les filières normales et de mettre le dirigeant destitué au courant de toute l'affaire Corby.

« En l'occurrence, il ne s'agit pas de savants ou de diplomates échangeant des formules. (Si les États-Unis devaient coopérer avec la Russie.) Pour être efficace, il faudrait qu'un nombre considérable de spécialistes, d'ingénieurs et de savants soviétiques visitent les arsenaux américains... Il faudrait qu'ils s'y installent et qu'ils se fassent tout expliquer. Ils rentreraient alors dans leur pays avec toutes les informations nécessaires. »

Churchill choisissait soigneusement ses mots. Il préparait le terrain pour une déclaration plus retentissante, mais il connaissait les subtilités de la politique. Il devait d'abord laisser le chef du gouvernement britannique décider avec King et Truman de la marche à suivre en ce qui concernait la Russie et la bombe. Cette conférence préparatoire devait être influencée par ce que King avait appris pendant son étrange déjeuner confidentiel avec les diplomates interchangeables et la police secrète de l'ambassade soviétique. Churchill était rentré dans le rang, forcé de rester sur la touche – position inconfortable après ses années de gloire. Mais il pouvait encore user de son influence au Parlement, ce qui, aux yeux de Stephenson, était la forme de pouvoir la moins corruptible, forme à laquelle les Canadiens avaient recouru quand un autre dictateur, Hitler, essayait de duper les démocraties sans déclarer la guerre. Cela faisait près de dix ans que Churchill avait tenté d'avertir les pays européens du danger représenté par le nazisme.

La rencontre secrète de King et de Gousev permit à Stephenson de convaincre le Premier ministre qu'il fallait coordonner les actions de police contre les agents russes dans les trois pays de l'Alliance, afin qu'elles puissent commencer dès la fin du sommet. Une fois que l'on eut retenu le 26 novembre comme date de lancement des opérations du contre-espionnage, Stephenson se rendit à Washington et pénétra dans le quartier général du FBI dans Pennsylvania Avenue :

– Allez-y, monsieur Williams, lui dit Sam Noisette, homme à tout faire du directeur.

Stephenson n'était plus M. Quiça ? au FBI. Hoover lui montra une pile de documents mais, avant de les consulter, Stephenson avait quelque chose à dire à Hoover. L'action policière se mettrait en route en Grande-Bretagne et au Canada après les pourparlers entre Truman, Attlee et King.

Hoover eut l'air satisfait. On avait tenté de l'empêcher d'arrêter des espions présumés, en avançant que ce genre d'actions pouvaient compromettre les opérations du renseignement en cours. Hoover avait le sentiment que c'était surtout les Russes qui voulaient gagner du temps. Ils avaient déjà largement profité du retard pris.

– Nous sommes sûrs à présent que les réseaux soviétiques s'étendent dans tout le pays, dit-il. Nous aussi, nous avons des charançons dans nos charpentes.

Les papiers qu'Hoover montrait à Stephenson donnaient un compte rendu détaillé des fuites de milliers de documents américains vers Moscou. On avait découvert d'autres réseaux d'espionnage à la suite des révélations de Gouzenko au FBI. L'un des agents, Jacob Golos, avait été directeur des opérations des services spéciaux russes aux États-Unis. C'est sa mort récente qui avait poussé sa maîtresse, Elisabeth Bentley, à passer aux aveux.

– Nous commençons à cerner le problème, reprit Hoover. Nous avons besoin de temps. Yakovlev a averti ses hommes à propos de l'affaire Corby, et grâce à lui, nous trouvons de nouvelles pistes.

On était le vendredi 9 novembre. Les discussions sur la bombe devaient s'ouvrir la semaine suivante. Mackenzie King avait fait une proposition : le jour J serait le 26. Ce jour-là, la police commencerait à procéder à des arrestations, à fouiller, à interroger des suspects et on mettrait en place des commissions d'enquête.

Le 15 novembre 1945, trois mois après l'entrée de l'humanité dans l'ère atomique, la Maison-Blanche publia la déclaration anglo-américano-canadienne. Cette déclaration tant attendue ne faisait aucune allusion à l'espionnage atomique. On ne refusait pas non plus officiellement la demande des Russes – à savoir qu'on les invite à participer à l'effort atomique et qu'on leur permette d'envoyer des observateurs dans les centrales atomiques américaines. L'invitation brillait par son absence dans le communiqué final : « Nous souhaitons parvenir à une coopération entière et effective entre les États-Unis, la Grande-Bretagne et le Canada dans le domaine de l'énergie atomique. » Mais pas pour la bombe, sous-entendait-on.

Les difficultés que rencontrèrent les services spéciaux de l'Alliance pour coordonner leurs actions contre l'espionnage atomique furent dues en partie à des incompatibilités d'humeur. Il y avait une hostilité ouverte entre John Anderson, Premier ministre d'Attlee en matière atomique, et le général Leslie Groves, chef américain du projet Manhattan. Trois ans s'étaient écoulés depuis qu'on avait dit à Groves, alors colonel de quarante-six ans : « Si vous faites bien votre boulot, vous gagnerez la guerre. » Le boulot en question, la première bombe atomique, accentua la puissance de Groves. Il imposa son autorité aux savants, ces « rêveurs », et y parvint si bien que les politiciens le considérèrent comme le seul interlocuteur valable pour les questions atomiques. Dans le monde selon Groves, le réalisme des ingénieurs rendait n'importe quoi possible. Les scientifiques manquaient de discipline. On ne trouverait jamais d'espions dans les rangs des ingénieurs. Groves avait débuté dans le corps des ingénieurs de l'armée américaine, structure indépendante qui pouvait se vanter de construire les meilleurs ponts, les meilleures routes et les égouts les plus fiables. Groves lui-même avait supervisé la construction du premier Pentagone.

Groves détesta le conseiller d'Attlee au premier coup d'œil. John Anderson, spécialiste des projets atomiques britanniques, « avait une attitude très autoritaire ». Surnommé John le Pompeux, il était la caricature vivante de l'impérialisme de la vieille école. Grand, le teint fleuri et la voix forte, c'était le colon par excellence. En privé, Groves le traitait de prétentieux, c'était la brute qui avait « étouffé » la rébellion irlandaise dans les années 20 et arrêté l'insurrection quand il était gouverneur du Bengale dans l'Inde de 1920. Anderson était un ennemi convaincu du socialisme, mais sa connaissance inégalée de la recherche atomique britannique le rendait indispensable à Attlee. Anobli, président de la commission pour l'énergie atomique, il donnait son avis avec l'autorité d'un Jehovah.

Anderson sermonna les Américains sur la nécessité de ne pas communiquer les secrets atomiques à Staline. Mais les Américains n'étaient pas d'humeur à se laisser sermonner. Il en résulta un quiproquo presque fatal. Beaucoup ignoraient l'ampleur de la participation de la Grande-Bretagne et du Canada à la mise au point de la bombe. Et le général Groves n'avait pas la moindre intention de les éclairer sur ce point. A la fin des pourparlers, il insista pour que l'on adopte une résolution qui limitait la coopération atomique de façon draconnienne. Un lobby très puissant du Sénat parvint à faire passer un projet de loi, présenté par le sénateur Brian MacMahon, qui interdisait la divulgation d'informations à toute puissance étrangère. La confiance entre les Alliés s'effritait. L'affaire Corby suscitait des interrogations au sein des gardiens de la bombe : est-ce que d'autres savants britanniques volaient des renseignements? Existait-il des espions dans tous les ministères canadiens? La découverte de l'espionnage soviétique permettait aux Russes de remporter une nouvelle victoire.

Mais l'espionnage soviétique s'était aussi porté préjudice en durcissant l'attitude de ceux qui auraient pu se laisser convaincre par les groupes de pression qui soutenaient que le véritable problème était de savoir « si, dans ce monde de l'après-guerre, la Russie devait être traitée en amie ou en ennemie * ». Lors des discussions privées, le secrétaire d'État James Byrne déclara qu'il s'opposait fermement à ce que l'on permette l'accès des centres atomiques américains aux Soviétiques. Les savants pouvaient toujours disserter sur cette science qui ne connaissait pas de frontières.

– Allez donc raconter ça à Staline. Si nous ne pouvons entrer en Hongrie ou en Pologne, comment pourrions-nous espérer que Staline nous autorise à visiter les usines russes où l'on fabrique la bombe!

C'était une réplique sévère aux savants qui avaient protesté contre la déclaration de la Maison-Blanche. Le *New York Times* titrait dans son numéro du 18 novembre : « 90 % des cerveaux qui ont participé à la mise au point de la bombe atomique ont signé une résolution disant que les scientifiques n'étaient pas impressionnés par le communiqué et qu'ils étaient franchement terrifiés. »

Clem Attlee était lui aussi « franchement terrifié ». Il avait fait le voyage de Washington avec l'espoir que Truman lèverait les restrictions présidentielles sur l'exploitation de l'énergie atomique. Et voilà que les États-Unis insistaient pour limiter la coopération à l'échange de données scientifiques.

– La Grande-Bretagne en possède déjà une partie, dit Attlee.

Il voulait des détails sur la fabrication de la matière fissile.

– On nous doit ces renseignements qui nous éviteront des dépenses énormes et inutiles.

On lui opposa un refus.

Les Britanniques en revinrent donc fortifiés dans leur

---

* William A. Reuben, *The Atom Spy Hoax* (New York Action Books, 1954).

résolution de faire cavalier seul, quel que fût le coût de cette décision pour leur économie mutilée. On avertit John Cokroft, qui avait évalué l'ampleur de la trahison de PRIMROSE, qu'il devrait prochainement regagner la Grande-Bretagne. Il allait commencer ses travaux sur la bombe anglaise. Quand il demanda ce qui était arrivé à PRIMROSE, on lui conseilla de réfréner sa curiosité.

Pendant les quinze années qui suivirent, la Grande-Bretagne allait consacrer de précieuses ressources humaines et matérielles à la construction de la bombe sans aides extérieures. « Nous avons dépassé les Américains », pavoisa Attlee. Il n'avoua jamais combien cet effort avait coûté à la nation qui avait perdu son empire, son statut de grande puissance et la confiance des Américains. Le Centre de Moscou déployait toute son énergie pour détruire la confiance et éveiller des sentiments anti-américains ou anti-britanniques.

19

ATTENDRE: SOIT, MAIS QUOI?

Noël approchait. Gouzenko et sa famille se cachaient encore. Le long hiver canadien avait perdu de son charme. Le Camp X ne ressemblait en rien à Ottawa où skieurs et patineurs apparaissaient dès les premiers flocons de neige. De temps à autre, Igor recevait la visite d'interrogateurs, parmi lesquels Peter Dryer et une équipe d'agents du SIS qui étaient venus des États-Unis à l'instigation de Stephenson. En attendant son accouchement imminent, Svetlana rédigeait des notes sur son existence « avant Igor ». Ils possédaient tous les deux le don de l'écriture, mais pour le moment les perspectives d'avenir n'avaient rien d'encourageant. Il leur était difficile d'oublier qu'ils vivaient dans un no man's land. L'Union soviétique considérait encore Igor comme un criminel, et ils savaient qu'ils pouvaient être condamnés à mort par contumace pour avoir choisi l'Occident. La base secrète était sinistre. Leurs gardes du corps les emmenaient quelquefois en promenade dans la campagne alentour, tout aussi lugubre et parsemée de communautés où la présence d'étrangers éveillait une curiosité malsaine.

Igor Gouzenko savait qu'il devait se garder de paraître névrosé ou mélodramatique. Pourtant, il avait encore beaucoup à dire sur l'art de l'espionnage soviétique. Il était convaincu que l'infiltration des services du renseignement occidentaux était un point qu'il fallait développer. L'innocence des politiciens de son pays d'adoption l'étonnait. Ils ne semblaient pas se rendre compte que ceux qui professaient des sentiments anticommunistes étaient peut-être des agents doubles extrêmement dangereux.

On lui dit que le silence officiel observé à propos de ses révélations était une nécessité politique. Les officiers du renseignement procédaient avec prudence pour ne pas alarmer les agents et suspects déjà identifiés grâce à lui. Connaissant les méthodes de la police secrète russe, il ne parvenait pas à se débarrasser de sa hantise de la trahison. Il croyait avoir compris les mœurs de l'Occident. Il écoutait la radio, lisait les journaux, et ce qu'il découvrait renforçait sa foi en une société libre. Puis il se rendit compte que la presse se battait pour que l'on fasse confiance aux Russes en matière d'énergie atomique, et il se demanda pourquoi l'opinion publique ignorait encore tout des réseaux d'espionnage soviétiques.

Attlee déclarait : « Une guerre atomique totale entraînera la mort de millions d'individus et le recul de la civilisation ». Mais en attendant, on ne faisait rien pour avertir le monde des intentions hostiles de Moscou. Le jour où les Soviétiques posséderaient la bombe, le cri d'alarme du Premier ministre britannique prendrait toute sa valeur. Pourquoi ne pas le proclamer ? Pourquoi ne pas dire au monde entier jusqu'à quelles extrémités Moscou était allé pour obtenir la bombe ?

« Je compris que, dans les pays démocratiques, le parti communiste était devenu le porte-parole du gouvernement soviétique », écrivit Gouzenko, profitant de cette période d'attente pour mettre la dernière main à une déclaration officielle. « Au lieu de montrer de la gratitude pour l'aide qu'on lui a apportée pendant la guerre, le gouvernement soviétique a développé ses opérations d'espionnage. » Il voulait attirer l'attention de l'opinion publique sur la façon dont Moscou utilisait les idéalistes, recrutait des « agents d'influence » dans les sociétés démocratiques et révéler ce qu'il avait appris au Centre de Moscou sur les agents doubles. On lui conseilla de patienter. Il entreprit la rédaction d'un récit plus philosophique des événements : « Quand je travaillais pour les services secrets soviétiques à Ottawa, j'ai vu que les Occidentaux sacrifiaient leurs fils pour venir en aide à la Russie et que le gouvernement soviétique les poignardait dans le dos en guise de remerciements. » Les avertissements lancés par Gouzenko passèrent inaperçus. Ces généralités devaient attendre, comme les mesures prises en vue d'arrêter les espions. Attendre? Mais attendre quoi? se demandait Gouzenko.

On prit de nouvelles mesures de protection pour Svetlana. Sachant que son terme approchait, Pavlov et le NKVD allaient surveiller les hôpitaux. Il fallait donc inscrire Svetlana sous un faux nom, sinon le NKVD ne tarderait pas à repérer la cachette des Gouzenko. On ferait passer Svetlana pour la femme d'un immigrant polonais; un agent de la police montée tiendrait le rôle du mari illettré, incapable de remplir les formulaires.

Gouzenko se rendit compte qu'on renforçait la sécurité autour de sa famille, mais il ignorait quelles dispositions on prenait à l'extérieur de sa cage dorée pour faire face au danger représenté par les services secrets russes. Il se réfugia dans l'écriture. Il commença son futur roman, *La chute d'un titan,* où il racontait comment un grand écrivain devient intolérable en Union soviétique dès qu'il choisit de suivre sa propre voie, parce qu'à ce moment-là il entre en concurrence avec le gouvernement. Il dessina une grande maison sur un tableau noir. Artiste et architecte chevronné, il pouvait ainsi visualiser les mouvements et l'évolution de ses personnages aux prises avec une bureaucratie peu recommandable.

206

Il jeta quelques notes préliminaires sur le papier pour son personnage principal : « Il pensait qu'il écrivait sur lui-même, si fort était son désir d'accomplir quelque chose de grand, d'inoubliable, une œuvre destinée à aider les autres à trouver la sérénité, pour que leurs yeux s'accoutument au soleil de la justice... Son cœur était-il couvert de cendres ? Non, ce qu'il endurait disparaîtrait aussi facilement qu'un rhume. »

Il paraissait incroyable que, sachant ce qu'ils savaient, les trois gouvernements alliés ne puissent empêcher le NKVD de continuer à faire régner la terreur. Les trois dirigeants – Truman, Attlee et King – devaient avoir pris connaissance de l'étude du BSC disant que « pour une question de sécurité, on ne peut laisser indéfiniment les réseaux soviétiques agir en toute impunité... Il faut informer l'opinion publique des intentions manifestes de la Russie... L'URSS se prépare à déclarer la guerre aux puissances occidentales, si l'on en croit l'analyse des instructions données par Moscou à ses réseaux d'espionnage. »

Les rapports de Stephenson et du BSC subirent certaines altérations en passant entre les mains des services du renseignement d'après-guerre. Le Centre de Moscou n'ignorait rien des enquêtes en cours, secrètes en principe, mais on ne devait l'apprendre que des années plus tard. Les agents soviétiques essayaient de gagner du temps. Le gros gibier s'était déjà envolé. Le colonel Nikolai Zabotin, chef de Gouzenko, avait réussi à se volatiliser en recourant à un procédé cher aux espions soviétiques. Utilisant son passeport diplomatique, il passa aux États-Unis avec ses escortes du NKVD et s'embarqua de nuit sur l'*Alexandrov*, cargo soviétique ancré dans le port de New York. Le cargo fit route vers Mourmansk sans être contrôlé par les services des douanes et de l'immigration. Un transfuge raconta plus tard que Zabotin avait sauté par-dessus bord

207

en pleine mer du Nord. Un journal communiste rapporta qu'il avait « succombé à une crise cardiaque » quatre jours après son retour à Moscou. A Ottawa, Malcom MacDonald s'affligea à l'annonce de la nouvelle. « C'était un bon soldat, déclara le haut commissaire britannique curieusement compatissant, et un vrai patriote. »

Le chef du GRU du Centre de Moscou allait connaître le même destin. Le NKVD n'avait pas manqué de faire remarquer à Staline que ses grossières erreurs avaient provoqué une sérieuse défaite dans la guerre secrète. Au moment où Gouzenko le rencontra, il était le général de division Bolshakov, chef du premier directoire du renseignement, qui était venu à Washington en tant qu'attaché militaire. Du jour au lendemain, il n'y eut plus aucune trace de son passage sur terre. Il n'était pas sûr que l'officier qui portait son nom à Washington fût le même homme. Le général de division Bolshakov devint inexistant. Seul le souvenir de son nom subsista en Occident. Il avait commis l'erreur de permettre à Gouzenko de contester son rappel à Moscou et de n'avoir pas enquêté sur la loyauté du Russe.

On rapatria Motinov et Rogov, les assistants de Zabotin à Ottawa, parce qu'on redoutait les révélations qu'ils pourraient faire s'il leur prenait l'envie de suivre l'exemple de Gouzenko. On ignore comment ils quittèrent le territoire canadien. Le colonel Sakolov, le fameux « conseiller commercial » qui recevait ses instructions d'un officier traitant du GRU à « l'hôpital de New York » devait disparaître au cours d'un voyage diplomatique à Washington. Il prit un avion soviétique à Philadelphie. Pavel Angelov, l'officier traitant de PRIMROSE au Canada, s'évanouit lui aussi dans la nature, après le rappel à Moscou de l'ambassadeur Zarubin pour un « entretien de routine ».

Il y avait un certain mépris implicite pour les Occidentaux dans la façon dont les Soviétiques procédèrent pour supprimer leurs réseaux brûlés. Dans bien des cas, leurs agents américains, britanniques et canadiens avaient été avertis de la défection de Gouzenko dans la semaine qui suivit et ils auraient eu tout le loisir de détruire les documents compromettants. On les avait aussi prévenus que le ministère de la Justice ne pourrait pas légalement prendre des mesures contre eux s'ils n'avouaient pas.

Aux yeux de Stephenson, ce mépris était justifié. Le Centre de Moscou avait été mis au courant des actions du contre-espionnage occidental dans leurs moindres détails. Les services de renseignements d'après-guerre étaient ridiculisés. Parmi les « amateurs du temps de guerre » qui avaient travaillé pour lui figuraient des universitaires et des écrivains qui épluchaient à présent les dossiers du BSC. Ils préparaient un rapport confidentiel sur les opérations secrètes menées contre les nazis et les seigneurs de la guerre japonais. Stephenson fit relier leur rapport, apposa le cachet TOP SECRET sur la couverture et écrivit sur la page de garde : « Rapport préparé sur mes ordres par des officiers du BSC à partir des archives de l'organisation ». Le 31 décembre 1945, Stephenson autorisa le groupe à rédiger un « compte rendu, pour le cas où l'on aurait besoin d'un descriptif de ce genre d'activités clandestines. Pour faire face à une éventuelle attaque atomique, la seule chance de survie est d'être prévenu, et cela nécessite la mise en place d'un service du renseignement opérant à l'échelle mondiale... Le concept de coordination des opérations, dont le BSC fut le premier à donner l'exemple, a servi de base aux Américains pour édifier, avec une étonnante rapidité, leur propre service du renseignement pendant la guerre ».

Ce compte rendu du BSC était une tentative pour sauver quelques éléments du tas de ruines laissé par les chefs des services du renseignement rivaux et les bureaucraties. Il présentait la guerre secrète comme un sujet beaucoup plus complexe que l'énergie atomique et bien moins compris par l'opinion publique. « Si nous avions dû nous en tenir aux moyens conventionnels pour recueillir nos renseignements, les opérations du BSC pendant la guerre n'auraient rien donné... Le succès des activités secrètes dépendait avant tout de la coordination d'un certain nombre de fonctions tombant sous la juridiction de services gouvernementaux distincts... C'est grâce à cette coordination que le BSC a pu acquérir la souplesse indispensable quand il s'agit d'affronter les cas d'urgence. »

Stephenson annonçait la dissolution prochaine du BSC. Il devait expliquer par la suite : « Notre organisation vit le jour parce que notre civilisation était en danger. Une nouvelle guerre avait commencé, mais celle-ci était secrète et l'Occident refusait de reconnaître son existence. Ma tâche avait été de combattre les nazis et elle était terminée. » La lutte contre le KGB allait représenter un autre défi pour l'entreprise individuelle qu'Intrepid avait toujours symbolisée. Début 1946, il mit son organisation à la disposition de l'Occident, bien qu'il sût que ses jours seraient comptés si le nouveau danger n'incitait pas les autorités à passer à l'action.

Le dossier TOP SECRET faisait état de certains des succès remportés par le FBI pendant la guerre et reconnaissait de bonne grâce que le FBI avait aidé le BSC à se maintenir au niveau des Allemands en matière de technologie de l'espionnage. Il ne présentait cependant pas Hoover sous un jour aussi flatteur que celui-ci l'aurait souhaité, lui qui se vantait dans le *Reader's Digest* d'avoir percé le secret du procédé nazi du micropoint, mais on donnait tout de même un compte rendu bienveillant de ses difficultés. « Avant Peal Harbor, le BSC était une agence clandestine, sur l'existence de laquelle le département d'État fermait les yeux. Le FBI le protégea de la curiosité officielle et se porta garant de son comportement. »

Voici la version officielle et confidentielle des origines de la collaboration du BSC et du FBI en 1940 :

WS rencontra J. Edgard Hoover, le directeur du FBI, et lui expliqua le but de sa mission. Hoover lui répondit franchement que, si personnellement il ne voyait aucun inconvénient à travailler avec le SIS, le département d'État lui avait ordonné d'éviter toute collaboration qui puisse être interprétée comme un non-respect de la neutralité américaine. Il souligna qu'il n'avait pas l'intention d'enfreindre cette règle sans l'aval du président. Il précisa aussi que, même si l'on parvenait à persuader le président d'accepter le principe d'une collaboration entre le FBI et le SIS, celle-ci devrait s'effectuer sur un plan personnel, entre Stephenson et lui-même, et qu'il ne faudrait pas en informer le département d'État. M. Roosevelt soutint cette proposition avec enthousiasme. « Le FBI et le SIS doivent entretenir des rapports très étroits. » On arriva donc à un accord de coopération anglo-américaine dans le domaine du renseignement quelque six mois après le début de la guerre. Le fait qu'il ait été gardé secret du département d'État lui-même montre la force de la neutralité américaine à l'époque. De retour à Londres après sa mission aux États-Unis en février 1940, WS rapporta ses conclusions à CSS et recommanda que cette organisation britannique secrète installée aux États-Unis et fonctionnant sur la base d'une liaison avec Hoover ne se borne pas à des fonctions relevant seulement du SIS mais entreprenne de faire tout ce qui ne serait pas effectué ouvertement pour assurer une assistance suffisante à la Grande-Bretagne et amener les États-Unis à s'engager dans le conflit.

Le grand secret était à présent officiellement reconnu et on envoya une copie de l'accord à chacun des trois dirigeants de l'Alliance. Le SIS prit connaissance de son contenu, et cela eut des conséquences étranges. Aussitôt, Hoover sentit que Londres s'efforçait à nouveau de transformer le SIS en interlocuteur privilégié pour le contre-espionnage et les services du renseignement américains. Hoover avait de bonnes raisons de se méfier de ce revirement. Il ne s'en ouvrit qu'à Stephenson qu'il considérait comme un partenaire, un opposant digne de respect. Cependant, il se contenta de lui faire part de son aversion pour les diplomates britanniques en poste à Washington, qui « remuaient des papiers et jouaient les imbéciles ».

CINQUIÈME PARTIE

1946
ATTENTION
AU CROQUE-MITAINE

20

LA PUBLICITÉ DISSUASIVE

Pour comprendre ce qui se préparait... il suffit d'imaginer une grande famille dont les enfants affirment qu'un croque-mitaine les harcèle. Les parents leur jurent que les croque-mitaines n'existent pas. Puis, un soir que toute la maisonnée est réunie, l'un des enfants remarque que la porte d'un placard est entrebâillée. Il l'ouvre brusquement et se retrouve nez à nez avec un immense croque-mitaine de dix pieds de haut... Au Canada, la situation d'Igor Gouzenko fut comparable à celle de cette enfant *.

Cinq mois après la défection de Gouzenko, le grand public ignorait encore tout de son existence et des révélations qu'il avait faites. Moscou était presque parvenu à réduire aux dimensions d'une légende sa guerre secrète contre les services secrets occidentaux. Stephenson décida de recourir à son arme maîtresse, « la publicité dissuasive ». Il avait toujours pensé que la non-divulgation des faits menait immanquablement à l'incompréhension, aux malentendus et à une dangereuse concurrence entre services. On préférait dissimuler plutôt que de révéler les

* William Manchester, *La splendeur et le rêve*, Laffont, 1976.

nouveaux problèmes politiques créés par la bombe atomique. On cachait, par exemple, les effets à long terme des radiations de la bombe d'Hiroshima. Il fallait apaiser les inquiétudes de la nouvelle génération, estimait-on. Seulement, la nouvelle génération en question sentait instinctivement le danger. Une plaisanterie courait dans les salles de classe : « Que veux-tu faire quand tu seras grand? Vivre! »

A présent, une bonne demi-douzaine de bureaux d'enquêtes s'occupaient de divers aspects de l'affaire Corby dans trois pays différents. On était parvenu à maintenir une certaine coordination grâce au BSC qui contrôlait encore les communications. Si l'on publiait les dossiers du FBI sur les réseaux d'espionnage installés sur le territoire américain, on risquait de rencontrer la même résistance qu'au Canada, où les libéraux au pouvoir se demandaient s'il ne valait pas mieux étouffer l'affaire.

Stephenson décida de commencer par gêner les Soviétiques établis au Canada.

Le remplaçant du colonel Zabotin était arrivé à Ottawa fin 1945. D'après Grigori Popov, le nouveau maître espion, le silence du Canada avait été interprété par le Centre de Moscou comme une preuve de faiblesse, d'irrésolution et de stupidité, et il n'en fit pas mystère quand il reprit contact avec un informateur prosoviétique encore en liberté. Popov était sûr que le Canada n'avait ni les moyens ni le cran de l'empêcher de mettre en place de nouveaux réseaux et de reconstituer les anciens qui subsistaient encore. Le contact, un théoricien marxiste connu sous le nom de JAKE, avait été démasqué par les enquêteurs du contre-espionnage de la police montée. Devant les questions concernant ses trahisons, JAKE comprit que les Soviétiques l'avaient utilisé et il accepta d'aider la police montée qui promettait en échange de ne pas le poursuivre.

Le 2 février au soir, Popov rencontra JAKE dans un bar de Toronto. Trois heures plus tard, la police locale ramassait un Popov qui titubait, visiblement ivre, dans Jarvis Street et le mettait au trou le temps de l'enquête. La police fut intriguée par son revolver et sa carte d'attaché militaire de l'Armée rouge.

Le lendemain matin, on informa Mackenzie King de la reprise des opérations des services soviétiques. On avait trouvé une note de pharmacie signée par l'un des agents de l'ancien réseau GRANT dans le portefeuille de Popov. « Cela devait arriver », écrivit le Premier ministre dans son journal, résigné maintenant à affronter le scandale.

Le moment de l'arrestation, facilitée par le fait que l'on avait glissé une pilule mise au point par le BSC dans le premier et unique verre de Popov, avait été choisi avec soin. Cela se passa le lendemain de la rencontre secrète de Mackenzie King avec l'amiral William D. Leahy, chef d'état-major et spécialiste des questions de sécurité du président Truman. L'amiral Leahy était venu voir le Premier ministre pour s'assurer que Gouzenko n'était ni « perdu » ni oublié. L'amiral était sur le point de reprendre la coordination des services secrets américains. La rivalité entre les nouvelles agences s'accentuait, et l'amiral se méfiait des conseils que recevaient Truman et les autres dirigeants de leurs experts respectifs en diplomatie. En déchiffrant les messages des services secrets soviétiques, on avait découvert plusieurs allusions inquiétantes à HOMER et à un Numéro 13, agents apparemment placés au département d'État. Les incursions du département d'État dans le domaine des opérations clandestines ennuyaient aussi Leahy, mais pour le moment il avait pour mission de dire à King, sous le sceau du secret, que leurs deux pays devraient enquêter sur l'infiltration possible des services publics par des agents soviétiques et que l'on devrait donner à Gouzenko l'opportunité de faire une déclaration publique. On ne pouvait plus se permettre d'accorder encore plus de temps à Moscou, parce que cela risquait de réduire l'efficacité de Gouzenko.

Pour tenter de faire comprendre à King la gravité de la trahison des secrets atomiques, Leahy l'entretint d'un fait qui n'avait pas été rendu public. La bombe d'Hiroshima était différente des autres, dans la mesure où ce n'était pas l'explosion qui tuait le plus, mais la chaleur produite par la radiation. L'amiral révéla que les victimes mouraient des suites de la radiation et que le nombre des victimes irait croissant parce que les effets de la bombe persistaient encore.

On n'aurait peut-être tenu aucun compte de l'intervention de Leahy en faveur de Gouzenko si Stephenson n'était pas passé à la troisième phase de son offensive contre le silence. Le 4 février, Drew Pearson, l'un des journalistes les plus influents et les plus lus d'Amérique, déclara :

> J'ai le regret de vous annoncer que le Premier ministre Mackenzie King vient d'informer le président Truman d'une affaire très grave mettant en question nos rapports avec l'URSS. Il y a quelque temps, un agent soviétique qui s'était rendu aux autorités canadiennes a avoué l'existence d'un vaste réseau d'espionnage russe couvrant les États-Unis et le Canada... Ce Russe a révélé aux autorités canadiennes qu'une série d'agents à la solde des Soviétiques avaient été infiltrés à l'intérieur des gouvernements américain et canadien.

C'est l'un des membres de l'équipe du BSC qui avait volontairement fourni ce renseignement à Pearson. Cette collaboration, qui commença au début de la Seconde Guerre mondiale, apparaît dans le rapport opérationnel du BSC sous la rubrique « Renseignements et Propagande » : « WS a donné l'ordre de cultiver Pearson comme

218

source potentielle d'informations importantes, et les contacts nécessaires ont été pris. Un officier du BSC à Washington consacra plusieurs mois à gagner la confiance de Pearson et, dès 1943, cette collaboration commença à porter ses fruits, sous la forme de rapports *inter alia,* sur les changements politiques, les intentions du président et les opinions des officiers de la Marine et de l'Armée de terre. »

Suit un portrait savoureux de Pearson rédigé par l'officier du BSC :

> Pearson est un grand type à l'air pincé qui a quelque chose de chevalin... à s'ébrouer comme il le fait quand il parle. C'est un quaker qui n'a guère le sens de l'humour. Le bassin de sa maison de Washington est peuplé de poissons rouges portant le nom d'hommes de confiance du président... Harry Hopkins... etc. Il s'est inspiré du même principe pour baptiser les vaches de sa propriété du Maryland... On y trouve Henry Morgenthau, Eleanor Roosevelt... Cordell Hull fut abattu et dégusté par Drew Pearson et sa famille au printemps 1945... Washington était le domaine réservé de Pearson, et les membres du gouvernement, les députés et sénateurs, ses serviteurs.

A la fin de la guerre, Pearson était une personnalité de la radio connue de l'Amérique entière, avec une rubrique quotidienne dans le *Washington Post* et quelque 616 autres journaux américains; Stephenson ne pouvait donc trouver de meilleur canal pour son opération de « publicité dissuasive ».

A présent, King n'avait plus guère le choix. « C'est ainsi que certains conçoivent la politique », nota-t-il dans son journal, dissimulant mal son mépris pour Stephenson.

Pourtant on ne peut pas dire que Stephenson ait été ravi de monter cette opération. Mais il fallait agir vite, publier l'histoire, organiser le voyage de l'amiral Leahy et l'arrestation de Popov pour contrebalancer les manœuvres des prosoviétiques qui voulaient museler Gouzenko. Le transfuge était en possession d'informations qui devaient être connues d'un plus vaste public et, pour ce faire, il fallait créer une commission d'enquête spéciale. On avait fait subir toutes sortes de pressions aux dirigeants américains et canadiens pour éviter l'ouverture d'une enquête, en prétendant par exemple que la chasse aux espions empiétait sur les droits des citoyens.

« Si l'on n'avait pas utilisé le principe de la publicité dissuasive, lit-on dans le dossier Corby, d'autres citoyens de l'Alliance atlantique aurait peut-être été amenés à trahir leur pays comme les agents du réseau GRANT l'avaient fait. »

Cet avertissement était peut-être la conclusion la plus importante de l'affaire, mais l'organisation visée – les services secrets soviétiques dont l'existence même reposait sur la prolifération des traîtres – s'arrangea pour qu'on n'en parle pas.

La première émission de Pearson fut un coup de semonce. A la fin de son temps d'antenne, il promit d'en révéler davantage la fois suivante. Un vent de panique souffla dans les milieux gouvernementaux qui eurent un soudain regain d'activité très significatif.

Au Canada, le Premier ministre réunit son cabinet le lendemain pour le mettre au courant de l'affaire Gouzenko. Sans révéler ses sources, il déclara que le gouvernement possédait des preuves documentaires. King donna ensuite lecture du décret-loi nommant les juges de la Cour suprême Robert Taschereau et R. L. Kellock à la tête de la commission d'enquête. Ces officiers ministériels commencèrent dès le lendemain à étudier les transcriptions des interrogatoires de Gouzenko. Le 13 février, après que Pearson eut prédit qu'on allait assister à un procès d'espionnage spectaculaire, Gouzenko obtenait enfin ce qu'il attendait depuis si longtemps : il comparut devant les officiers ministériels, le président du barreau canadien et un représentant du ministère de la Justice pour raconter son histoire.

Le lendemain matin, les enquêteurs en avaient suffisamment entendu pour juger utile de conseiller au gouvernement d'arrêter ceux qui étaient nommés dans les télégrammes des services secrets russes.

A l'aube du 15 février, le contre-espionnage canadien procédait à l'arrestation de treize espions présumés *.

Pour la première fois depuis la nuit où l'ambassadeur Zarubin avait ratissé Ottawa à la recherche de Gouzenko, on envoyait une sommation officielle à l'ambassade soviétique : on priait le suppléant de l'ambassadeur de se présenter au bureau du Premier ministre canadien.

On avait fait en sorte que la mise en œuvre des autres mesures coïncide avec l'initiative tardive de King. A Londres, on avait décidé de convoquer PRIMROSE pour une « petite conversation » avec le plus habile des interrogateurs professionnels, William « Jim » Skardon, et la première confrontation eut lieu ce jour-là. Dans l'après-midi, les treize arrestations furent confirmées. Le soir, on transféra Gouzenko et sa famille dans une autre zone protégée. L'efficacité de la police ne parvint pas à apaiser les craintes de King qui tremblait parce que les Soviétiques n'avaient jamais remplacé leur ambassadeur. Cette inertie sur le plan diplomatique était une façon d'exercer

---

* Quand le Parlement voulut savoir si les émissions de Pearson avaient déclenché l'opération, King hésita : « Les États-Unis nous ont dit qu'il valait mieux agir sans tarder. » Le rapport du BSC donne une version différente des faits : « On décida de ne pas attendre la prochaine émission de Pearson. On fixa donc la date des arrestations au 15 février à l'aube. »

un chantage moral sur King qui redoutait toujours de déplaire à Staline. Il aurait été fort surpris d'apprendre que le Centre de Moscou n'ignorait rien des talents d'interrogateur de Skardon, dont PRIMROSE faisait à présent les frais.

A l'époque, Vitali Pavlov était encore le chef des opérations du NKVD au Canada, et c'est lui qui répondit à l'invitation de King en compagnie du chargé d'affaires soviétique en titre, N. Belokhvostikov. Stephenson interpréta cette effronterie de Pavlov comme la preuve que les Soviétiques ne craignaient pas d'autres répercussions graves. Cela confirmait aussi l'exactitude des rapports annonçant que le NKVD était sorti victorieux de sa lutte contre le GRU et dominait maintenant la situation. Pavlov, au lieu de simuler la gêne ou la contrition, prit tout de suite l'offensive (par la bouche de Belokhvostikov) en protestant contre l'arrestation de l'attaché militaire Grigori Popov.

Le Soviétique ne mâcha pas ses mots : Popov avait été traité comme un criminel de droit commun; la police canadienne n'avait tenu aucun compte de l'immunité diplomatique; les policiers avaient un comportement de fascistes; Moscou allait rappeler Popov pour montrer son extrême mécontentement.

Comme Popov avait été pris en flagrant délit, son rappel ne faisait qu'anticiper son expulsion. Mackenzie King et Norman Robertson eurent une réaction imprévisible. D'abord Robertson *s'excusa* pour la prétendue violation de l'immunité diplomatique. Puis King exposa les grandes lignes de l'affaire Corby et déclara :

— Nous regrettons de devoir évoquer ces problèmes. Notre amitié ne doit pas en souffrir.

Pavlov resta de glace. Quant au chargé d'affaires, il distribua des poignées de main enthousiastes à la ronde.

« Vous remarquerez, reprit King d'un ton patelin, pour la deuxième ou troisième fois, que nous ne nous attaquons qu'aux membres de notre propre service public. » Ce commentaire laissa tout le monde perplexe.

Au bout de plusieurs jours de silence, la riposte de Moscou arriva. Solomon Lozovski, commissaire adjoint aux Affaires étrangères, convoqua le représentant du gouvernement canadien à Moscou et accusa Ottawa et la presse canadienne d'essayer d'envenimer les rapports entre la Russie et l'Occident. Les « organisations soviétiques », fulmina Lozoski, avaient appris que des membres de la mission militaire avaient reçu des renseignements secrets de relations canadiennes. Toutefois, étant donné « l'avance technologique de l'URSS », ces renseignements n'intéressaient pas « les organisations soviétiques ». De toute façon, il suffisait d'ouvrir *Atomic Energy for Military Purposes* du professeur Smyth et de consulter des ouvrages techniques pour trouver tous les renseignements détenus par les États-Unis. Il était donc ridicule de prétendre que cette masse d'informations scientifiques représentait un danger pour la sécurité.

Néanmoins, dès que le gouvernement soviétique « s'était rendu compte du comportement de certains membres de son personnel », il avait rappelé l'attaché militaire Grigori Popov, non par sentiment de culpabilité, mais pour montrer sa bonne volonté. L'Union soviétique s'arrangea pour cacher son embarras derrière une façade de parfaite magnanimité. Lorsqu'on lui résistait, Moscou reculait. La leçon, même pour King, n'était pas difficile à tirer. Les Russes admiraient la force et n'avaient que mépris pour la faiblesse.

Gouzenko témoignait enfin devant une commission publique. Les enquêteurs pouvaient interdire la publication de certains passages pour des raisons de sécurité, mais il leur serait difficile de dissimuler tout ce qu'il avait à dire de l'espionnage soviétique dans son ensemble.

« Je sais ce qui risque de provoquer des protestations, écrivit King dans son journal. On va me présenter à la face du monde comme le contraire d'un démocrate. » Quand Drew Pearson l'eut décrit comme le preux chevalier défendant la démocratie, le ton du Premier ministre changea : « Nous allons tout révéler des méthodes employées par les Russes pour contrôler ce continent. Nous n'en sommes qu'au début. Certaines des révélations à venir créeront une véritable sensation. »

Dans l'esprit du public, l'acte de Gouzenko resta associé à la naissance de la bombe. En revanche, l'évolution des services secrets russes passa complètement inaperçue. En 1941, on avait détaché la police politique du NKVD pour former le NKGB. La défection de Gouzenko entraîna le renvoi et probablement l'exécution de son patron, chef du GRU. Le NKVD affirma que la seule manière d'éviter que le GRU ne commette de nouvelles erreurs était d'augmenter les prérogatives du commissariat à la sécurité (dont dépendait le SMERSH depuis 1941). On vit alors apparaître un appareil de sécurité beaucoup plus puissant, le MVD-MGB, véritable ministère qui combinait les anciens pouvoirs du NKVD et une plus grande autorité en matière d'opérations clandestines menées à l'étranger. Ces différents services allaient servir de fondation au KGB. De toute façon, les services secrets russes ne poursuivaient qu'un objectif : réduire Gouzenko au silence.

L'affaire Gouzenko convainquit Washington de la nécessité de créer une agence du renseignement américaine qui soit de taille à lutter contre les services secrets russes. Une semaine après l'émission de Pearson, l'amiral Leahy devenait « l'oreille du président » auprès de la nouvelle Communauté du renseignement. La CIA n'allait pas tarder à voir le jour.

21

QUERELLES INTESTINES

C'est alors que Winston Churchill revint sur le devant de la scène, invité aux États-Unis par les Américains qui s'étaient mobilisés dès 1940 pour combattre les nazis. Le 5 mars, après avoir pris connaissance du projet de Stephenson pour la création « d'une organisation secrète américaine ayant suffisamment d'envergure pour reprendre le flambeau du BSC », il arriva en train à Fulton, Missouri, en compagnie du président Truman. Deux jours plus tôt, la commission royale canadienne avait publié son premier rapport sur l'affaire Corby. La veille, William Whitehead, inspecteur de Scotland Yard, avait poliment arrêté le professeur Alan Nunn May, alias PRIMROSE, pour violation de la loi sur les secrets officiels.

Churchill avait choisi de prononcer son discours sur le campus du petit Westminster College de Fulton pour rendre hommage au président Truman qui y avait fait ses études :

– Il serait nuisible et imprudent de confier aux Nations unies le secret de la bombe atomique quand celle-ci n'en est qu'à ses débuts. Ce serait folie criminelle que de la laisser dériver dans ce monde agité et désuni... De Stettin à Trieste, un rideau de fer s'est abattu sur le continent... Il n'y a rien que les Russes admirent autant que la force et rien qu'ils respectent moins que la faiblesse.

Churchill était une fois de plus en avance sur son temps. Son allusion au rideau de fer et sa critique de la politique extérieure soviétique déclencha autant de réactions que sa diatribe de 1938 contre Hitler. Grâce aux bons soins des agents soviétiques, on lui colla à nouveau l'étiquette de « belliciste ».

Staline répliqua en accusant ce discours d'être « un appel à la guerre contre l'Union soviétique ». Truman invita Staline à venir à Fulton où « on lui offrirait le même accueil et une occasion de s'exprimer ».

Truman était enfin favorable à la création d'une force capable de se mesurer aux services secrets soviétiques. Dans son message au Congrès du 21 janvier, il avait annoncé qu'une Communauté du renseignement serait désormais rattachée au gouvernement américain. C'était la première fois que l'on reconnaissait officiellement l'existence des services de sécurité; même Roosevelt ne s'y était pas risqué. « Truman, commenta le magazine *Time,* lance les États-Unis dans l'espionnage international. En entrant dans la danse, les États-Unis mettent fin, du moins pour un temps, à une lutte intestine sans merci. »

Si Truman avait donné une existence officielle à l'espionnage, il était encore loin de pouvoir le réglementer. La concurrence entre agences s'amplifia. Des agents « pirates » envahirent l'Europe en quête de coups spectaculaires susceptibles de leur gagner l'approbation du président. Paradoxalement, cette rivalité eut des conséquences bénéfiques. On parvint à recruter des spécialistes allemands pour le futur programme spatial américain et à récupérer d'autres savants avant que les Soviétiques ne les réquisitionnent pour leurs propres programmes de recherche et de développement.

En Amérique, les agents de Staline et les « imbéciles utiles » s'emparèrent du discours de Churchill et de la nouvelle reprise par la presse des arrestations opérées par le FBI à la suite de l'affaire Corby. Tout avait été orchestré pour saper la première réunion du Conseil de sécurité de l'ONU aux États-Unis. « Les grandes puissances se sont unies pour défendre la démocratie et la paix. Mais dans cette affaire, déclara un avocat syndicaliste de la côte Ouest qui défendait un officier de la Marine soviétique accusé d'espionnage, les véritables plaignants n'aspirent qu'à détruire cette unité. Leur objectif ultime, c'est la guerre... Il fallait donc que l'on crée la psychose de l'espion. »

On accusa Truman de recourir à l'« espionnite » pour détourner l'attention des problèmes très réels que connaissait le pays. Dans son message au Congrès, il avait réclamé la reconduction de l'Office du contrôle des prix pendant un an. Les hommes d'affaires avaient répliqué que ce « gouvernement dans le gouvernement » qui fourrait son nez partout menaçait la libre entreprise. S'il existait une Gestapo aux États-Unis, c'était cet organisme. Néanmoins, l'Office du contrôle des prix avait si bien combattu l'inflation que ceux-ci n'avaient augmenté que de 30 % par rapport à 1939. Cette victoire n'empêcha pas le marché noir de se développer, si bien que quelques mois plus tard Truman dut commencer à supprimer ces contrôles.

Le président allait se trouver confronté avec les mineurs et les employés du chemin de fer en grève. Truman avait rédigé le premier jet d'un discours dans lequel il se proposait de dire que les jeunes Américains avaient « affronté les balles, les bombes et la maladie » pour remporter la guerre, pendant que les syndicats des mines et du chemin de fer « leur tiraient dans le dos ». Et il concluait : « Remettons les transports et la production au travail, pendons quelques traîtres... »

Heureusement, on le dissuada de prononcer ce discours. Il fit néanmoins publiquement le parallèle entre la trahison de Pearl Harbor et la nouvelle crise interne provoquée par des hommes qui faisaient égoïstement passer leurs intérêts personnels devant le bien-être de la nation. Il engagea une épreuve de force avec les dirigeants syndicalistes et gagna la partie. Ce résultat lui valut un regain de popularité. Un de ses aides de camp déclara : « Celui-là, il en avait ! » On considérait enfin Truman comme le vrai patron de l'Amérique.

Les premiers pas hésitants du président vers la création d'une organisation centralisée du renseignement capable de relever le défi des services secrets russes étaient loin de satisfaire le général Bill Donovan qui avait à présent retrouvé son cabinet d'avocat à Manhattan *. De voir que l'on jetait au panier toute l'expérience acquise pendant la guerre pour apaiser une poignée de généraux et d'amiraux et un ou deux dandys du département d'État le mettait hors de lui. Il traita de « ramassis de gratte-papier » le premier Conseil national de sécurité que Truman avait constitué. Il écrivit dans *Life* que, pendant la guerre, les États-Unis « avaient eu en main les éléments qui auraient permis de créer un service du renseignement digne de ce nom mais qu'ils avaient choisi de les détruire ».

Ce raz de marée avait aussi emporté l'analyse en cours des archives de la Gestapo ainsi que les déductions auxquelles on était arrivé sur les opérations des réseaux soviétiques. L'absence d'infrastructure des services de sécurité compromettait toute utilisation efficace des renseignements glanés grâce à l'écoute du trafic radio du Centre de Moscou. Cette situation préoccupait Donovan. Il savait que si Stephenson et le BSC ne s'étaient pas arrangés pour continuer à fonctionner en ces temps

---

* Il savait, mais ce fait ne serait révélé que trente-sept ans plus tard, qu'une décision politique avait obligé l'OSS à rendre au Centre de Moscou les livres de codes militaires et diplomatiques qui auraient permis d'accélérer l'analyse des communications des services secrets russes contre Hitler pendant et juste après la guerre.

difficiles, il n'y aurait pas eu d'affaire Corby. Maintenant, on ne comptait pas moins de vingt-trois agences différentes qui renvoyaient leurs informations à Washington. « On se croirait dans une maison de fous », déclara Allen Dulles, dont les activités au sein de l'OSS étaient encore inconnues à l'époque. Dulles souligna que les succès remportés par les services secrets britanniques étaient dus à la coordination qui régnait entre les différents services chapeautés par une direction indépendante. Si les États-Unis n'adoptaient pas une structure similaire, ils se verraient condamnés à commettre les mêmes erreurs que les services de sécurité nazis, italiens et japonais.

L'affaire Corby était une parfaite illustration de la force de cet argument. Mais les services secrets américains avaient d'autres préoccupations. Partout éclataient des émeutes de soldats américains impatients de rentrer au pays. Londres, Paris, Francfort, Tokyo, Guam, Shanghai et Calcutta furent touchés. Le moral des troupes était au plus bas, selon Hanson W. Baldwin, spécialiste des questions militaires du *New York Times*. En ce printemps 1946, le prestige des États-Unis à l'étranger en avait pris un sérieux coup et la fameuse discipline militaire semblait avoir disparu. Le général W.D. Styer, commandant des forces armées américaines du Pacifique ouest, se fit huer par 20 000 GI à Manille quand il leur annonça que la démobilisation s'effectuait aussi rapidement que possible. En réalité, on avait réduit de 800 000 à 300 000 le nombre des rapatriements mensuels, et le bruit courait qu'on utilisait ces troupes dans les opérations anticommunistes en Chine et en Asie du Sud-Est. A Francfort, 4 000 GI contestataires vilipendèrent leurs officiers et appelèrent leurs compagnons à soutenir leurs camarades de Manille. Les émeutiers n'étaient pas des vétérans, déjà rentrés pour la plupart aux États-Unis, mais des « agitateurs politiques qui n'avaient jamais entendu le son du canon », si l'on en croit le *Times*.

Pendant ce temps-là, Staline semblait faire ce qu'il voulait en Europe orientale. Les commandants militaires américains basés au Japon prévinrent Washington que l'on prévoyait une révolte qui coïnciderait avec les manifestations de mécontentement des troupes. Le général Dwight D. Eisenhower déclara qu'il avait besoin de 350 000 hommes en Allemagne, 375 000 dans le Pacifique et un million ailleurs, mais on ne disposait que de 400 000 volontaires. On envisagea de retirer toutes les troupes de Corée avant l'été. En Chine, les communistes de Mao (les « réformateurs agraires », pour leurs défenseurs américains) conclurent que les États-Unis ne se battraient plus sur le continent asiatique. Et Staline envoya des renforts aux communistes de Corée du Nord qui commençaient à croire que l'invasion du Sud se ferait sans problèmes.

Staline avait de puissants apologistes aux États-Unis. Un riche avocat de Washington, Joseph E. Davies, qui avait été ambassadeur à Moscou, défendait les motivations des savants occidentaux qui avaient travaillé avec zèle pour aider les Soviétiques. En 1937-1938, époque à laquelle Davies était en poste dans la capitale soviétique, on avait supprimé la division russe du département d'État et détruit ses irremplaçables dossiers. George F. Kennan, kremlinologue éminent, s'étonna que les maccarthystes ne se soient pas emparés de l'affaire, car « en l'occurrence l'influence soviétique était flagrante * ».

Le réalisme réconfortant de Kennan contrastait avec l'admiration béate que le Kremlin soulevait chez d'autres

* Du temps où il était conseiller auprès de l'ambassade américaine à Moscou, George F. Kennan avait étudié le discours prononcé par Staline en 1946. Il préparait un article pour *Foreign Affairs*. Cet article signé X allait provoquer un retour au réalisme. Kennan comparait la volonté de révolution mondiale prônée par le dirigeant soviétique à une religion avec ses dogmes. Cette pseudo-religion pouvait être limitée aux nations déjà gagnées par cette foi si, et seulement si, l'on recourait à une politique d'endiguement. Le président Truman se rallia à l'opinion de Kennan l'année suivante en lançant ce qui serait connu sous le nom de Doctrine Truman.

visiteurs américains à Moscou. Présentant en 1946 un rapport sur les objectifs des services secrets russes, il souligna que le budget alloué au NKVD pour les questions administratives pures s'élevait à un tiers du budget total du gouvernement soviétique. Si l'on cherchait une preuve de l'existence d'une guerre secrète, elle était toute trouvée. Cela ne parvint pas à calmer les protestations que provoquait la proposition du général de corps d'armée Hoyt S. Vandenberg de créer une véritable agence centrale du renseignement.

Le général Vandenberg était devenu directeur de la Communauté du renseignement, succédant ainsi au contre-amiral Sidny W. Souers, dont le règne avait été fort bref. Souers avait moins régné que trôné au milieu des agences concurrentes. La Communauté n'avait pas le droit de se livrer à des activités de recherche intérieure, car on repoussait encore le spectre de la Gestapo. Le général Vanderberg, qui lui n'avait pas cette hantise, décida, à la fin du mois de juin, qu'il était temps de rétablir l'ordre et de créer un bureau unique et indépendant. Il élabora un « projet pour la création d'une agence centrale du renseignement », Central Intelligence Agency, qui couvrirait toutes les sphères du renseignement et serait indépendante de tout opportunisme politique. On ressuscitait le projet de Bill Donovan et on répondait enfin aux prières de Stephenson. Cependant, il fallut attendre le 26 juin 1947, soit presque deux ans, pour voir naître la CIA, dont le directeur « serait un civil nommé par le président avec l'aval du Sénat ». La loi de 1947, lit-on dans l'histoire officielle de la CIA de Tom Troy, « était un retour à la proposition faite par Donovan en 1944, reprenant l'idée de former une agence unique et puissante, dirigée par un civil placé sous les ordres directs du président... Un retour à la proposition de Donovan, y compris ses restrictions quant à ses activités sur le territoire américain ».

On aurait pu ajouter que ce concept avait commencé à faire surface quand Stephenson et le BSC avaient émis le souhait que l'on prolongeât les alliances nouées pendant la guerre... et que seuls les Russes avaient compris ce que cela signifiait.

Gouzenko se croyait en sécurité. Il pensait que l'on avait dit à Stephenson, dont il ignorait toujours l'identité, qu'il connaissait l'existence d'autres réseaux d'espionnage, symbolisés par le nom de code d'ELLI. Il ne pouvait pas savoir que l'organisation de cet homme venait d'être dissoute.

Gouzenko avait évoqué le second ELLI lors de sa déposition devant la commission royale canadienne, dont le rapport expurgé devait être publié au milieu de l'année 1946, soit un peu plus de quatre mois après la fin des audiences à huis clos. Il n'avait pas donné beaucoup d'informations parce qu'il voulait réserver les détails à un homme de confiance du calibre de Stephenson.

Mais ce genre de renseignements ne passaient plus entre les mains de Stephenson. Son organisation avait un peu survécu à la guerre, en partie parce qu'elle s'était à nouveau montrée indispensable en mettant HYDRA au point ainsi que d'autres miracles dans le domaine des communications secrètes ultrarapides. Stephenson avait toujours soutenu que les techniques permettant de transmettre l'information rapidement et secrètement étaient la clé de voûte de tout service de sécurité efficace, qui était à son tour la clé de voûte des moyens de défense d'une démocratie. La guerre secrète de 1939-1945 était venue confirmer ses dires. Mais il allait se passer des décennies avant que le public n'apprenne l'existence d'ULTRA, de MAGIC, de PURPLE et autres triomphes de l'Alliance. Et en dépit de la révélation partielle de ces secrets, le « renseignement radio illégal » resta tabou. Depuis son invention de ce qu'il appelait la « télé-vision » et son implification totale dans le domaine de l'électronique,

Stephenson était toujours resté à la pointe du progrès. C'est lui qui avait développé, pendant la guerre, un système complexe de protection des communications. Ses nouveaux gadgets excitaient la jalousie de ses rivaux.

Il n'existe pas d'éléments permettant de reconstituer la chronologie exacte des événements. Vers le milieu de l'année 1946, le personnage anonyme que Gouzenko appelait le « monsieur qui venait d'Angleterre » fit disparaître toutes les déclarations du transfuge concernant le second ELLI et les autres infiltrateurs possibles des services de sécurité occidentaux. Même si Gouzenko avait appris cet incident, on n'aurait certainement pas pris ses protestations au sérieux, comme allait le démontrer le scepticisme officiel des années suivantes. Stephenson aurait été le seul à l'écouter. Mais Stephenson avait été « désactivé », pour reprendre sa propre expression.

HYDRA, au Camp X, était une excroissance du rôle particulier que joua le BSC dans la liaison des stations d'écoute américaines et canadiennes avec ULTRA à Bletchley Park qui n'abritait pas seulement ULTRA. La façon dont Bletchley Park était relié aux réseaux antinazis d'Europe reste un secret.

En revanche, on sait que l'affaire Gouzenko précipita la mise en route au Canada d'une centaine de stations d'écoute à grande vitesse destinées à couvrir les postes soviétiques clandestins ou diplomatiques ainsi qu'à surveiller les activités des Russes dans l'Arctique, les résultats étant partagés avec les cryptographes américains et britanniques. HYDRA accéléra le travail effectué sur des machines évoluant rapidement pour faire face au volume grandissant des communications : ROCKEX-II et d'autres, certaines basées sur TYPEX, TELEKRYPTON et même quelques vieilles Kleinschmidts allemandes.

Les agences rivales se battaient pour avoir la responsabilité de cette tâche hautement confidentielle. On trouvait dans les archives du BSC une section intitulée « Le danger des luttes intestines », description prophétique de la guerre qui ferait rage dans les bureaucraties.

Ces luttes internes aidèrent considérablement ceux qui souhaitaient pousser Stephenson et le BSC à se saborder. La Quatrième Arme, dont le principal objectif était de fomenter des révolutions chez les peuples opprimés, était le moyen peu orthodoxe de démanteler l'empire soviétique. Le système de liaison radio entre les groupes de résistance antinazis représentait le seul espoir d'arriver à leurs fins pour ceux qui se rebellaient contre la tyrannie. Dans le même temps, Staline mettait au point ses méthodes de guérilla contre l'Occident, et ses services secrets avaient développé leur propre système pour établir le contact entre ses agents et Moscou.

Évidemment, les forces armées régulières de l'Alliance atlantique s'opposaient à l'essor d'une Quatrième Arme qui entrait en concurrence avec elles pour les subsides, la main-d'œuvre et le matériel, et elles condamnaient ses méthodes irrégulières d'un point de vue philosophique. Elles se joignirent de ce fait aux mouvements de protestation qui réclamaient la dissolution du BSC en Amérique. Le quartier général du BSC avait été gracieusement fourni par Nelson Rockefeller, petit-fils de John D. Le jeune Nelson avait été « la voix et les oreilles des États-Unis en Amérique du Sud », en décidant de prêter main-forte à la première agence américaine spécialiste de la guerre psychologique qui combattait l'influence nazie sur ce continent. Les opérations de Stephenson dans cette partie du monde l'avait aidé à remplir sa mission, et il était inconcevable qu'il expulse son locataire à la fin de la guerre pour satisfaire les défenseurs de l'Union soviétique.

C'est alors que le département d'État fit appel aux services de Nelson Rockefeller pour la mise en place du très secret OPC (Office of Policy Coordination) qui fut la première agence de renseignements clandestine à voir le jour après la dissolution de l'OSS et avant la création de la CIA. La première préoccupation de l'OPC était de combattre l'avance des Soviétiques en Europe en recourant à l'action clandestine. Le département d'État avait voulu créer sa propre agence pour riposter aux opérations menées par les services secrets du Foreign Office britannique, le SIS, que les Britanniques considéraient comme ultraconfidentiels. Les Américains étaient persuadés que Whitehall considérait le SIS comme son principal organe de perception. Ce rôle avait toujours créé un malaise au département d'État qui, faute de pouvoir se retourner contre le SIS, prit le BSC comme bouc émissaire et résolut d'en hâter la fin.

Les chefs d'état-major des différents corps d'armée firent involontairement le jeu du département d'État. A l'apogée de l'OSS, le général Donovan avait avancé des arguments en faveur de la Quatrième Arme qui avaient intrigué le président Roosevelt mais fait grincer les dents de certains militaires. Si bien que le jour où Donovan proposa Stephenson pour une distinction honorifique, les chefs d'état-major s'empressèrent de lui mettre des bâtons dans les roues. Le bureau du renseignement militaire déclara qu'à sa connaissance aucune des activités de Stephenson ne méritait une récompense. Le ministère de la Guerre suggéra que l'on remette une médaille de la liberté à Stephenson. Seulement, Donovan était résolu à obtenir la prestigieuse médaille du mérite pour son ami, même si celle-ci n'avait jamais été attribuée à un étranger.

Toujours sensible à la direction d'où venait le vent, J. Edgar Hoover écrivit une lettre officielle à Stephenson sur papier à en-tête du FBI. Envoyé à l'adresse officielle du directeur du BSC, pièce 3553, 5e Avenue, New York 20, ce message faisait état du « sentiment de tristesse qu'éveillait en lui la pensée de devoir mettre fin aux relations agréables que nous avons entretenues pendant la guerre ». Hoover ajoutait, rompant leurs vœux de silence, que leurs échanges réguliers « avaient considérablement contribué à soutenir nos efforts pour protéger la sécurité interne de ce pays ». Le directeur du FBI concluait en espérant que « la collaboration anglo-américaine en matière de renseignement se poursuivrait ». Mais il savait pertinemment que Stephenson ne survivrait pas aux luttes intestines qui déchiraient Washington.

Le 18 juillet 1946, le président Truman finit par décorer Stephenson de la médaille du mérite « pour récompenser son extraordinaire fidélité et sa conduite exceptionnellement méritoire ».

On avait tout de même obligé le général Donovan à reformuler sa lettre justifiant sa demande. « Sans l'aide de Stephenson, lit-on dans la version corrigée, il aurait été impossible de mettre en place à temps l'infrastructure nécessaire aux opérations du renseignement américain pendant la guerre. » Par la suite, un historien officiel de la CIA devait sortir de la réserve bureaucratique habituelle pour déclarer : « C'est à se demander si Donovan ne trouvait pas indélicat d'expliquer en détail l'aide apportée par le BSC. »

Effectivement, Donovan avait volontairement recouru au jargon bureaucratique pour éviter aux dirigeants de l'après-guerre de Washington d'avoir l'obligation de partager avec les Alliés tout le crédit des nouvelles armes des services secrets et de la bombe. Il fallait aussi apaiser les militaires conventionnels déjà très préoccupés par le concept de Quatrième Arme.

22

UNE INACTION FRÉNÉTIQUE

Au milieu de l'année 1946, la commission royale canadienne qui s'occupait de l'enquête sur l'affaire Corby publia un document de 733 pages sur les opérations menées par les services secrets russes contre l'Occident. Mais ce rapport ne disait pas tout : on admettait dans la préface que quelques passages avaient été supprimés pour des « raisons de sécurité », ce qui signifiait en clair que certains facteurs politiques continuaient d'influencer la prise en charge de Gouzenko. Les membres du gouvernement craignaient de perdre la face s'il s'avérait que leurs services grouillaient d'éléments subversifs. Et, à moins d'obtenir les aveux de l'intéressé, il était difficile voire impossible de prouver qu'il y eût effectivement espionnage.

Ce rapport impliquait que les convictions idéologiques d'un simple citoyen pouvaient avoir un retentissement sur les intérêts de la nation. C'était leur attachement au marxisme qui avait poussé à trahir ceux qui avaient prêté serment de servir leur pays.

Le 1er mai, une cour d'assises de Londres avait démontré que ceux qui essayaient d'établir une défense contre les Soviétiques voyaient leurs efforts sabotés par d'innocents intellectuels. Le professeur Alan Nunn May fut jugé et condamné en un temps record à l'Old Bailey de Londres, à la grande consternation du monde universitaire. PRIMROSE avait fini par avouer, tout en soulignant sans grande conviction qu'il avait donné des renseignements aux Soviétiques parce qu'il pensait « pouvoir ainsi contribuer à la sécurité de l'humanité ». Il écopa d'une peine de dix ans de prison.

William « Jim » Skardon, l'interrogateur que Rebecca West décrit comme un « homme tranquille à qui les gens se confient », s'était rendu au domicile de May près de l'université de Londres le 14 février, quelques heures avant que Gouzenko ne termine sa déposition devant la commission royale canadienne. Skardon se demandait si le professeur pouvait aider Scotland Yard dans son enquête. En réalité, Skardon travaillait pour le MI5, mais il avait préféré recourir au mythe de Scotland Yard pour se donner du poids, parce que son service n'était pas habilité à procéder à des arrestations. May l'invita à entrer dans son minuscule appartement en faisant observer qu'il ne voyait pas en quoi il pouvait être utile dans une affaire de simple police.

— Ce qui m'amène relève plutôt du domaine de la sécurité nationale, précisa Skardon d'une voix douce.

Le professeur May montra une surprise de circonstance. Son surnom de PRIMROSE (Primevère) correspondait bien à son air étriqué et conservateur. La primevère était en effet devenue le symbole du parti conservateur en Angleterre. Seulement Alan Nunn May était communiste jusqu'à la moelle. Il proposa une tasse de thé à son visiteur.

— Volontiers, monsieur, répondit Skardon.

Sous son attitude de Bobby anglais respectueux de la vie privée de ses concitoyens perçait une légère menace. Il avait mis son style au point pendant la guerre en interrogeant des nazis et des gradés de l'armée allemande. Sa

238

courtoisie désarmait complètement les capitaines des U-boats et sa patience infinie avec impressionné un journaliste londonien qui l'avait aidé à obtenir des renseignements des prisonniers de guerre. « Skardon établissait un curieux rapport avec la personne interrogée. Lorsqu'il en avait fini avec un " sujet ", cela peut paraître étonnant mais le pauvre type avait l'air reconnaissant et il était prêt à se mettre à table. » Skardon améliora sa méthode au contact des prisonniers de guerre qui savaient que la loi les autorisait à ne donner que leur nom, rang et matricule. Ils trouvaient Skardon tellement aimable et compréhensif que, sans avoir jamais besoin d'élever la voix, il obtenait tous les renseignements qu'il désirait.

— Il paraît que vous avez aidé les Yankees à construire leur bombe, commença Skardon.

May fit mine de protester.

— Allons, il ne faut pas jouer les modestes, reprit Skardon d'un ton taquin. Nous sommes un peu ennuyés cependant, professeur. Si l'on en croit certains rapports, vous auriez été en contact avec des personnages peu recommandables aux États-Unis.

— Mais, c'est au Canada que je travaillais.

Skardon eut l'air interdit.

— Alors je crains qu'il n'y ait une erreur. Nous pensions que vous aviez passé quelque temps à Los Alamos.

May secoua la tête.

— A Chicago peut-être?

May secoua à nouveau la tête. Il se laissait prendre par l'humilité de Skardon qui n'avait l'air après tout que d'un simple limier de la branche spéciale de Scotland Yard. May, intellectuel arrogant, décida de s'amuser un peu. De toute façon, les informations que lâchait Skardon éveillaient la curiosité de May qui se demandait ce que savait exactement cet enquêteur aux traits tirés.

Skardon, sûr d'avoir ferré le poisson, demanda s'il pouvait revenir le lendemain. Le professeur accepterait peut-être de jeter un coup d'œil à certains documents, s'il en avait le temps, bien sûr.

May succomba à la tentation. Durant la conversation qui suivit, le professeur se détendit, comme Skardon s'y était attendu. Le savant avait compris qu'on le surveillait et trouvait étrangement rassurant de voir le visage d'un des auteurs de la filature. Au bout de quatre visites, Skardon commença à prendre le professeur en défaut. En sirotant la énième tasse de thé, il lui déclara :

– C'est drôle, mais si l'on en croit les autorités américaines, vous avez traversé la frontière à ces dates. Vous ne m'aviez pas dit que... Voyons un peu. (Skardon, jouant les balourds, feuilleta un carnet.) Ah! nous y voilà. Vous avez déclaré que vous ne connaissiez pas le colonel Zabotin.

May avait nié tout contact avec les Soviétiques du Canada. C'est alors que Skardon tira plusieurs télégrammes froissés de sa poche.

– J'ai bien peur d'avoir des preuves du contraire, monsieur.

Alan Nunn May craqua le 20 février. Ce même jour, le sous-secrétaire d'État aux Affaires étrangères soviétique protestait contre les accusations d'espionnage portées par le gouvernement canadien. A l'époque, personne ne parut faire le lien entre les deux affaires.

Le professeur May avait eu droit au petit discours habituel sur l'intérêt de coopérer avec les autorités. Quand un espion passait aux aveux sans se faire prier, on ne l'embêtait pas. Dans certains cas, pour obtenir des aveux longs à venir, on promettait à l'espion de ne pas le poursuivre. En l'occurrence, la coopération fut limitée. May refusa de donner les noms de ses complices et prétendit avoir oublié le détail des contacts qu'il avait pu avoir à Londres. On lui conseilla de continuer ses conférences au King's College comme si rien ne s'était passé, mais on lui demanda toutefois de rendre son passeport. Sans papiers, PRIMROSE ne pourrait pas s'enfuir sur le continent – ou se terrer dans l'une des cachettes que les services secrets soviétiques tenaient à la disposition de leurs agents en cavale.

La peine légère de May contrastait avec la pendaison à laquelle avait été condamné un autre traître quelques mois plus tôt, le propagandiste nazi William Joyce, surnommé « Lord Haw-Haw ». A cette occasion, Rebecca West écrivit dans le *New York Times* : « La culpabilité de Joyce était infime comparée à celle de May. » Pourtant, tous ceux qui participèrent au procès de May semblaient horrifiés à l'idée qu'il puisse être envoyé en prison; jusqu'au procureur, Sir Hartley Shawcross, qui souhaita « qu'il fût bien clair que l'on ne sous-entendait pas que les Russes fussent des ennemis, même potentiels ».

Lord Haw-Haw fut pendu parce que les autorités en avaient décidé ainsi. Le professeur May aurait subi un sort semblable si les autorités avaient jugé que l'opinion publique le réclamait, car lui aussi s'était rendu coupable de trahison en temps de guerre. Mais le savant était un intellectuel protégé par ses pairs. William Joyce, quant à lui, n'était qu'un pauvre imbécile qui avait singé l'accent aristocratique (d'où son surnom) pour se moquer des dirigeants britanniques quand ils étaient les seuls à oser défier Hitler. Chaque nuit, sa voix retentissait sur les ondes anglaises : « L'Allemagne vous parle! L'Allemagne vous parle! » Il ne manquait jamais de donner le nombre de bateaux britanniques que les sous-marins nazis prétendaient avoir coulé à une époque où il suffisait d'ouvrir un journal pour tomber sur la photo d'un de ces marins noyés. Toutefois Joyce n'avait pas trahi de secrets. Il se faisait passer pour américain, bien qu'il fût naturalisé allemand. Seulement Joyce fut victime d'une loi datant de 1608 qui disait : « Tout homme venant en Angleterre doit obéissance au roi aussi longtemps qu'il se trouve sous sa protection... S'il se rend coupable de trahison, il sera jugé et condamné comme traître. » Joyce avait bénéficié de la protection de la loi anglaise pendant trente ans avant de devenir citoyen allemand, et c'est à cause d'un détail technique anachronique qu'il fut conduit au bourreau.

Pendant le procès de May, la cour n'invoqua pas une seule fois cette ancienne loi. Le juge lui-même, en levant la séance, se contenta de déclarer : « Je regrette qu'un homme dans votre position ait eu la suffisance crasse de s'arroger le droit de partager des secrets atomiques avec la Russie. »

Lorsqu'il entendit parler du procès, Gouzenko pensa tout naturellement que l'on s'activait dans la coulisse. Libéré des contraintes imposées par le régime de « détention préventive », il entama une nouvelle vie avec sa famille. Il changea d'identité et s'installa à la campagne.

Le professeur May était derrière les barreaux. Gouzenko en conclut que les services secrets s'étaient lancés à la poursuite d'autres traîtres, et le second ELLI commença à s'estomper dans sa mémoire.

De leur côté, les confrères d'Alan Nunn May plaidaient la clémence. L'Association britannique des travailleurs scientifiques, notoirement prosoviétique, exigea une réduction de cette « peine extrêmement sévère ». A Los Alamos, les savants anglais frémirent en apprenant la condamnation de ce « pauvre Alan ».

Un seul ne broncha pas. C'était un physicien associé au projet des Tube Alloys, qui s'estimait plus brillant que May. Il se borna à déclarer : « De toute façon, je ne pense pas qu'Alan ait pu livrer grand-chose aux Russes. » Réflexion qui ne laisse pas de surprendre quand on sait qu'il s'agissait de Klaus Fuchs, autre espion soviétique. A l'époque, il avait encore quatre ans de tranquillité devant lui avant que le formidable Skardon ne lui mette la main au collet. Si les gredins placés aux postes clés de l'Occident n'avaient pas été en mesure de couvrir les espions encore en liberté, et si la coordination des services du renseignement avait survécu à la paix, la carrière de ce savant-espion aurait été écourtée. En activité depuis 1942, il avait tenu les Soviétiques au courant de l'évolution des travaux sur la bombe américaine. En 1950, il avait livré une quantité astronomique de secrets atomiques. Cet « espion du siècle » (titre décidément très disputé) fut arrêté en Angleterre où, selon la loi, on ne pouvait l'accuser d'espionnage que s'il passait aux aveux, puisqu'on ne disposait pas de preuves tangibles.

L'intervention de Gouzenko avait permis aux enquêteurs de remonter jusqu'à Anatoli Yakovlev, le fameux docteur de l'hôpital de New York et officier traitant de Fuchs. Cela n'empêcha pas Yakovlev de conserver son poste diplomatique pendant dix mois encore et de partir, fin 1946, après avoir fait le tour des soirées organisées à Manhattan en son honneur.

Quelle fut l'ampleur des secrets trahis par l'intermédiaire des agents du réseau GRANT dont le quartier général se trouvait à Ottawa? Les fuites continuèrent-elles quand, après le démantèlement de GRANT, les Soviétiques passèrent à d'autres réseaux, montrant ainsi leur mépris pour ces procédures démocratiques qui entravaient les hommes de loi? Depuis combien de temps les Soviétiques utilisaient-ils le Canada comme plaque tournante pour espionner l'hémisphère occidental, profitant de l'attitude accommodante de ce pays? En 1946 ces questions ne furent pas soulevées. A l'époque, on s'intéressa exclusivement à l'espionnage atomique, dont on ne parvint jamais à mesurer l'étendue. Moscou fit intervenir ses agents haut placés et exploita les dissensions entre les chefs des services secrets occidentaux pour mettre un terme aux enquêtes plus poussées. Malgré les efforts de

Gouzenko, on ne procéda donc jamais à une évaluation de l'importance de l'infiltration soviétique des centres de décisions occidentaux.

Parmi les diversions créées par les services russes, il y eut une tentative de création d'un service du renseignement extérieur canadien, qui aurait fonctionné sous le contrôle de Moscou si l'on avait retenu la candidature de celui qui se proposait d'en jeter les bases : un agent russe de haut niveau pas encore démasqué. Staline avait assimilé la leçon de Colin Gubbins, chef du SOE : « Une nation qui réussit à infiltrer les services de sécurité d'une autre tire toutes les ficelles. » En l'occurrence, Gubbins faisait allusion à la manipulation des opérations de renseignements nazies par les Britanniques, mais le principe restait le même.

On limita donc délibérément la « trahison » révélée par l'enquête Gouzenko au vol des secrets atomiques, dont le gardien officiel était les États-Unis, bien que le Canada et la Grande-Bretagne aient largement contribué à l'élaboration de la bombe. Comme les Russes pêchaient en eaux troubles, ils n'eurent aucune difficulté à créer un climat lourd de soupçons entre les Alliés. Les services secrets russes s'arrangèrent pour que la controverse porte surtout sur certaines questions précises : Cela vaut-il la peine de garder des secrets dans un monde moderne ? Doit-on punir les savants ou autres techniciens de l'atome d'avoir cherché, au nom de l'idéalisme, à partager des secrets ? Était-il injuste de condamner à mort des espions atomiques présumés comme Ethel et Julius Rosenberg ?

Bien entendu, on évita de soulever les problèmes annexes : Pourquoi l'URSS soumet-elle toutes les informations de l'État à la loi du secret avec condamnation à mort à la clé en cas de non-respect ? Pourquoi les savants soviétiques ne peuvent-ils pas parler librement de leurs travaux ? La peine capitale et l'exil sont-ils des punitions injustes pour ces Russes qui livrent à des puissances étrangères des secrets d'État comme les chiffres de la production annuelle des produits dérivés du pétrole?

On finit par oublier le mystérieux second ELLI de Gouzenko, ce qui ne l'empêcha pas de continuer à agir dans l'ombre.

SIXIÈME PARTIE

1950
LE MACCARTHYSME
ET LA GUERRE FROIDE

23

L'ÉLITISME
ET LES CHASSES
AUX SORCIÈRES

Je me suis servi de ma philosophie marxiste pour diviser mon esprit en deux compartiments distincts : dans le premier, je m'autorisais à nouer des amitiés... à aider les autres et à tout faire sur le plan personnel pour ressembler à l'homme que je souhaitais être... Je savais que le second compartiment interviendrait si j'approchais du point critique. Dans cet autre compartiment, j'étais parvenu à m'abstraire complètement des forces de la société. En y repensant, je crois qu'on peut parler de schizophrénie contrôlée.

C'est ainsi que Klaus Fuchs expliquait comment il fonctionnait en tant qu'espion atomique. Longtemps la version officielle fut la suivante :

Le FBI examina les carnets subtilisés par Gouzenko à l'ambassade soviétique d'Ottawa. Parmi les noms, figurait celui de Klaus Fuchs. Ce nom n'était pas inconnu du service. Les agents du FBI qui avaient épluché les archives de la Gestapo saisies en Allemagne avaient trouvé une allusion à un certain Klaus Fuchs, fiché comme communiste par la Gestapo de Kiel. La description donnée correspondait à celle de Fuchs, directeur fort respecté du département de physique théorique du Centre de recherche atomique britannique d'Harwell. Fuchs était un génie. Hoover prévint le MI5. Les interrogatoires d'Alan Nunn May et autres agents soviétiques avaient permis aux services secrets britanniques de glaner de nouveaux éléments. Fuchs avait fui l'Allemagne nazie. Après avoir participé aux recherches atomiques anglaises, il s'était joint au projet de Los Alamos en 1943. Il avait gardé le contact avec un agent soviétique, un chimiste de Philadelphie, Harry Gold. Fuchs passa aux aveux en 1950. Il dénonça Gold, qui à son tour donna le nom de son contact, David Greenglass qui avait travaillé à Los Alamos. Enfin Greenglass dénonça Julius et Ethel Rosenberg.

En fait, l'interception partielle des communications radio entre le Centre de Moscou et ses stations étrangères avait déjà permis de repérer Fuchs; en 1949, grâce à ce même procédé, on avait appris que Julius Rosenberg fournissait des renseignements sur la bombe aux Soviétiques. Il était hors de question que l'on divulgue ces messages interceptés. Les experts du contre-espionnage de l'Alliance durent constituer d'autres dossiers qui se fondaient, Hoover le savait pertinemment, sur le genre d'aveux que Jim Skardon avait l'art de provoquer. « Il est extrêmement difficile de démontrer l'existence d'un complot. On ne dispose en général que de preuves indirectes. »

En utilisant des éléments recueillis grâce aux écoutes du trafic radio, Skardon avait fini par persuader Fuchs d'avouer dans la semaine du 30 janvier 1950. Installé au ministère de la Guerre dans un bureau réservé au MI5, Skardon amena adroitement Fuchs à décrire ses dix-huit années de trahison au service des Soviétiques, à qui il avait livré le procédé de diffusion gazeuse de la bombe au plutonium des Américains, ainsi que des détails sur le développement d'une bombe indépendante par les Britanniques.

L'été 1949, cinq mois avant la confession de Fuchs, la Russie avait testé sa première bombe atomique. L'accession de l'Union soviétique au statut de puissance nucléaire se produisit à un moment critique pour le monde. « Vous en êtes sûr? Vraiment? » s'exclama le président Truman lorsqu'on lui dit qu'un laboratoire volant B-29, revenant d'une mission photographique en Asie, avait détecté des traces de matière radioactive qui ne pouvait que provenir d'une explosion atomique en Union soviétique. Truman avait cru que la Russie mettrait encore dix ans à fabriquer sa propre bombe. On disposa bientôt de détails sur l'explosion d'une bombe dans le désert du Kazakhstan. « Cela signifie que nous n'avons plus de temps à perdre », déclara Truman.

Le 18 février 1949, Stephenson avait révélé que la première explosion atomique soviétique était prévue pour le mois de septembre suivant. « Cela faisait pourtant longtemps qu'il n'était plus en service commandé », raconta l'ancien officier de liaison avec l'OSS Ernie Cunéo, avocat à Washington. « En septembre, Truman annonça officiellement la nouvelle. Je demandai à Stephenson comment il avait obtenu ce renseignement suprenant et ce que valaient ses sources. » « Nous avons une petite ouverture, me répondit-il. La source est Triple A, Triple 1. »

On considérait l'espionnage soviétique comme une menace sérieuse pour la sécurité américaine. Quatre ans avant la mise à nu des opérations GRANT du colonel Zabotin, on mesurait enfin l'ampleur de la réussite soviétique. Le mécanisme le plus intime de la bombe d'Hiroshima impliquait la mise en contact de deux hémisphères jusqu'à ce que la masse atteigne le seuil critique et explose. La taille de ces deux hémisphères, la vitesse de collision, la quantité d'U-235, la portée des neutrons devant être projetés par la réaction en chaîne, la façon de diriger les ondes d'explosion pour déclencher la bombe, tous ces éléments avaient été livrés à Moscou avec une telle régularité que les Russes auraient aussi bien pu être officiellement associés aux fabricants de la bombe.

S'il fallait réexaminer les retombées de l'affaire Corby et le peu d'intérêt accordé à Gouzenko, c'était le moment ou jamais. Quatre jours avant l'arrestation de Fuchs, Albert Einstein avait lancé un avertissement au monde entier : « L'empoisonnement radioactif de l'atmosphère et, par conséquent, l'anéantissement de toute vie sur terre fait maintenant partie du possible... On court à l'anéantissement total. »

Einstein pensait à la bombe H. La nouvelle de la trahison de Fuchs avait incité les conseillers atomiques du président Truman à préconiser la « superbombe ». On donna le feu vert le lendemain des premiers aveux de Fuchs. Fuchs avait été au centre des discussions scientifiques anglo-américaines et « savait tout », rapporta Hoover à l'amiral Lewis Strauss, l'un des bras droits de Truman en matière atomique. En privé, Hoover se demandait pourquoi la détection de Fuchs avait pris si longtemps, alors que le dossier Corby renfermait tous les indices nécessaires. Mais comme Hoover devait se plier aux règles de la politique politicienne pour survivre, il se vit obligé de consacrer un temps disproportionné aux questions posées par le Congrès à la suite des violentes accusations de Joe McCarthy, le mitrailleur d'espions.

Fuchs impressionnait moins l'opinion publique que le sénateur. Celui-ci eut un formidable impact lorsqu'il s'adressa à l'Ohio Women's Club de Wheeling en Virginie au mois de février. Son histoire de traîtres et « de jeunes gens brillants nés avec une cuiller d'argent dans la bouche » qui trahissaient leur pays déclencha une vague de chasses aux sorcières qui touchèrent un nerf sensible dans la population. Des champions de l'anticommunisme surgirent de partout. Le jeune sénateur s'appuyait sur des documents « classés secrets » et refusait de soumettre ces « preuves » à l'examen public, pour des « questions de sécurité nationale ». Il lança un nouveau style d'enquêtes télévisées qui brisèrent des vies innocentes.

Les questions du Congrès se fondaient sur les conclusions de l'enquête de la commission royale canadienne sur l'affaire Corby. Washington avait pris connaissance de certains des passages supprimés. Aucun observateur ne pouvait ignorer le contenu du rapport Gouzenko épuré. Joseph C. Goulden, écrivain qui avait toujours montré une saine incrédulité à l'égard des versions officielles et qui détestait tout ce que McCarthy représentait, dit néanmoins du rapport Gouzenko qu'il indiquait que :

On ne pouvait plus traiter les communistes américains d' « extrémistes de salon » inoffensifs. Les membres clandestins du parti communiste « avaient joué un rôle important dans la mise en place d'autres communistes à différents postes du service public, stratégiques non seulement pour l'espionnage mais aussi pour la propagande et autres objectifs du même genre ». De nombreux bureaucrates impliqués dans ce réseau d'espionnage « étaient des individus jouissant d'un niveau d'éducation élevé que leurs collègues tenaient pour des personnes intelligentes et capables ». Tous avaient agi pour des motifs idéologiques... L'Union soviétique se révélait prête à espionner ses amis.

A Washington, au moment de la parution du rapport Gouzenko, on pensait que le sénateur McCarthy était peut-être un rustre mais qu'il devait cependant y avoir quelque chose de vrai dans ce qu'il avançait. Des passages du rapport secrets pour le public mais connus du FBI, menaient à la conclusion que les réseaux d'espionnage soviétiques aux États-Unis avaient fonctionné pendant des années avec une totale impunité. On avait supprimé ces passages pour respecter l'accord passé entre les trois pays de l'Alliance qui spécifiait que la publication devait se limiter au domaine de responsabilité de chacun des pays. Cette mesure permettait de sauver la face : le président Truman n'était pas le seul dirigeant à craindre que des histoires d'espions prospérant dans son gouvernement ne lui portent préjudice aux élections. L'affaire Fuchs et la découverte possible d'autres traîtres poussèrent Truman à lancer un programme thermonucléaire intensif. Il répondait ainsi au cri d'alarme du sénateur Homer Capehart : « Qu'allons-nous encore devoir supporter ? Fuchs... et Hiss et des bombes à hydrogène qui nous menacent de l'extérieur, et ce New Dealism qui nous dévore les entrailles. »

Sans l'aide des espions atomiques qui permirent aux Soviétiques de devenir compétitifs, l'ère des armes atomiques n'aurait jamais connu l'horreur de la bombe H, tellement plus destructrice que la première bombe. Après l'annonce de l'explosion soviétique de 1949, la commission de l'énergie atomique se réunit à Washington pour étudier la superbombe. L'arrestation de Fuchs provoqua un revirement de l'opinion qui, au départ, était contre. La première bombe à fusion américaine explosa dans le Pacifique en novembre 1952, mais il s'agissait d'une bombe statique. Neuf mois plus tard, l'Union soviétique acquit la première place dans le domaine nucléaire avec l'essai concluant d'une bombe H livrable. Les Anglo-Américains connaissaient depuis longtemps la théorie des armes thermonucléaires et, comme Fuchs le déclara aux agents du FBI venus à Londres pour l'interroger, c'est lui qui avait donné à Moscou le secret du mécanisme déclenchant la charge d'hydrogène lourd.

Attlee dit au Parlement britannique : « Nous sommes en présence d'un réfugié de la tyrannie nazie, reçu avec toute l'hospitalité voulue, qui œuvrait secrètement contre la sécurité de ce pays. » Cela n'empêcha pas un public britannique content de soi de condamner Fuchs à une peine légère : coudre des sacs postaux.

Une fois de plus, l'arrogance intellectuelle de la nouvelle classe privilégiée semblait trouver des excuses à la fragile conscience des savants. L'espion qui s'était vanté de représenter le « gratin de la recherche anglaise », qui avait ouvert la voie de la supériorité nucléaire soviétique sur l'Ouest pour le temps bref où Moscou fut le seul à posséder une bombe à hydrogène livrable, fut condamné à quatorze petites années d'emprisonnement. Déchu de sa nationalité britannique, ce qui ne parut pas le bouleverser beaucoup, Klaus Fuchs devait être libéré neuf ans plus tard. On l'autorisa à gagner l'Allemagne de l'Est où il devint directeur adjoint de l'Institut central de physique nucléaire, antenne de la recherche soviétique.

Alan Nunn May n'effectua que six des dix années de sa peine, puis partit pour une des républiques africaines sous influence soviétique où l'attendait un poste de physicien nucléaire. Il devait revenir finir sa vie en Angleterre, où il coula des jours tranquilles dans un village non loin de Cambridge, université d'où étaient issus tant de traîtres cultivés et bien élevés.

Les documents Fuchs aggravèrent les soupçons des Américains à l'égard des Britanniques. Les excès du maccarthysme montèrent l'opinion libérale contre les services du contre-espionnage. Le sénateur causa plus de dégâts qu'une campagne de désinformation orchestrée par les Soviétiques. McCarthy parvint à faire oublier à l'Occident les inquiétudes suscitées par les activités des

Russes, obligea le FBI à consacrer un temps précieux aux intellectuels de gauche de Hollywood, et fit passer un honnête homme comme Gouzenko pour un individu encore moins recommandable qu'un opportuniste maccarthyste.

Gouzenko essayait d'attirer l'attention d'autres officiers du contre-espionnage qui ne semblaient pas disposés à l'écouter. L'impensable se serait-il produit? S'adressait-il à une taupe soviétique quand il confia ce qu'il savait et soupçonnait du second ELLI au « monsieur qui venait d'Angleterre »? Quand ces questions commencèrent à hanter Gouzenko, il sentait déjà les premières retombées d'une discrète campagne de diffamation. McCarthy contribua au développement de cette campagne. En effet, les chasses aux sorcières en dégoûtèrent beaucoup au sein même des services de contre-espionnage.

Les transfuges des services secrets soviétiques qui arrivèrent après 1950 confirmèrent que l'Union soviétique n'allait pas tarder à comprendre que McCarthy, de par son extrémisme, était son meilleur allié. Les chasses aux sorcières et l'espionnite étaient des moyens peu coûteux de provoquer la méfiance. « J'ai ici, dans la main, une liste », déclara McCarthy à Wheeling, liste où figuraient d'après lui les noms d'agents communistes travaillant au département d'État. Ces mots : « J'ai ici, dans la main, une liste » allaient être repris avec un mépris grandissant.

Les chasses aux sorcières se disputèrent âprement les gros titres des journaux avec une sérieuse rivale : l'attaque communiste de la Corée. Au début de 1950, la CIA avait prédit que la Corée du Nord, communiste, envahirait le Sud au mois de juin suivant. Cette étonnante clairvoyance montrait que la nouvelle agence avait su se développer rapidement sur les bases de la précédente. Le fait que cet avertissement fut ignoré est typique de l'époque, mais un autre élément entrait en compte : la trahison. Du point de vue de la sécurité militaire, la Corée ne présentait qu'un faible intérêt stratégique. Cependant, la doctrine de l'endiguement de Truman impliquait une résistance à l'agression communiste où qu'elle frappe. Il était plus simple, proclamaient les détracteurs de l'Amérique, pour les fanfarons de Washington de lutter contre le communisme à l'intérieur de ses propres frontières en recourant aux chasses aux sorcières. Cette opinion mesquine était communément admise en Angleterre, même après le début de la guerre en Corée et le renouveau de l'alliance des deux pays sur le terrain. Cette méfiance politique ouvrit la porte aux fuites de renseignements vers Moscou, d'une manière qui aurait paru inconcevable aux patriotes américains, britanniques et canadiens qui combattaient et laissaient quelquefois leur vie en Corée.

Le jour dit, l'armée du peuple nord-coréenne traversa le 38e parallèle, avec à sa tête des troupes communistes d'élite qui s'étaient battues contre les nazis aux côtés des Soviétiques. Au début, Moscou tenta de gagner la sympathie de l'Occident pour ces « forces antifascistes », en rappelant sa courte alliance avec l'Occident contre Hitler. Cette fois, le stratagème échoua. Et les États-Unis se retrouvèrent en train de défendre la Corée du Sud au nom des Nations unies, à cause d'un mauvais calcul de Staline. Peu de temps avant, il avait rompu un accord de Potsdam qui stipulait que l'avenir de la péninsule coréenne devait être déterminé par des élections effectuées sous surveillance par l'organisme international : le moment venu, les Russes refusèrent que les envoyés des Nations unies traversent le 38e parallèle pour vérifier l'interprétation donnée par le Nord communiste à la notion d'élections démocratiques. L'attitude de Staline provoqua l'engagement actif des États-Unis aux côtés de la Corée du Sud. L'ironie du sort voulut que chacun des pays de l'Alliance atlantique entrât dans le conflit sous la bannière des Nations unies, organisme pour la création duquel ils avaient réclamé la participation de l'Union soviétique dans le souci d'apaiser Staline. Apparemment, la volonté d'apaisement qui s'était manifestée dans le sort réservé à l'affaire Corby n'avait pas adouci le dictateur.

L'attaque de la Corée du Nord était inspirée, équipée et minutée par les Soviétiques. On avait dit à Staline que les Américains considéraient que la péninsule coréenne se trouvait au-delà de leurs nouvelles lignes de défense pour le Pacifique. Des années plus tard, des enquêteurs conclueraient que cette information provenait de fuites importantes de Washington à Moscou. En l'occurrence, l'analyse était fausse. Les États-Unis ainsi que les pays libres des Nations unies étaient prêts à se battre pour la Corée du Sud. Staline, se fiant aux prédictions de ses agents d'influence, avait cru à tort que les États-Unis n'interviendraient pas.

Cette « action de police » causa 100 000 pertes en vies humaines dans les rangs américains en trois ans, rançon que les États-Unis payèrent pour avoir essuyé le plus fort de l'attaque et avoir pris la direction du refoulement des envahisseurs. En l'occurrence, la victoire se solda par un simple cessez-le-feu. L'influence soviétique était revenue à son point de départ. C'est l'étude des communications BRIDE/VANOSA et la disparition soudaine de deux taupes soviétiques en 1951 à Washington qui permirent de commencer à comprendre l'ampleur de la trahison. On attendit 1983 pour révéler cette vérité à l'opinion publique américaine, lorsqu'il s'avéra que des trahisons aux plus hauts niveaux avaient provoqué la mort des soldats américains tombés dans une embuscade. Staline s'était peut-être trompé dans son estimation de la réaction des États-Unis, mais ses agents avaient quant à eux remporté une nette victoire militaire.

En plus des renseignements de caractère militaire, les agents soviétiques basés à Washington fournissaient des éléments utiles à la propagande politique. Après l'entrée des communistes chinois en Corée venus prêter main-forte dans la lutte contre les Nations unies à la fin de 1950, Staline avait appris que le général Douglas MacArthur avait conseillé qu'on lâche trente à cinquante bombes atomiques sur les bases aériennes chinoises situées au nord du fleuve Yalu. Le Yalu servait de frontière naturelle entre la Mandchourie chinoise, jadis convoitée par les Soviétiques, et la Corée du Sud. Staline avait de bonnes raisons de craindre une expansion de l'hégémonie chinoise, et il n'était pas opposé à l'idée de faire sortir les Chinois de Mandchourie. Mais il sut que leurs bases ne seraient probablement pas bombardées, grâce au rapport complet des discussions entre le président Truman et le Premier ministre Attlee qu'on ne tarda pas à lui fournir. Truman avait dit à Attlee que cette suggestion ne « tenait pas debout ». On proposa en revanche très sérieusement de répandre du cobalt radioactif le long du Yalu pour mettre un terme aux incursions chinoises de l'autre côté. Des agents soviétiques à Pékin donnèrent ce renseignement aux communistes de Mao. C'est de là que partit la légende de la « guerre bactériologique » qui attira la sympathie de l'Asie et de l'Occident à l'égard des Chinois. Moscou connaissait la vérité grâce à ses agents : Truman n'avait pas l'intention d'utiliser les bombes atomiques. Le projet prétendument secret de répandre du cobalt avait été rejeté, mais la propagande communiste s'en empara pour étayer les rumeurs de guerre bactériologique.

On se demandait aussi à l'époque combien de sympathisants travaillaient pour Staline à l'intérieur du département d'État. Les enquêtes tournèrent au ridicule, avec McCarthy jouant les dompteurs de cirque *. La colère

* Le maccarthysme fut à l'origine d'un nombre phénoménal de mises à pied : 9 500 fonctionnaires soupçonnés d'affiliation communiste furent renvoyés. 15 000 autres donnèrent leur démission au cours de l'enquête menée sur leur compte. Tous les noms furent rendus publics. Par comparai-

légitime provoquée par le maccarthysme alimenta la propagande soviétique. Ceux qui s'étaient opposés à la bombe H furent rejoints par ceux qui étaient hostiles au sénateur. La facilité avec laquelle les Soviétiques transformaient des citoyens sensés en « imbéciles utiles » fut dépeinte par un agent russe, dont le nom avait été évoqué en passant lors des interrogatoires de Gouzenko en 1946.

Hede Massing était « entrée en communisme » en 1920. Son mari occupait un poste important au Komintern. Cet excellent recruteur d'agents finit par rompre avec le parti et, en 1981, raconta combien il avait été aisé de provoquer l'indignation des universitaires et des savants, et de les inciter à critiquer des gens comme Gouzenko plutôt que des collaborateurs actifs de l'Union soviétique. Elle possédait une longue expérience et ses paroles méritent d'être rapportées : « C'est l'approche idéaliste qui marche le mieux avec les privilégiés américains. Il serait pratiquement impossible de recruter parmi la classe ouvrière, mais les intellectuels et la classe moyenne sont des cibles faciles. Le communisme plaît à l'élite. Qu'a-t-il à offrir ? De grandes idées. La liberté avec un grand L. Le marxisme. Un système économique différent. Un mode de pensée. De nouvelles expériences médicales. Un véritable univers... »

son, seulement 25 fonctionnaires britanniques furent renvoyés pour raisons de sécurité entre 1948 et 1981, 25 autres démissionnèrent, et 88 furent affectés à des postes de moindre responsabilité. Et de ceux-là, 33 furent rétablis dans leurs fonctions. Aucun nom ne fut publié. Est-ce une preuve de laxisme de la part de la Grande-Bretagne ? Ou d'un goût immodéré pour l'intrigue chez les Américains ? On pourrait tirer une autre conclusion : beaucoup d'Américains furent injustement chassés de leurs fonctions à cause de McCarthy.

24

L'ÉCLOSION
DE L'ESPIONNAGE
SOVIÉTIQUE

Le climat politique devenait plus favorable aux espions
qu'aux transfuges.

Dans les années cinquante, Gouzenko était « brûlé »
pour les services secrets occidentaux, qui le considéraient
aussi fort commodément comme la dernière affaire importante de Stephenson. « Gouzenko est une nullité qui ne
défend que sa propre cause, un minable employé du
chiffre aux ambitions démesurées », lisait-on sous la
plume du critique littéraire d'un journal indien financé
par les communistes, qui faisait le compte rendu de son
premier livre. La campagne de dénigrement battait son
plein.

Gouzenko s'exprimait maintenant plus librement
devant les commissions d'enquête américaines, qu'il utili-
sât toujours un nom d'emprunt par crainte des représailles russes. La loi du secret en vigueur dans son pays
d'adoption l'intimidait encore. Cette règle, inspirée des
nuages britanniques, était très stricte à l'époque. Il faudrait attendre trente ans pour que le gouvernement
anglais reconnaisse officiellement l'existence du SIS, du
MI6 ou du MI5. Le non-respect de cette loi était sévère-
ment réprimé, et Gouzenko pouvait difficilement parler
de ses soupçons sans mentionner ces services.

Gouzenko était dans une impasse. Il se voyait légalement obligé de se confier à des hommes appartenant précisément aux services infiltrés selon lui par des espions soviétiques. Son seul interlocuteur valable restait hors course. En effet, Stephenson se trouvait à ce moment-là dans une situation comparable à celle qu'il avait connue avant la Seconde Guerre mondiale quand, simple homme d'affaires, il dirigeait son propre bureau du renseignement pour tenir Churchill au courant des préparatifs de guerre de Hitler. Installé dans une vieille plantation en Jamaïque, il venait de participer avec Bill Donovan à la création d'une société de placement. World Commerce devait financer la mise en place d'industries pilotes dans des pays sous-développés qui, une fois décolonisés, affrontaient des problèmes d'indépendance politique autant qu'économique.

Stephenson croyait aux assertions de Gouzenko, à savoir que les services secrets russes contrôlaient des agents en position d'étouffer des enquêtes éventuelles au sein des services de contre-espionnage occidentaux; que les services secrets russes exploitaient les manques de coordination entre ces bureaux; que ces mêmes services secrets russes formaient des terroristes pour assassiner les cibles du Kremlin à l'étranger.

Ces affirmations finiraient par s'avérer fondées, mais pour l'instant on traitait Gouzenko de menteur, voire de paranoïaque.

Stephenson entreprit de prouver la véracité des propos de Gouzenko. En 1950, il avait découvert deux affaires qui confirmaient que les services secrets russes se servaient de passeports canadiens pour effectuer les opérations de grande envergure. Dans le premier cas, il s'agissait de la falsification d'un passeport pour l'un des tueurs de Staline qui devait abattre Trotsky. La seconde affaire concernait la confiscation de quelque trois mille passeports canadiens par un pays satellite de l'Union soviétique.

Le vol massif de passeports canadiens destinés aux usines de faux papiers de Moscou fut rapidement réglé. Lorsque les communistes de Tito prirent le pouvoir en Yougoslavie, ils persuadèrent les Canadiens d'origine yougoslave de rentrer dans leur pays. C'est par milliers qu'ils répondirent à l'appel. Beaucoup d'entre eux échouèrent en prison quand, déçus, ils essayèrent de repartir. Ils n'avaient plus de passeport. Stephenson rendit l'histoire publique. Tito renvoya le chef de sa police secrète et libéra ceux qui souhaitaient regagner le Canada. Toutefois, les passeports confisqués avaient déjà pris le chemin de Moscou. Jusque-là, le gouvernement canadien ne s'était guère préoccupé du sort de ses ressortissants, mais cette publicité le força à passer à l'action. Il fit circuler une description des passeports égarés... Trop tard cependant pour éviter que plusieurs ne tombent entre les mains d'agents soviétiques. Avant la guerre, Tito lui-même avait voyagé avec un passeport falsifié par Moscou, sous le nom d'un ingénieur canadien, Spiridon Mekas.

L'assassinat de Trotsky par un autre faux Canadien souleva des problèmes plus complexes. En Jamaïque, Stephenson avait été invité par un chef désenchanté du MI5 à entrer dans une agence privée qui luttait contre le banditisme international. Il apprit à Stephenson qu'à Londres, le dossier Gouzenko s'était volatilisé... Encore un exemple de disparition mystérieuse de documents. A son avis, cet incident ne présageait rien de bon. Cela signifiait-il que l'on allait essayer de se débarrasser de Gouzenko? Il évoqua ensuite l'énigme de l'exécution minutieusement préparée de Trotsky près de Mexico, où Stephenson était toujours en contact avec un ancien officier du SIS qui avait travaillé sous ses ordres au BSC pendant la guerre.

C'était l'occasion rêvée pour dénoncer les méthodes des services secrets russes et aider Gouzenko à gagner la confiance du public. Il fallait aussi convaincre les autorités que Gouzenko courait un danger. En effet, Staline savait qu'il pouvait réduire n'importe quel ennemi au silence et n'hésiterait pas à le faire si Gouzenko continuait de menacer les opérations des services secrets.

En 1950, les services spéciaux occidentaux étaient crédules, et c'est un euphémisme. Stephenson était tout prêt à croire le chef du MI5 qui soupçonnait que leur vulnérabilité n'avait rien d'accidentel. Sinon, comment expliquer le fait que le tueur de Trotsky vivait toujours, confortablement entretenu par l'État mexicain, où il avait exécuté les ordres du Kremlin en assassinant le vieux rival de Staline? Le meurtrier se promenait en toute impunité sous une fausse identité canadienne.

Gouzenko avait déclaré sous serment que les agents soviétiques placés dans les services publics occidentaux pouvaient effacer les traces de leurs collègues en utilisant des techniques et un équipement fournis par le Centre de Moscou. Quatre ans après, rien ne permettait de dire que l'on avait tenu compte des avertissements de Gouzenko.

Léon Trotsky, cofondateur avec Lénine du régime soviétique, organisateur et dirigeant de l'Armée rouge, avait été assassiné le 20 août 1940. Le tueur avait un passeport canadien portant le nom de Frank Jacson. On le captura vivant. C'était l'un des tueurs qui avaient passé onze ans à poursuivre Trotsky autour du monde, après que Staline l'eut écarté. « Jacson » finit par dénicher Trotsky dans sa maison très protégée de Mexico.

« Jacson » fut pris vivant, parce que Trotsky ordonna dans un dernier souffle à ses gardes du corps de ne pas toucher à son assassin. Trotsky avait été abattu à coups de pic à glace. Il connaissait les méthodes de Staline et voulait qu'elles fussent exposées au grand jour. Vivant, le tueur constituait une preuve qui pourrait parler.

Seulement l'assassin mélangeait les langues et donna plusieurs versions de son histoire qui, pour être contradictoires, n'en étaient pas moins convaincantes. Trotsky, qui avait annoncé peu de temps avant que son propre fils avait été exécuté à Paris sur les ordres de Staline, avait espéré que son tueur craquerait pendant les interrogatoires. Mais « Jacson » avait été entraîné et préparé à la perfection. Dans ses vêtements, on trouva plusieurs lettres et papiers trompeurs. Il pouvait passer pour français, belge, espagnol ou canadien... Dix ans durant, dans sa prison de Mexico, il résista aux experts. Puis, grâce à une brillante opération de contre-espionnage que l'on fit passer pour la découverte accidentelle de vieilles archives criminelles en Espagne, on l'identifia comme Jaime Ramon Mercader del Rio Hernandez, fils de Caridad Mercader, qui avait voué la vie de cet enfant illégitime au service de Staline. Né à Barcelone en 1914, il « renaquit » comme terroriste au sein des services secrets russes.

En 1950, Stephenson divulgua la vérité sur l'affaire en recourant au vieux réseau. Les faux papiers de l'assassin avait été fabriqués à partir de renseignements glanés sur un Canadien mort pendant la guerre civile. Le tueur s'était lancé aux trousses de Trotsky, après un détour par le Canada pour gommer les traces de son passé et un autre par New York où il retrouva la femme qui devait lui ouvrir les portes de la maison fortifiée de Trotsky. La revue de la police montée canadienne publia le récit complet. Des questions commencèrent à circuler dans les cercles politiques de l'Ouest. Beaucoup se souvinrent que Gouzenko avait révélé la présence de l'Exécuteur dans le service public canadien, l'homme que Moscou utilisait pour falsifier les documents.

L'objectif de Stephenson était de faire toute la lumière sur plusieurs problèmes que la loi du secret avait masqués. Dans le cas des passeports canadiens confisqués, il obligea un gouvernement canadien récalcitrant à adopter une position ferme à l'égard de la Yougoslavie communiste, alors que jusque-là Ottawa avait refusé de réagir.

Dans celui du tueur de Trotsky, il montra la bêtise criminelle de ceux qui avaient fêté le consul soviétique, Anatoli Yakovlev, après que Gouzenko l'eut dénoncé comme maître espion. On savait maintenant que c'était lui qui avait fourni à l'assassin de Trotsky les moyens financiers et matériels pour commettre son crime.

Cela n'empêcha pas « Jacson » de continuer à mener grand train dans sa prison de Mexico, où il consacrait une nuit par semaine à ses maîtresses. Il donnait aussi des cours sur le communisme à ses compagnons de cellule à l'aide de films de propagande soviétique gracieusement fournis par la prison qui renouvelait le stock tous les mois. Au bout de dix autres années, il fut libéré. Il s'envola pour Cuba, puis pour la Tchécoslovaquie, où il s'employa à former des terroristes.

L'espionnage soviétique, loin de souffrir de ces révélations, prospérait. Le journaliste américain Don Whitehead souligna l'une des conséquences négatives de cette affaire : « Elle créa des doutes qui n'auraient jamais dû exister dans la vie politique américaine. »

Un an plus tard, à la fin de 1951, un autre physicien nucléaire qui avait trahi put s'enfuir en Russie. Il s'agissait de Bruno Portecorvo, qui avait amplement profité de l'aversion américaine pour la méfiance et les soupçons.

La fuite de Portecorvo illustra une des affirmations de Gouzenko : des renseignements secrets d'importance fondamentale pouvaient « se perdre » entre deux services. Il fallait en apporter la preuve car, selon une rumeur diffamatoire, aucun agent ne pouvait espérer dissimuler certains passages du témoignage du Russe, et le second ELLI, dont on disait qu'il occupait un poste haut placé dans les services spéciaux britanniques, ne pouvait détourner les résultats des interrogatoires ni « perdre » des preuves susceptibles de l'incriminer. Portecorvo fut en mesure de trahir des secrets de fabrication de la bombe H parce que chacun des trois services spéciaux occidentaux avait été amené à croire que l'autre avait autorisé l'espion à effectuer un travail ultra secret. Il prit aussi connaissance d'un fait capital, connu de quelques privilégiés seulement, à savoir que le composant essentiel de la bombe H était un deutérium de lithium.

Bruno Portecorvo avait fui l'Italie en 1940, pour échapper aux nazis. On lui confia aussitôt un poste important de physicien aux État-Unis, où sa réputation l'avait précédé. En 1935, à l'âge de vingt-deux ans, il avait publié en collaboration avec d'autres savants un article d'une remarquable prescience, qui s'intitulait : « La radioactivité artificielle produite par le bombardement de neutrons ». Pendant la guerre, il s'était joint aux équipes de recherche nucléaire de l'Alliance, n'ignorait rien des progrès du projet Manhattan et, à la fin du conflit, il participa au groupe d'études sur les armes atomiques britanniques. Dès que le président Truman apprit le contenu des aveux de Fuchs, il ordonna au FBI de fouiller le domicile américain de Portecorvo. On y découvrit des preuves indéniables de sentiments anti-américains et de communisme. Le FBI avertit aussitôt Londres par l'intermédiaire de l'agent de liaison du MI6 en poste à Washington. Portecorvo fut prévenu par des agents soviétiques avant même que les Britanniques puissent agir. Avec un parfait sang-froid, il se sentit au service de la sécurité dont il dépendait et avoua avec candeur qu'il avait un frère communiste en Italie. Il jura que son frère n'avait rien à voir avec les milieux scientifiques. Sa franchise fit bonne impression, ce qui lui donna le temps de préparer sa fuite.

Le FBI sut alors que Portecorvo n'avait jamais fait l'objet d'une enquête de la part des services spéciaux. On s'était arrangé pour que les agences de Grande-Bretagne, du Canada et des États-Unis pensent que les autres s'étaient chargées des vérifications habituelles. Portecorvo partit mettre son génie et son savoir unique de la bombe à hydrogène américaine au service de la recherche atomique soviétique.

Portecorvo avait involontairement prouvé que Gouzenko avait raison quand il parlait de l'aisance avec laquelle les agents soviétiques traversaient les cribles de sécurité de l'Ouest. A présent, le service du contre-espionnage de la CIA, devenu une organisation indépendante et puissante, commençait à considérer Gouzenko avec plus de sympathie. A Washington, on pensait de plus en plus que ces échecs répétés des services secrets s'expliquaient certes par l'imprudence et une certaine candeur face à la nature impitoyable des Soviétiques, mais aussi à l'intervention d'agents doubles. Les excès du maccarthysme avaient rendu l'opinion publique plus méfiante à l'égard des rumeurs courant sur l'infiltration russe des services du renseignement occidentaux.

Cela n'empêcha pas Gouzenko de persister dans ses accusations. C'est alors que survint un événement qui montrait que le transfuge savait de quoi il parlait.

On découvrit qu'un agent soviétique était devenu conseiller de John Kenneth Galbraith et de George Ball, futur sous-secrétaire d'État à l'Économie, après être passé par l'OSS. La sœur de l'agent en question, malgré ses allures de bonne ménagère anglaise sans histoires, avait été chef de la section britannique de l'Orchestre rouge et l'officier traitant de Klaus Fuchs.

La « ménagère », qui répondait au nom de Mme John Brewer, menait une vie tranquille dans une petite maison de l'Oxfordshire. Son frère, dont le nom de code était JUERGEN d'après un dossier du contre-espionnage constitué à partir de messages interceptés sur BRIDE/VANOSA, avait rédigé des études sur l'Allemagne nazie pour Ball et Galbraith. Il s'était surtout attaché à des questions revêtant une importance capitale pour Staline qui avait la primeur de ses rapports : il avait analysé des plans de reprise économique, l'avenir d'un projet soutenu par les Soviétiques visant à transformer l'Allemagne en un vaste champ de labour, et les effets des bombardements stratégiques. Quand le MI5, poussé par Washington, se mit à rechercher JUERGEN, celui-ci disparut. « Mme Brewer » invita les hommes du MI5 qui se présentaient à sa porte à prendre une tasse de thé. S'excusant de l'interroger sur ses opinions politiques, ils lui demandèrent s'il était vrai qu'elle avait été communiste jusqu'à la perfide attaque de la Finlande par l'Union soviétique. Oui, effectivement, dit Mme Brewer, saisissant la perche qu'on lui tendait. Verrait-elle un inconvénient à répondre à quelques questions? Oui, elle n'admettait pas qu'on la mette sur la sellette alors qu'elle n'avait rien fait de répréhensible. Ses visiteurs, qui partageaient l'aversion des Britanniques à l'égard du maccarthysme, rangèrent leurs blocs-notes, finirent leur thé et prirent congé. Peu de temps après, Mme Brewer partit pour l'Allemange de l'Est, où elle reprit sa véritable identité, celle du colonel Ruth Kuczynski du renseignement militaire russe.

Il devenait difficile de ne pas prendre Gouzenko au sérieux. Pourtant, les services secrets occidentaux ne semblaient pas pressés d'agir.

Le vendredi 25 mai 1951, à minuit moins le quart, Donald Maclean et Guy Burgess prirent le ferry pour la France. On perdit leur trace pendant cinq ans, jusqu'à ce qu'un journaliste du *Sunday Times* et de l'*Economist*, Richard Hughes, les retrouve à Moscou.

On avait commencé à surveiller les deux diplomates quand ils étaient en poste à Washington, mais on ne pouvait alors qu'émettre des hypothèses sur l'ampleur des dégâts qu'ils avaient causés. Le FBI déclara ensuite que Maclean « n'ignorait rien des progrès de la coopération américano-anglo-canadienne dans le domaine de l'énergie atomique ». Burgess avait accès aux messages décodés du réseau BRIDE/VANOSA, ce qui lui permettait de faire savoir à Moscou où en étaient les Américains de leur écoute des communications secrètes soviétiques. Les deux hommes fournirent à Staline les plans des militaires américains pour la Corée, initiative qui coûta des milliers de vies humaines dans les deux camps. Ils tenaient Moscou au courant des intentions américaines, tant en ce qui concernait les guerres des broussailles en Asie que la mise en route des activités antisoviétiques de la Quatrième Arme en Europe. Toutes ces trahisons réduisirent à néant l'opération de nettoyage déclenchée par l'affaire Corby.

En 1945, au moment de la défection de Gouzenko, Maclean était « l'enfant chéri du Foreign Office ». Spécialiste des aspects politiques de la recherche atomique, il s'était entièrement consacré à cette question dès son arrivée à Washington, et sa promotion avait été rapide. Si ses voisins qui le voyaient tailler ses rosiers le tenaient pour la caricature parfaite du jeune diplomate « au costume rayé », le Foreign Office quant à lui le considérait comme un chien de garde au sein de l'« establishment » atomique américain. Il connaissait parfaitement l'état des recherches anglo-américaines et savait quand les Américains abordaient secrètement de nouveaux domaines « pour gagner leurs rivaux de vitesse ». Il siégea à la commission créée lors de la conférence de 1943 à Québec pour coordonner les efforts alliés pour la fabrication de la première bombe atomique. Il dut savourer l'ironie de la chose quand Mackenzie King, Premier ministre canadien, vint à Washington en ce jour fatal de 1945 pour révéler aux dirigeants américains l'existence de l'espionnage soviétique. Le Canada avait vu naître le concept de coordination alliée, et c'était un Canadien qui dénonçait les trahisons de ces plans. Il y avait plus ironique encore, car le témoin silencieux de l'entretien de King avec Lord

Halifax n'était autre que Donald Maclean. Et c'est ce même Maclean qui envoya ensuite à Moscou un rapport sur les conséquences de la défection de Gouzenko ainsi que des conseils sur la façon dont les Soviétiques devraient réagir.

En septembre 1945, Maclean avait recommandé à ses supérieurs britanniques d'empêcher le professeur May de rentrer à Londres, non pas pour les raisons plausibles d'ordre pratique qu'il avait avancées, mais parce qu'il avait compris que May conduirait les limiers anglais à la source londonienne des réseaux d'espionnage atomique. Sans l'intervention de Stephenson, on l'aurait écouté.

Et Burgess ? Le professeur Wilfred Basil Mann, physicien nucléaire britannique distingué, qui partageait un bureau avec Burgess dans les locaux exigus de la chancellerie de l'ambassade britannique à Washington, trouvait négligé et mal élevé cet ivrogne qui déambulait dans Massachusetts Avenue tel « un ours traînant les pieds dans son duffel-coat crasseux ». Burgess pouvait aussi être charmant quand il le voulait et possédait un authentique talent de caricaturiste. Il avait croqué son ancien patron, un secrétaire d'État anglais, pendant une réunion de cabinet confidentielle, et le dessin avait été classé avec d'autres documents sous la mension TOP SECRET. Burgess, le retrouvant, eut envie de le montrer comme exemple type d'espionnite qualifié.

Un matin de janvier 1951, le professeur Mann surprit Guy Burgess en train de sabler le champagne au lit avec l'officier de liaison du MI6 avec le FBI et la CIA, Kim Philby. Les Philby avaient donné une réception bien arrosée la veille au soir. Ce jour-là, quand il se présenta à la résidence des Philby dans Nebraska Avenue, Mann s'entendit dire par la femme du moment de Philby : « Les hommes sont là-haut. Montez donc les rejoindre. » Il prit un verre avec eux avant de repartir au travail.

Près d'un an plus tard, il raconta cette scène « détestable

et gênante » à James Angleton, chef du contre-espionnage de la CIA. Angleton lui demanda aussitôt s'il pouvait transmettre cette information à Londres, où Philby subissait des interrogatoires à la suite de la soudaine disparition de Burgess et Maclean. Plus tard en Angleterre, le professeur Mann rapporta l'incident au chef du renseignement de la Marine et regretta ensuite d'avoir parlé en « outsider ». Il avait exprimé des doutes sur la conduite d'un membre éminent du MI6, « un collègue envers lequel le code de morale de l'époque exigeait une loyauté totale ». En dénonçant un membre du club, un outsider s'exposait au mépris. Le professeur avait pendant longtemps contribué au progrès de la science britannique avant d'être transféré au renseignement nucléaire, ce qui ne l'empêcha pas d'être effrayé par sa témérité.

La présence de Burgess et de Philby dans le même lit n'en faisait pas des espions dans le vocabulaire du club. Burgess avait un long passé secret de recruteur pour le compte des Soviétiques, pourtant, même au moment où les soupçons s'accentuèrent, les chasseurs d'espions cernaient encore mal ses activités.

La loyauté qui poussaient ceux qui n'ignoraient *rien* de Burgess à se taire contribuait à cette étonnante situation.

Prenons l'exemple de Michael Whitney Straight. Fils de riches Américains libéraux, il était entré dans le cercle de Burgess à l'université de Cambridge avant la Seconde Guerre mondiale, et on l'encouragea ensuite à rester en contact avec des agents soviétiques. Straight était « le personnage le plus fascinant de l'extrême gauche de Cambridge », si l'on en croit T.E.B. Howarth dans *Cambridge between the Two Wars*. La société secrète des Apôtres était l'un des bastions de la gauche intellectuelle, et Straight en faisait partie. Certains de ces Apôtres furent recrutés pour l'espionnage soviétique par Anthony Blunt, le fameux historien de l'art qui ne fut publiquement dénoncé qu'en 1979, quelque seize ans après que Straight eut raconté son histoire au FBI.

En mars 1951, quand Michael Straight était rédacteur en chef du *New Republic*, propriété de la famille, il n'avait révélé aucune de ses affiliations, même s'il devait affirmer par la suite avoir rompu toute relation avec des agents soviétiques. Il savait que Burgess continuait à travailler pour les services secrets russes. Il fut donc surpris de le rencontrer dans Massachusetts Avenue. Ce qui se passa ensuite, d'après ce que Straight en dit des années plus tard, donne une idée de l'existence facile que menaient les taupes à la solde des Soviétiques. En octobre 1950, les Américains étaient tombés « dans une embuscade tendue par des troupes chinoises ». Burgess, à Washington, aurait pris connaissance des plans militaires américains, les aurait passés à Moscou, qui les aurait à son tour transmis à Pékin. Ces plans concernaient le passage du 38e parallèle par les Américains. Cette trahison permit à 400 000 soldats chinois de prendre les Américains par surprise. Burgess avait peut-être causé la mort de nombreux soldats.

C'était la conclusion de Michael Straight. Néanmoins, Straight raconte qu'il se contenta de sermonner Burgess quand celui-ci lui dit qu'à l'époque il se trouvait à Washington où il « travaillait sur les problèmes de l'Extrême-Orient ».

– Tu m'as dit que tu allais quitter le Foreign Office. Tu m'as donné ta parole, s'exclama Straight.

Quand Burgess reconnut que c'était peut-être vrai, Straight reprit :

– Nous sommes en guerre maintenant. Si tu appartiens encore au gouvernement dans un mois, je te jure que je te dénonce !

– Ne t'inquiète pas, lui répondit Burgess. Je suis sur le point de reprendre le bateau pour l'Angleterre. Une fois là-bas, je donnerai ma démission.

Burgess resta en fonctions bien après le délai fixé par Straight, jusqu'à sa fuite pour Moscou.

Conclusion de Straight : « Je retournai à mes propres occupations. »

S'il avait raconté ce qu'il savait, son témoignage aurait étayé les affirmations de Gouzenko. Au lieu de ça, ce dernier continua à être attaqué de toutes parts.

Dans l'intervalle, Burgess avait compris qu'il avait tout intérêt à prendre le large. Il avait contribué, comme Maclean, à la campagne de diffamation contre le transfuge russe. Les deux diplomates britanniques étaient à présent dans le collimateur des services secrets, fait dont les avait avertis un troisième diplomate. Cet ange gardien n'était autre que Kim Philby qui étudiait les communications décodées du trafic BRIDE/VANOSA pour le compte du service du renseignement anglais. Il décida qu'il était temps de faire transférer Burgess. « Notre ambassadeur détestait les conducteurs en état d'ivresse, déclara Philby par la suite. Il me suffit d'attirer son attention sur les mauvaises habitudes de Burgess. »

Philby savait que Michael Straight venait régulièrement à l'ambassade pour recueillir des informations destinées à ses éditoriaux. Ce conseiller du président Roosevelt aurait fait un excellent « agent d'influence » soviétique aux yeux de Philby. Seulement, si Straight mettait à exécution sa menace de dénoncer Burgess, les choses se présenteraient différemment.

Quand Philby fut sûr que Burgess et Maclean étaient arrivés à Moscou, il alla enterrer tout son attirail d'espion soviétique sur les berges du Potomac. Peu de temps après, la CIA fit savoir aux Britanniques que Philby était indésirable à Washington. Philby crâna : « Quoi de plus normal que les cousins américains soient écœurés par la trahison de leurs deux anciens collègues ! »

Le général du KGB Harold Adrien Russell Philby resta donc en sommeil pendant encore douze ans, son bail en Occident ayant été reconduit. Curieusement, c'est aussi le temps que mit Michael Straight à aller voir le FBI.

25

DANGER :
TAUPES AU TRAVAIL.
PHILBY CREUSE
SES GALERIES

Dans un sens, J. Edgar Hoover avait involontairement aidé Kim Philby à se mettre en position d'invervenir dans l'affaire Corby. Jouant sur la méfiance de Hoover à l'égard des Britanniques, Philby parvint presque à éliminer Gouzenko.

On ne peut pas jeter la pierre à Hoover. Il se trouvait dans la situation de ces parents qui, après s'être échinés à élever leurs enfants, se rendent compte que l'un d'eux est un assassin. Et le FBI et son directeur représentaient des cibles de choix pour les commentateurs qui préféraient accuser les forces de loi de commettre des erreurs plutôt que de chercher les véritables racines du mal.

A une époque, Hoover avait voulu étendre les opérations du FBI à l'Amérique du Sud. Cela se passait peu de temps après Pearl Harbor quand, de l'avis de Hoover, les services secrets avaient essuyé quelques échecs retentissants. Il pensait que ses propres agents avaient acquis l'expérience nécessaire grâce à la formation qu'ils avaient reçue au Camp X. En janvier 1942, la promulgation d'une nouvelle loi menaça le BSC d'expulsion. Cette loi stipulait que « tous les rapports, dossiers et matériel de propagande utilisés par les services de renseignements étrangers...

peuvent être réclamés pour inspection par les autorités américaines à n'importe quel moment. » A Washington, lors d'une réunion avec Hoover et le sous-secrétaire d'État Adolf Berle, Stephenson déclara que cette nouvelle loi signifiait la mort de son organisation.

Avec un sourire satisfait, Berle répondit à Stephenson que la disparition du BSC serait certes regrettable mais inévitable. Furieux, Stephenson sortit en claquant la porte et alla droit chez Bill Donovan, « qui comprit fort bien que sa propre organisation ne pourrait pas continuer à fonctionner si le BSC était dissous ». On fit appel au président Roosevelt qui convint de la nécessité de modifier cette loi. On supprima la clause relative aux divulgations obligatoires et la version amendée du projet fut adoptée en mai 1942, sans toutefois apaiser les craintes du SIS de Londres quant à la vulnérabilité de Stephenson.

Philby connaissait bien les conflits internes du SIS. En 1942, il travaillait pour le SOE du général Gubbins. En Amérique, à l'époque, on recrutait des immigrés de fraîche date qu'on envoyait s'entraîner au Camp X. Une fois achevée leur formation de saboteurs et d'agents subversifs, on les faisait clandestinement rentrer dans leur pays d'origine. Philby était au courant, et l'on verra par la suite combien ce détail lui fut utile pour son rôle dans les services secrets soviétiques. Cette même année, Philby quitta le SOE pour la section V du MI6 où il s'occupa de l'infiltration des services spéciaux allemands. Il avait pu tout à loisir observer les querelles entre sections et les luttes que se livraient les chefs de département pour contrôler le territoire de leurs rivaux.

Pendant la guerre, Felix Cowgill, ancien policier né aux Indes, entra au MI5. L'homme s'était fait des ennemis parmi ses collègues, en particulier chez les cryptographes de Bletchley Park.

276

Lorsque Cowgill prit la direction de la section V, où opérait Philby, le BSC avait évité la crise. Cowgill conclut que « Hoover avait essayé de supplanter Stephenson » et classa le directeur du FBI dans la catégorie de ces êtres malfaisants qui utilisaient le renseignement pour monter les échelons. Hoover avait dépêché un officier de liaison à Londres, qui dut faire face à une concurrence sérieuse de la part d'un large contingent de l'OSS dont les intérêts se chevauchaient avec ceux de Hoover.

« Hoover s'imaginait qu'en envoyant son agent de liaison à Londres il couperait les ailes de Stephenson, déclara Philby par la suite. A l'instar du service de sécurité du FBI, le MI5 était seulement une organisation de contre-espionnage. Le SIS lui donnait des soucis, comme l'OSS en donnait à Hoover, mais ses intérêts n'avaient rien à voir avec ceux du FBI... L'objectif de Hoover était double : installer le centre de liaison loin des États-Unis et se rapprocher le plus possible du MI5. »

Cowgill voulait que tous les échanges de renseignements entre les services de contre-espionnage pendant la guerre passent par lui. Quand il se rendit compte qu'il n'arriverait pas à ses fins, il essaya de limiter la coopération entre le FBI et le MI5 et, pour ce faire, alla régulièrement à Washington pour traiter directement avec Hoover.

Les deux hommes ne s'aimaient pas. Le sachant, Stephenson essayait d'empêcher les rencontres. Il voulait éviter les frictions qui ne manquaient pas d'apparaître chaque fois que les experts du renseignement britannique étaient confrontés à la façon de faire américaine. Les Anglais ne rataient pas une occasion de se moquer de la situation privilégiée de Hoover, à l'abri derrière son bureau, et s'esclaffaient quand ils découvraient les panneaux indiquant la direction des services secrets. Stephenson connaissait bien les méandres de la politique américaine et comprenait la nécessité de jouer franc jeu avec les législateurs. Les visiteurs londoniens s'inquiétaient rarement de savoir pourquoi l'histoire américaine avait forgé des hommes du genre de Hoover qui devaient constamment « vendre » leurs activités aux cerbères politiques.

Cowgill, qui sortait d'un moule complètement différent, détestait les méthodes de Hoover. En poste en Inde, Cowgill avait été très strict sur les questions de discipline. Là-bas, quand il aboyait un ordre, il était obéi. Il n'avait jamais tenu compte de l'opinion publique. Aux colonies, on ne se préoccupait pas de son image. En Inde, il n'avait à répondre que devant Dieu et le vice-roi. Il ne savait rien de la longue lutte que Hoover avait dû livrer pour faire accepter puis respecter le FBI.

Le lendemain du 6 juin 1944, Cowgill reporta toute son attention sur les renseignements glanés dans les archives de la Gestapo. Il s'envola pour Washington afin de discuter avec Hoover de ce que l'on avait appris des réseaux d'espionnage soviétiques. Ce sujet éveilla la curiosité de Philby, car cela signifiait que les limiers n'allaient pas tarder à retrouver sa piste. Cowgill revint furieux de l'un de ses voyages. Hoover avait manqué de discrétion, prétendit-il. Il avait donné des informations à un sénateur influent dont il espérait soutirer une faveur.

Faux, répliqua Stephenson. « Hoover est l'homme d'une idée. Il ne cherche que le bien du FBI. Il en est devenu l'incarnation. Il a transformé une agence fédérale peu connue en une institution nationale douée d'une fantastique réputation d'efficacité et de réussite. Hoover ne nourrit pas de sentiments antibritanniques. Il est d'abord pro-FBI. Son travail est toute sa fierté. Je souligne ces faits car ils sont fondamentaux si l'on veut comprendre les rapports du BSC et du FBI, qui n'ont pas toujours été sans problèmes. »

Cowgill ne prêta aucune attention aux réflexions de Stephenson. Il prit le mors aux dents. Il rédigea une lettre destinée à Hoover où il se livrait à une violente critique des prétendues pratiques du directeur du FBI qui sacrifiait les besoins du renseignement pour tirer des avantages politiques.

Cette démarche impulsive de Cowgill fit le jeu de Philby. Hoover était déterminé à faire la vie dure à Cowgill qui l'avait provoqué lors de sa dernière visite avec ses airs de supériorité et ses questions stupides à propos de la fiabilité de certains agents du FBI. La réaction de Cowgill fut d'écrire une lettre qu'aucun chef du contre-espionnage sensé n'enverrait à un autre.

Cette missive arriva sur le bureau de Menzies pour la contre-signature au moment même où le Centre de Moscou ordonna à Philby de se débarrasser de Cowgill. Cet ordre singulier avait été transmis à Philby par son contact soviétique à Londres, dès que Moscou avait appris que le SIS devait créer un nouveau service pour lutter contre le Centre de Moscou. Quelqu'un, qui n'était pas Philby, mais qui connaissait parfaitement le système des services de sécurité britannique, avait fait une étonnante proposition aux Russes. Avec la disparition de l'Allemagne nazie, les Britanniques avaient l'intention de consacrer tous leurs efforts à la guerre secrète contre le communisme. Il serait commode que la direction de ce nouveau service soit confiée à un espion soviétique. Philby était parfaitement désigné pour cette tâche, mais tout portait à croire que c'était Cowgill qui allait être choisi.

Le nouveau service, section IX, qui fonctionnait déjà, étudiait les archives de la Gestapo qui venaient d'être saisies. Le chef temporaire était gêné par sa « surdité et son ignorance des procédures du SIS », raconta Philby par la suite. Cowgill intriguait pour prendre sa place.

Les instructions de Moscou étaient fort claires : « Cowgill doit partir! » On expliquait à Philby la marche à suivre pour se débarrasser de lui. Philby ne devait pas agir ouvertement. Il fallait qu'il s'arrange pour que l'initiative semble venir des ennemis de Cowgill. Si les choses devaient mal tourner, il fallait que Philby puisse prouver qu'on lui avait imposé ce poste de responsabilité.

Ce plan machiavélique était déjà en route quand Cowgill attaqua Hoover. On allait se servir de la vieille rancune que Vivian Valentine, autre ancien de la police indienne et vieil ami du père de Philby, nourrissait contre Cowgill. V-V était chef adjoint du SIS et supérieur direct de Cowgill. Mais ce dernier, avec son arrogance habituelle, s'adressait directement au chef en passant au-dessus de V-V pour les questions importantes. Selon Philby, cela agaça tellement V-V qu'il finit par dire qu'il « fallait faire quelque chose à propos de Cowgill ».

C'était la phrase qu'attendait Philby pour aller voir l'officier d'état-major du chef, un capitaine de frégate du nom d'Arnold Foster qui s'intéressait de très près à l'agitation qui régnait dans le SIS. Une fois de plus Philby joua sur les points faibles de sa cible et s'arrangea pour que Foster déjeune avec un homme du MI5 qui ne manquerait pas de poignarder Cowgill dans le dos.

Peu de temps après, V-V arrivait dans le bureau de Philby pour lui dire que la lettre que Cowgill avait préparée ne pouvait que ridiculiser le chef. Philby accepterait-il de la reprendre? Cachant sa satisfaction, Philby répondit qu'il s'en chargerait et rédigea une note brève qui évoquait le problème sans offenser Hoover.

Puis V-V montra à Philby un mémo qu'il venait d'écrire pour le chef où, après avoir passé en revue les nombreux défauts de Cowgill, il prônait des changements draconiens, nécessaires d'après lui pour assurer la transition. Il terminait en recommandant que l'on nomme Philby à la tête de la section IX. « Étrangement, déclara ensuite Philby, ma principale qualification pour ce poste ne figurait pas dans la longue liste de mes qualités – on ne soulignait nulle part que j'avais quelques notions du communisme... »

Philby n'était pas encore au bout de ses peines. Il devait être sûr que, s'il y avait enquête, on ne pourrait pas penser qu'il était intervenu dans ce choix. Il fut convoqué par le chef qui lui apprit qu'il avait décidé de le nommer chef des opérations antisoviétiques. Philby montra une surprise de circonstance, prit son air le plus humble et bégaya quelques mots. Le chef avait-il compris combien il était important d'éviter des querelles avec le MI5 à l'avenir? Regardez ce pauvre Cowgill. Il avait été incapable de s'entendre avec les hommes du MI5. C'était certainement pour cette raison qu'il n'avait pas obtenu ce poste. Serait-il possible de demander au MI5 d'approuver par écrit la nouvelle nomination de Philby?

Philby voulait que les dossiers renferment une preuve que le MI5 et le MI6 avaient pris cette décision ensemble et qu'il n'avait rien à voir là dedans. Le chef accepta ses propositions et les reprit à son compte. Peu de temps après, Cowgill donna sa démission.

C'est ainsi que Philby devint directeur d'un service né de la fusion des sections V et IX et qu'on lui confia la tâche de rassembler et d'interpréter les informations concernant l'espionnage et la subversion soviétiques et communistes à l'étranger. On lui accorda aussi le droit de discuter des problèmes de contre-espionnage avec le MI5, avantage inestimable pour le Centre de Moscou.

La suprême ironie fut que le chef insista pour que Philby établisse lui-même les statuts de son service. On lui demanda de rédiger une clause par laquelle il s'engageait à ne pas communiquer ses renseignements aux services secrets américains! La guerre n'était pas encore terminée, et le chef craignait que des Américains peu scrupuleux ne glanent des informations qu'ils repasseraient aux Russes.

Mais, en 1946, Philby initiait les Américains aux opérations antisoviétiques. C'est seulement cette année-là que parut la première étude faite par un Américain sur les services secrets russes. L'auteur de cette étude créa ensuite le Special Projet Division/S, qui fit l'intérim entre l'OSS et la CIA. Le SPD/S commença à rassembler tout ce qui avait été publié sur la question des services secrets russes et se tourna tout naturellement vers la division antisoviétique du SIS. Les Américains n'allaient pas tarder à mettre en place leur propre service. Philby espérait bien tirer le maximum de cette collaboration – de la même façon qu'Intrepid avait bénéficié de l'aide américaine pendant la guerre. Seulement, si Intrepid jouait franc jeu, Philby, quant à lui, protégea les intérêts russes en déformant les informations qu'il recevait et en envoyant des copies des originaux à Moscou.

Quand Philby prit son poste de représentant du MI6 à Washington, le SIS de Londres le chargea d'étudier le trafic BRIDE/VANOSA – travail dont les fruits tombèrent directement dans les mains de Moscou. Les Soviétiques ignoraient que leurs transmissions les plus secrètes étaient interceptées et décodées lorsque l'affaire Corby éclata. Le retour des livres de code soviétiques dérobés en 1945 n'avaient pas empêché l'Occident d'écouter le trafic radio des services secrets soviétiques. Certains experts du renseignement soviétique s'étaient demandé comment le Centre de Moscou avait pu permettre à Gouzenko d'en savoir autant, sans songer un instant que sa défection avait peut-être donné à l'Ouest l'occasion d'utiliser les renseignements tirés des messages interceptés.

Philby ne risquait rien. Il avait surveillé les opérations soviétiques, protégé d'autres taupes et détourné l'attention des limiers. Par la suite, on eut l'impression qu'il s'était arrogé certaines responsabilités de son propre chef à Washington, parce qu'elles correspondaient exactement aux besoins de Moscou. Sa tâche consistait à s'éloigner du FBI et à opérer un rapprochement avec la nouvelle CIA, tâche qu'il devait mener dans « le plus grand secret », précisèrent ses maîtres de Londres inconscients de l'ironie de la chose. Cela voulait dire priver le FBI de toute information détenue par les Britanniques sur l'espionnage soviétique et cela ouvrait les portes de la CIA à Philby.

En 1949, à Washington, Philby s'occupa de plans pour la « libération » de l'Albanie. Le projet anglo-américain visant à renverser les dirigeants soviétiques de l'Albanie – l'opération VALUABLE – dépendait de l'entrée aux États-Unis de pronazis albanais perdus dans la masse des réfugiés légitimes. Le groupe d'action clandestine du département d'État s'était arrangé pour que l'on épargne les procédures d'immigration à ces gens-là. Parmi ceux qui entrèrent ainsi illégalement aux États-Unis figurait le ministre de l'Intérieur albanais, Xhafer Deva, qu'un rapport du département d'État présentait comme « le responsable aux yeux d'un grand nombre d'Albanais des massacres de février 1944 perpétrés à Tirana par la Gestapo avec l'aide de la police albanaise ». Cette clémence à l'égard des criminels de guerre présumés était justifiée, du point de vue des services secrets, par le fait qu'ils pouvaient prêter main-forte à l'élaboration des soulèvements anticommunistes en projet. Malheureusement les Soviétiques, grâce à des taupes du genre de Philby, s'employaient de leur côté à faire échouer ces plans, comme ils l'avaient déjà fait en Ukraine où la tentative de révolte orchestrée par les Alliés s'était soldée par la trahison et la capture des forces antisoviétiques. On demande à Michael Burke, ancien président des New York Yankees et membre de l'OSS, « d'essayer de provoquer une révolution en Albanie ». On devait découvrir plus tard que les opérations pour la libération de l'Albanie qui s'échelonnèrent de 1949 à 1952 avaient été compromises par Philby lui-même. Comme en Ukraine, les nationalistes les plus recherchés par Staline furent directement parachutés dans les mains des services

283

secrets soviétiques par des avions anglais et américains en missions d'espionnage « secrètes » seulement pour l'opinion publique.

Quand les enquêteurs du ministère de la Justice américain réclamèrent tous les documents existant sur l'Albanie pour la période 1944-1956, il y eut un moment de flottement. Trois documents seulement avaient survécu. L'un était classé secret. Certains fichiers avaient été expurgés. L'Occident et l'Union soviétique avaient tous les deux de bonnes raisons de faire l'impasse sur les premières phases de la guerre froide.

Parmi les preuves disparues, il y avait une lettre que Donald Maclean avait écrite à la veille de sa fuite pour Moscou. Son contact soviétique l'avait portée à l'ambassade américaine à Londres en juin 1951. On la garda secrète pendant trente ans, détail qui explique pourquoi l'opinion publique et les dirigeants politiques eurent longtemps du mal à appréhender l'ampleur et la subtilité des opérations clandestines soviétiques. C'est la mort de Maclean à Moscou début 1983 et le retour de ses cendres à Londres qui entraînèrent la publication de cette lettre.

Maclean écrivait : « Ce que je sais des secrets officiels me hante et me pèse, en particulier le contenu des conversations de haut niveau entre les Anglais et les Américains. Le gouvernement britannique, que je servais, a livré son royaume aux Américains. J'ai décidé que la seule façon de m'acquitter de mon devoir envers mon pays est de communiquer ces faits à Staline. »

Par-delà la mort, Maclean servait de messager aux Soviétiques, sa lettre alimentant la campagne menée par l'URSS pour semer la discorde entre les Alliés. Tout ce discours sur la trahison de la Grande-Bretagne aux Américains devait amener les compatriotes de Maclean à se demander où était leur devoir. Maclean se présentait, quant à lui, comme un patriote convaincu qui savait que l'intérêt de la Grande-Bretagne était de se rapprocher de l'Union soviétique et non des États-Unis – attitude séduisante pour les anti-américains latents.

Et l'anti-américanisme à l'époque était plus que latent.

26

UN SILENCE
DE CONSPIRATION

Après la défection de Gouzenko, la priorité de la politique de désinformation des services secrets russes fut de provoquer des sentiments anti-américains chez les Alliés. La presse à la solde des Soviétiques accusa le Canada d'allumer un nouvel incendie du *Reichstag* (allusion à l'incendie du Parlement de Berlin en 1933 qui servit de prétexte aux nazis pour écraser le parti communiste). Moscou réagissait devant le soudain revirement de l'opinion occidentale. Avant l'affaire Gouzenko, les sondages montraient que la majorité des gens étaient bien disposés à l'égard de l'Union soviétique. A la suite de la publication de la version expurgée du témoignage du transfuge, la majorité des gens interrogés déclarèrent qu'à leur avis les Russes se servaient du communisme pour dominer le monde.

La guerre froide avait commencé. Aux yeux de certains Américains, l'expression n'avait pas semblé justifiée en 1946; Bernard Baruch, par exemple, la supprima d'un discours. Mais un an plus tard, il concéda que l'attitude soviétique justifiait la nouvelle description appliquée à un conflit dans lequel les deux parties en présence se refusaient à recourir à des armes conventionnelles.

En Europe, laquelle, selon les termes de Churchill,

286

n'était plus qu'un « tas de gravats, un charnier, un terrain où fleurissent la haine et la peste », l'hiver de 1946-1947 s'était abattu telle une nouvelle guerre éclair sur les vingt-quatre pays dévastés par la Seconde Guerre mondiale. Une enquête présidentielle jugea que seule une aide massive des États-Unis pourrait sauver les populations civiles. Une commission sénatoriale apprit qu'il serait dangereux de « perdre l'Europe occidentale ». La gigantesque opération de secours montée par les Américains se heurta à l'intransigeance des Soviétiques.

Après s'être penché sur les déclarations de principe de Staline en 1946, le kremlinologue George F. Kennan conclut que les dirigeants soviétiques étaient résolus à convertir les pays plus faibles qu'eux au communisme. Aucun converti ne pouvait espérer abjurer. Il fallait donc recourir à la politique de l'« endiguement » à l'égard des Soviétiques. On devait les empêcher de continuer leur progression.

L'Union soviétique avait considérablement agrandi son empire. Pendant deux siècles, la Russie avait essayé de s'étendre vers l'est, entre la Baltique et la mer Noire. Les guerres napoléoniennes, le traité de San Stefano et le congrès de Berlin l'en avaient chassée. A présent « les Turcs du Nord se trouvaient dans la place », et Winston Churchill prévoyait un terrible hiatus. Il incita le président Truman à relever un défi que la Grande-Bretagne ne pouvait affronter seule. « Avec un cœur douloureux et un esprit accablé par les pires pressentiments », Churchill voyait les États-Unis se dresser victorieux, « maîtres des fortunes du monde, mais dépourvus d'un dessein véritable ou cohérent ».

Juste après la guerre, se fondant sur son pacte secret avec Hitler, Staline avait imposé sa loi à l'Estonie, à la Lithuanie, à une partie de la Finlande, à un tiers de l'Autriche, à la Pologne, à l'Allemagne orientale et centrale, à la Yougoslavie, à la Roumanie, à la Bulgarie et à l'Albanie. « La colonne vertébrale de l'Europe lui appartient, déclara l'historien militaire, le général de division J.F.C. Fuller. L'histoire européenne a fait un bond en arrière d'un millier d'années. » C'est cet état de fait que le président Truman combattit par le plan Marshall, du nom de l'ancien chef d'état-major George C. Marshall, qui avait remplacé Byrnes au poste de secrétaire d'État. Ce plan, élément de la doctrine de l'endiguement de Truman, allait accorder une aide de 12,5 milliards de dollars à l'Europe détruite. « L'action la moins sordide de l'histoire », comme l'appela Churchill.

L'Europe occidentale commença à se transformer : les régions industrielles reprirent vie, et les populations se mirent à croire de nouveau à la prospérité. Les Soviétiques étaient livides de rage : leurs plans s'appuyaient sur un effondrement économique « inévitable » de l'Occident affaibli. Les défenseurs de Staline surnommèrent cette injection de capitaux, le « plan martial », prétendant que son véritable objectif était d'encercler l'Union soviétique. Conception étrange de la notion d'encerclement. En 1948, ce sont les Soviétiques qui envahirent la Tchécoslovaquie et imposèrent le blocus de Berlin.

L'Occident riposta avec le pont aérien de Berlin. La ville, îlot occidental perdu dans l'étendue de l'Allemagne de l'Est communiste, était isolée par le blocus des voies ferrées et des routes imposé par les forces armées soviétiques. Le pont aérien consista à fournir quotidiennement des vivres à deux millions et demi de Berlinois, à l'aide d'une rotation incessante des avions américains et britanniques sur les deux aéroports de Berlin-Ouest. Ce blocus avait été décrété pour des raisons d'ordre monétaire. Les Soviétiques avaient inondé l'Allemagne de l'Ouest de papier-monnaie pour aggraver l'inflation. Les alliés occidentaux répliquèrent en lançant une nouvelle monnaie. L'objectif avoué de Moscou était d'empêcher une résurgence de l'armée allemande, et les Russes commencèrent à tout faire pour retarder l'adoption d'une constitution destinée aux nouveaux Allemands de l'Ouest. Pour les Soviétiques, prendre Berlin en otage en imposant le blocus paraissait être une entreprise facile. Ils ne s'attendaient pas à l'union des alliés occidentaux, ni à la réaction des Berlinois qui préférèrent accepter une discipline de vie stricte plutôt que de se rendre à Staline. Le pont aérien dura de 1948 à 1949, grâce à des pilotes entraînés dans le lointain État du Montana, où l'on avait reconstitué les voies d'accès et les systèmes de navigation de la région de Berlin pour que les pilotes s'habituent à la configuration géographique de l'endroit et risquent moins de pénétrer par mégarde dans l'espace aérien soviétique. On improvisa un troisième aéroport avec l'assistance de jeunes volontaires berlinois. En décembre 1948, on apporta quelques légères modifications au pont aérien. Les pilotes lâchèrent des petits parachutes avec des milliers de cadeaux payés de leurs propres deniers sur Berlin. La tentative de Staline de bouter l'Occident hors de Berlin avorta grâce à cet exploit technologique. Les Soviétiques ne s'avouèrent pas vaincus. Ils exigèrent que l'on transforme Berlin en « ville libre » démilitarisée sous contrôle soviétique. Ils finirent cependant par relâcher leur blocus en 1949. Devant leur attitude, on décida le 4 avril de créer l'Organisation de l'Atlantique Nord, l'OTAN. La « guerre froide » devint une expression commode pour mesurer les avances et les reculs de l'engagement occidental face aux manœuvres soviétiques.

Un épais silence enveloppait la plus coûteuse de ces manœuvres : l'espionnage soviétique et sa puissante politique de désinformation. On ne parlait guère à l'opinion publique occidentale des campagnes des services secrets russes visant à semer la méfiance et la confusion dans les esprits. Ce silence arrangeait les bureaucrates qui avaient des raisons personnelles de soutenir que, si l'on dénonçait ces campagnes, les « intérêts nationaux » en souffriraient.

Pour Gouzenko, ce silence signifiait qu'il continuait à prêcher dans le désert. S'il avait raison, ceux qu'il accusait s'empressaient de faire disparaître ses déclarations à propos des infiltrations soviétiques des services secrets occidentaux. C'était un cercle vicieux.

Tant de preuves avaient été éliminées qu'il était difficile de repérer toutes les trahisons rendues possibles par le mépris avec lequel on accueillait les avertissements de Gouzenko. Il était tellement plus simple de rejoindre les rangs des sceptiques qui refusaient de croire que le renseignement soviétique fût prêt à aller jusqu'à tuer un transfuge ou à détruire son image.

Nous ne prîmes en compte le récit incroyable des activités de Philby qu'en 1983, le jour où Stephenson découvrit dans la rubrique littéraire du *New York Times* que l'on accusait Dick Ellis, son assistant pendant la guerre, d'avoir trahi.

Le nom d'Ellis avait déjà été lié à ceux de Gouzenko et de Philby. Pourtant Ellis se trouvait à Singapour, comme chef du renseignement britannique en Asie, au moment où il était censé avoir éliminé les déclarations de Gouzenko sur la présence d'agents russes au sein du SIS. A la connaissance de Stephenson, Ellis n'avait rien à voir avec Philby.

Le *New York Times* publiait le compte rendu du livre qu'Anthony Cave Brown avait consacré au général Donovan : *The Last Hero*. Le critique reprochait à Brown d'accorder peu de place au :

cas exceptionnel du colonel Ellis, officier du renseignement britannique qui travailla au sein de l'OSS. Selon l'histoire secrète de la CIA écrite par Thomas F. Troy – histoire qui finit par être publiée –, le colonel Ellis fut détaché en 1940 par les services secrets britanniques auprès de Donovan pour l'aider à créer sa propre agence du renseignement. Le colonel Ellis mit au point le projet d'organisation et nomma personnellement un de ses amis, ex-officier de l'armée russe blanche, au poste de chef des opérations d'espionnage et des activités spéciales. On estima la contribution et l'assistance apportées par le colonel Ellis à l'organisation naissante si importantes que David Bruce, qui devait devenir ensuite le chef du renseignement de Donovan, déclara que « sans l'aide d'Ellis, le renseignement américain n'aurait pu démarrer pendant la Seconde Guerre mondiale ». Le colonel Ellis joua les éminences grises de l'OSS pendant toute la durée du conflit.

Mais la véritable importance du colonel Ellis ne commença à se faire jour qu'en 1965, longtemps après la mort de Donovan. A la suite d'un interrogatoire éreintant mené par les enquêteurs des services secrets britanniques, le colonel Ellis s'effondra et avoua qu'avant le début de la Seconde Guerre mondiale, il avait été recruté comme agent double par les Allemands et qu'ensuite les Soviétiques l'avaient obligé à travailler pour eux en le faisant chanter. Donc l'homme qui organisa les services secrets américains était en réalité une taupe germano-soviétique. Établi au sein même de l'OSS, il occupait une position idéale pour dénoncer et compromettre les agents secrets, les opérations clandestines et le *modus operandi* du bureau. (En 1963, Ellis rédigea un récit de la collaboration des services spéciaux britanniques et américains pendant la guerre en se fondant sur des documents des services du renseignement.) Si le gouvernement britannique a supprimé toute mention de la trahison d'Ellis

291

jusqu'en 1981 (certainement pour éviter de nuire à ses rapports avec les États-Unis dans le domaine du renseignement), l'histoire d'Ellis apporte un élément supplémentaire, qui permettrait d'expliquer la série d'échecs de l'OSS dont parle M. Brown.

Le critique, Edward Jay Epstein, semblait ignorer que le gouvernement britannique n'avait jamais publié les documents significatifs, ni en 1981 ni à un autre moment. Aucune preuve n'est jamais venue étayer des accusations aussi graves.

En nous penchant sur l'affaire Gouzenko, nous avions, Stephenson et moi, débattu du problème Ellis avec les autorités compétentes. Si l'on pensait qu'Ellis était celui qui avait pris des dispositions pour qu'aucune action ne soit entreprise à la suite des révélations de Gouzenko, alors des problèmes plus graves se posaient. On pouvait en conclure que cet officier haut placé du renseignement britannique avait livré aux nazis des informations sur la résistance clandestine; c'était une idée angoissante. L'unité de l'Europe de l'Ouest face au défi soviétique se fondait sur la confiance et la bonne volonté créées par l'alliance américano-anglo-canadienne pendant la guerre et par les experts de la Quatrième Arme qui luttèrent contre la tyrannie.

Nous examinâmes l'affaire Gouzenko à la lumière de tout ce que l'on savait à l'époque. On vit comment la désinformation et le renseignement russes avaient tourné le devoir de réserve occidental à l'avantage de Moscou. Les secrets qui avaient été révélés entre-temps confirmaient les avertissements de Gouzenko, que l'on avait si fréquemment ridiculisés, et justifiaient amplement les craintes du transfuge pour sa propre vie et celle de sa famille – craintes qui firent de lui la risée du public.

Kim Philby, qui occupait un poste analogue à celui du second ELLI, avait organisé l'exécution d'un autre Russe dont la tentative de défection fut prise en main par le SIS exclusivement. Les méthodes utilisées par Philby étaient précisément celles que redoutait Gouzenko. Quand Gouzenko osa parler plus ouvertement de sa peur, Philby et ses collègues des services secrets russes avaient déjà transformé le second ELLI en un mythe absurde. Ils avaient aussi préparé le terrain pour la destruction de la réputation de Dick Ellis, jetant ainsi des doutes sur les succès d'Intrepid et la coordination des services secrets occidentaux pendant la guerre.

27

LA TRAHISON
D'UN TRANSFUGE.
LES MANŒUVRES
DE PHILBY EN TURQUIE

En septembre 1945, Kim Philby avait suffisamment de pouvoir dans son service pour s'arroger la responsabilité du problème Gouzenko, ce qui lui permit d'éliminer certains éléments gênants pour le Centre de Moscou. Nous savons à présent qu'il projeta même de faire assassiner le transfuge. Pourtant, au moment d'Hiroshima, tandis qu'il jouissait encore de la confiance de son supérieur du SIS de Londres, Philby se sentit directement menacé le jour où il prit connaissance d'un rapport envoyé par l'ambassade britannique en Turquie. Ce rapport annonçait qu'un vice-consul soviétique d'Istanbul demandait l'asile politique en échange de renseignements sur les réseaux et espions soviétiques en activité, y compris deux espions placés par Moscou au sein du Foreign Office et un troisième « qui dirigeait une organisation de contre-espionnage à Londres ».

Le chef de Philby, Stewart Menzies, lui confia l'affaire. Apparemment, Menzies ne songea pas une seconde que l'homme qui « dirigeait une organisation de contre-espionnage » était assis en face de lui.

Konstantin Volkov, chef du NKVD en Turquie, qui opérait sous la couverture de vice-consul, avait travaillé pendant des années au quartier général du NKVD et au

Centre de Moscou. Il cherchait maintenant à se mettre en rapport avec son homologue au consulat général britannique.

Ces rapports échouèrent sur le bureau de Philby parce que son chef le considérait comme le spécialiste de ce genre de questions. Ces documents avaient été apportés par coursier au consulat, chaque paquet étant livré scellé à la valise diplomatique. Volkov affirmait que les Russes avaient déchiffré plusieurs des codes utilisés par les Britanniques et insistait de ce fait pour que l'on ne recourût pas à la radio du consulat pour transmettre des renseignements relatifs à son affaire. On se servit donc d'un procédé beaucoup plus lent, ce qui arrangea Philby.

L'accumulation de retards, aimait-il à souligner, est l'atout maître du bureaucrate. Les services secrets russes y recouraient aussi dans ce genre de situations. Philby comprit que son seul espoir de terrasser Volkov et de se débarrasser de cette épée de Damoclès qui le menaçait était de prévenir le Centre de Moscou, de prendre lui-même l'affaire en main, puis de faire traîner les choses suffisamment longtemps pour que le SMERSH puisse liquider Volkov, dont l'irritante épouse réclamait aussi l'asile politique. Elle aussi devait disparaître. Sinon, ce serait un témoin gênant, d'autant plus que son mari lui avait confié des documents compromettants afin qu'elle puisse négocier sa liberté s'il lui arrivait quelque chose.

Le fait que Volkov ait exigé que l'on évite d'utiliser la radio ou le câble fit gagner dix jours. Philby demanda qu'on lui accorde le temps d'étudier le passé de Volkov. Cela ne tenait pas debout. Il savait pertinemment que Volkov ne risquait guère d'être fiché au SIS. Mais ce délai permit à Philby de joindre son contact soviétique le soir même. Il espérait que Moscou enverrait rapidement une équipe de tueurs en Turquie. On ne tenterait pas d'avertir les cerbères du NKVD de l'ambassade russe parce que

Volkov pouvait prendre connaissance du message. L'équipe russe du SMERSH rencontrerait des difficultés à la frontière turque. S'ils décidaient de voyager sous la couverture d'une mission commerciale, il faudrait expliquer le pourquoi de leur venue. Neutraliser Volkov n'allait pas être facile, et le liquider encore moins. Plus Philby lambinerait, plus les Soviétiques disposeraient de temps pour organiser l'élimination du vice-consul. Philby ne voulait pas arriver à Istanbul avant l'assassinat de Volkov et risquer ainsi qu'on le soupçonne d'être impliqué dans cette opération.

Pourtant, Philby dut se rendre à Istanbul pour continuer cette mascarade. Maintenant, on utilisait la valise diplomatique pour passer les messages concernant l'affaire. La « valise » partait une fois par semaine par voie de terre et par mer, attachée au poignet du messager qui arborait pour toute protection un insigne représentant un lévrier d'argent et l'immunité diplomatique. Dès que Londres déciderait de passer à l'action, le SIS d'Istanbul recueillerait Volkov. Les Britanniques pouvaient fort bien mettre Volkov à l'abri dans une des maisons sûres de la ville. Tout se gâterait si Volkov choisissait ce moment-là pour livrer ses renseignements sur les taupes introduites par les Soviétiques dans les services secrets anglais. En revanche, si le SIS d'Istanbul apprenait que Londres dépêchait un officier supérieur sur place, il retarderait peut-être son intervention. Et Volkov continuerait son travail de routine à l'ambassade.

Le lendemain, Philby fit son rapport. Après enquête, il apparaissait que rien ne semblait correspondre à Volkov dans les archives du SIS. Cette affaire pouvait se révéler très nuisible pour l'espionnage soviétique, mais très bénéfique pour le SIS. Philby ne souhaitait pas mettre en doute la compétence des hommes du SIS d'Istanbul, mais il tenait cependant à souligner qu'il fallait un certain doigté pour résoudre ce problème du vice-consul. Une simple maladresse, et les Soviétiques ou les autorités turques risquaient de s'interposer. Pour bien faire, il faudrait mener Volkov et son épouse en lieu sûr, et procéder à un premier interrogatoire pour savoir s'il fallait agir rapidement. On le ferait ensuite passer en Égypte, le protectorat britannique le plus proche.

Menzies sauta sur l'idée de confier le dossier à quelqu'un qui le connaîtrait dans ses moindres détails. Seulement, Philby en avait un peu trop fait dans le genre modeste. De peur de paraître trop impatient, il suggéra que l'on envoie à Istanbul un officier supérieur aguerri, et le chef abonda dans son sens. Il pensait à Douglas Roberts, directeur du renseignement pour le Moyen-Orient qui, basé au Caire, se trouvait alors en congé en Angleterre. Roberts, qui parlait couramment le russe et avait étroitement collaboré avec les services secrets turcs, serait idéal pour cette délicate mission.

Philby eut alors une vision horrible : il vit Volkov en train de livrer sa liste à Roberts qui ne manquerait pas d'y remarquer aussitôt le nom de H.A.R. Philby, Esquire.

Philby s'empressa de poser des jalons pour mettre Roberts hors course. Ce détail n'apparaît pas dans sa confession ultérieure. En revanche, on y apprend que Roberts se découvrit une soudaine aversion pour l'avion et reprit le bateau pour Le Caire la semaine suivante. Philby avait les mains libres pour passer à l'action. On peut lire dans la version des faits rédigée par Philby et approuvée par le KGB : « J'avais espéré pouvoir amener le chef à me suggérer lui-même de prendre l'avion pour Istanbul. » C'était tout à fait dans le style de Philby : il avait l'art de lancer des idées qui incitaient les autres à agir au péril de leur vie, puis de traiter les idéalistes de grands enfants. Philby pratiquait la trahison sur une grande échelle, mais il ménageait ceux qui partageaient son attachement pour Moscou. « Étant donné la défection de Roberts, je ne pus

297

que suggérer de le remplacer... Visiblement soulagé, le chef accepta. »

Il y eut encore trois jours de retard : délai qui permit aux brutes du SMERSH de préparer à loisir le meurtre de Volkov et le passage de sa femme devant un peloton d'exécution. Philby réussit à gagner du temps en déclarant qu'il ne connaissait rien aux procédés de codage. Il fallut recourir aux services d'un spécialiste qui initia Philby à certaines méthodes complexes assurant l'invulnérabilité des codes. Ensuite, Philby obtint un nouveau délai en faisant semblant de mettre son assistant au courant des dossiers en instance. Puis, il se décida enfin à partir... pour Le Caire.

Pourquoi Le Caire ? Eh bien, on n'avait pas encore mis le chef du SIS d'Istanbul dans la confidence de la défection prochaine de Volkov. Ce dernier avait fait part de ses intentions à un fonctionnaire de l'ambassade qui n'avait aucun lien avec le SIS. Et les hommes du SIS et ces diplomates qui ne se salissaient jamais les mains se détestaient cordialement. Il fallait donc agir avec diplomatie. Philby offrit de se rendre d'abord au Caire, siège du quartier général des services du renseignement pour le Moyen-Orient dont dépendait, entre autres pays, la Turquie. Philby allait faire quelques courbettes au responsable régional du SIS, geste qui lui permettrait d'être bien reçu par la suite à Istanbul. Cet intermède donna vingt-quatre heures de plus à Philby. Vingt-quatre heures qui, par un coup de chance inespéré, se transformèrent en un jour et une nuit supplémentaires, car l'avion du Caire fut détourné sur Tunis à cause d'un orage. Il y eut un nouvel arrêt à Malte pour le ravitaillement, si bien que, lorsque l'appareil se posa enfin au Caire, Philby n'avait plus le temps matériel de s'occuper de ses affaires et d'attraper la correspondance pour la Turquie. Affichant un agacement de règle en de telles circonstances, il se résolut à gâcher quelques heures de plus en compagnie d'un autre officier du SIS.

Il arriva à Istanbul le vendredi. Il avait passé la moitié de la semaine à flâner tout en donnant l'impression de ne pas avoir une minute à perdre.

Son week-end commença sous d'excellents auspices. Le chef du SIS d'Istanbul vint l'accueillir à l'aéroport et le ramena chez lui pour prendre un verre. Philby lui raconta les derniers potins de Londres, puis, pour faire plaisir au Foreign Office, les deux compères se rendirent à l'ambassade britannique pour voir Knox Helm, attaché connu pour être très à cheval sur les questions de protocole. Surpris par l'explication de la présence de Philby à Istanbul, Helm insista pour que l'on consulte l'ambassadeur à ce sujet. Comme les ambassadeurs sont des gens fort occupés, l'entretien aurait lieu le lendemain.

Vingt-quatre heures de gagnées pour le SMERSH.

Le lendemain matin, Knox parla à l'ambassadeur, Sir Maurice Peterson, et retourna fort contrarié auprès de Philby. En effet, celui-ci avait oublié de mentionner qu'il connaissait Peterson. De toute façon, on était samedi, et cela arrangerait tout le monde si Philby acceptait d'attendre le dimanche matin pour rencontrer l'ambassadeur sur son yacht, le *Mahouk*. Philby n'y vit aucun inconvénient. Il passa donc une soirée de plus aux frais des contribuables anglais, pourtant déjà bien éprouvés par la dépression d'après-guerre.

Peterson accueillit ses hôtes à bord du *Mahouk,* bateau à fond plat construit pour voguer sur le Nil et peu adapté aux eaux tumultueuses de la mer de Marmara. Le déjeuner passa, et l'ambassadeur n'avait toujours pas abordé le problème de Volkov. Les invités allèrent nager. Philby en profita pour approcher poliment l'ambassadeur. Il avait cru comprendre que Son Excellence avait fait quelques réserves à propos de ses plans. Quels plans? s'exclama l'ambassadeur, surpris.

L'ambassadeur n'était au courant de rien. Philby, ravi de ce nouveau gain de temps, entreprit d'expliquer l'affaire à Peterson. Le diplomate s'inquiéta d'une question de protocole : le SIS avait-il prévenu le Foreign Office à Londres? Philby dut être tenté de répondre non, entrevoyant une occasion de rentrer à Londres pour régler ce problème. Malheureusement pour Philby et le Centre de Moscou, la réponse était oui. En fait, Philby avait remis à Helm une lettre du Foreign Office demandant l'assistance de l'ambassadeur. Apparemment, Helm n'avait pas montré cette missive à Sir Maurice, qui donna aussitôt son feu vert.

Le temps pressait, du moins en apparence. Le dimanche soir, Philby se décida enfin à discuter avec ses interlocuteurs de la meilleure manière de procéder pour mettre Volkov à l'abri. Philby se garda bien de faciliter les choses en présentant un plan simple. Il proposa plusieurs solutions. Fallait-il impliquer les Turcs? Si oui, jusqu'à quel point? Ne risquait-on pas qu'un membre de la police secrète turque prévienne les Russes? Cette discussion inutile s'éternisa. Philby relançait le débat quand il lui semblait que les autres allaient se décider. Aux premières heures de la matinée du lundi, les hommes de l'ambassade suggéraient ce que Philby attendait depuis le début. Avant que l'on ne prenne une décision, il fallait mettre le transfuge en puissance en contact avec Philby. C'était le seul moyen d'en savoir plus sur sa situation exacte. Pouvait-il quitter facilement l'ambassade? Quand travaillait-il? Où habitait le couple?

Philby s'arrangea encore pour retarder le moment de passer à l'action. Londres lui avait recommandé de recourir aux services du premier secrétaire de l'ambassade britannique, John Read, qui parlait le russe. Il était donc nécessaire de mettre Read au courant. Philby y consacra la matinée du lundi. A présent, il ne restait plus qu'à s'assurer le concours du fonctionnaire du consulat général britannique auquel Volkov s'était adressé... *quelque vingt jours plus tôt!*

Si le SMERSH n'avait pas mis à profit ces trois semaines de retard pour passer aux actes, c'était à désespérer du Centre de Moscou. Philby mangea donc de bon appétit tout en songeant à la tête que ferait Read si le pire arrivait : c'est-à-dire si Volkov était toujours en circulation et en mesure de venir au rendez-vous prévu avec John Read. Il fallait le fixer cet après-midi même. Un autre retard pourrait faire porter les soupçons sur Philby. Si la rencontre avait effectivement lieu, ces soupçons se transformeraient en certitudes : Konstantin Volkov donnerait les noms des espions soviétiques circulant librement dans l'entourage immédiat de Read, dont celui de Philby.

La rencontre n'eut pas lieu. Volkov s'était volatilisé. On essaya sans succès de le joindre. Lors de la première tentative, un employé du consulat russe prit l'appel et prétendit être Volkov. Son interlocuteur britannique, connaissant bien la voix de Volkov, dénonça la supercherie. On rappela. Cette fois, la réponse fut brève : « Volkov est à Moscou. » Finalement, un membre de l'ambassade britannique alla officiellement voir les Russes et s'entendit dire qu'il n'y avait jamais eu de Volkov à la mission soviétique.

Beaucoup plus tard, Londres finit par apprendre, de source officieuse, que l'on avait vu Volkov à l'aéroport d'Istanbul, sanglé à une civière que l'on transportait à bord d'un avion soviétique. On apprit ultérieurement que la femme de Volkov avait été exécutée par le SMERSH.

Philby omit certains des détails mentionnés ici dans la version non expurgée de ses Mémoires publiés en 1981. Il ne dit pas, par exemple, que Volkov réclamait de l'argent, l'équivalent de 100 000 livres sterling de l'époque, en échange de l'adresse et de la clé du coffre dans lequel il avait déposé les documents contenant ses révélations sur les opérations menées par le Centre de Moscou. Ce fameux coffre était l'un des cauchemars de Philby.

Philby est loin de faire figure de héros dans cette histoire. Quelque quarante ans plus tard, on sut que Volkov n'avait jamais été sur le point de démasquer Philby. Il semble qu'une erreur de traduction ou d'interprétation soit à l'origine du malentendu. On avait cru tout d'abord que la taupe soviétique se trouvait dans le MI6; après réexamen des faits, on se rendit compte que Volkov avait parlé d'un « chef suppléant d'un service du directoire du contre-espionnage britannique ». Le MI5.

C'est Gouzenko qui rétablit la vérité quand on lui montra la lettre rédigée en russe par Volkov. Seulement Gouzenko ne prit connaissance de la liste de Volkov qu'en 1966. Pourquoi ne la vit-il pas plus tôt? Volkov avait remis sa liste à un diplomate anglais parlant russe. Pourquoi n'a-t-on jamais remarqué cette disparité? Même en tenant compte de l'absence de méfiance qui régnait à l'époque, pourquoi de SIS n'a-t-il jamais pris les allégations de Volkov au sérieux?

Ce peu d'intérêt pour les accusations tient en partie au fait qu'à l'époque Istanbul était le point de rassemblement des réfugiés juifs qui essayaient de gagner la Palestine, et le Foreign Office avait « d'autres chats à fouetter ». Le Foreign Office et les autorités militaires s'occupaient surtout d'empêcher les Juifs d'arriver à bon port. Ce problème semblait même quelquefois les inquiéter plus que Hitler. Entre 1939 et 1945, on fit tout pour mettre un terme aux mouvements des Juifs vers la Palestine; on recourut à la diplomatie, à la déportation et même à l'arraisonnement des bateaux transportant des immigrants clandestins. L'exode d'après guerre ne rassemblait que les rares rescapés des camps de la mort nazis. Néanmoins, les diplomates britanniques en poste en Turquie et alentour consacrèrent beaucoup de leur temps à réclamer l'arrêt de l'immigration juive vers la Palestine. Lorsqu'en 1940 le *Salvador* fut coulé dans les eaux territoriales turques avec quelque deux cents Juifs à bord, le chef du service des réfugiés du Foreign Office qualifia cet événement de « catastrophe opportune ». Philby, qui connaissait bien les milieux pro-arabes anglais, savait pertinemment quelle était la première préoccupation du Foreign Office et du SIME (service du renseignement pour le Moyen-Orient). L'opinion publique, quant à elle, n'apprit la vérité que dans les années 80.

Le président Truman avait eu un aperçu de la position britannique dès le début de l'affaire Corby. Alexander George Montagu Cadogan, chef virtuel du Foreign Office pendant toute la durée de la guerre, recommanda soudain, à la suite des révélations de Gouzenko, que l'on tende un piège aux agents soviétiques. Ce revirement surprit. En effet, les Britanniques avaient prôné la plus grande prudence pour s'attaquer au problème PRIMROSE, afin de pouvoir remonter la filière des autres contacts soviétiques. Puis Cadogan déclara que : « Toute publicité faite autour des arrestations des agents soviétiques n'aurait aucun effet négatif sur la politique de l'URSS vis-à-vis des Américains. »

Ce volte-face de Cadogan eut lieu peu de temps après que les Soviétiques eurent commencé d'aider la clandestinité juive à contourner le blocus anglais pour faire entrer des réfugiés en Palestine. Staline mit ses talents de conspirateur au service du mouvement pour Israël, non pas par sympathie pour les Juifs mais pour gêner les Anglais qui élevaient des obstacles à sa progression en Europe de l'Est. L'attitude de Cadogan fut claire dès le début de la Seconde Guerre mondiale quand, après avoir refusé l'assistance d'agences sionistes, il écrivit : « Si les Juifs contrôlaient la propagande britannique, ce serait un désastre. » Six ans plus tard, la position dure de Cadogan à propos de l'affaire Corby était due à la colère que faisait naître en lui la politique étrangère de l'URSS. Cadogan « avait fini par être exaspéré par l'attitude de Molotov au conseil des ministres des Affaires étrangères », déclara Mackenzie King. A cette occasion, Molotov avait annoncé que les Soviétiques soutiendraient la lutte pour la création d'Israël.

Étant donné les circonstances, un transfuge russe en puissance ne cadrait guère avec les préoccupations des Britanniques, surtout quand celui-ci paraissait d'abord intéressé par l'argent qu'il pourrait tirer de ses révélations sensationnelles. Volkov commit une erreur fatale en exigeant que l'on mène les négociations par le biais de la valise diplomatique, car c'est ainsi que ses propositions échouèrent sur le bureau de Philby avec les conséquences que l'on connaît.

Maintenant que Philby s'était froidement débarrassé de Volkov, il fallait qu'il règle le problème Gouzenko. Philby comprenait fort bien que Gouzenko était potentiellement beaucoup plus dangereux que Volkov, mais l'officier n'osa pas s'éloigner de son bureau londonien avant d'avoir effacé ses traces.

Quelles mesures Philby prit-il dans ce sens? On le questionna à ce sujet lors des interrogatoires qu'il subit avant sa fuite en Russie, mais on ne retrouverait rien dans les archives, même trente-huit ans plus tard. A Londres, les dossiers sur Gouzenko avaient disparu. Il y a fort à parier que ces dossiers permettraient de reconstituer les étapes que suivit Philby pour s'assurer que le transfuge russe serait au moins discrédité, à défaut d'être éliminé.

On raconta que Dick Ellis était intervenu dans l'affaire Corby, si bien que les infiltrations soviétiques se poursuivirent. Les accusateurs posthumes d'Ellis essayèrent de démontrer que c'était lui qui avait mené les interrogatoires confidentiels de Gouzenko et qui s'était débrouillé pour qu'ils restent sans suite. Les spécialistes du renseignement canadien qui s'étaient chargés des interrogatoires avaient laissé le soin aux Britanniques de poursuivre l'enquête sur les taupes placées dans les services secrets anglais.

« Quel que soit cet interrogateur britannique, devait répéter Gouzenko plus tard, il travaillait pour les Russes, c'est évident. Quand j'ai pris connaissance de ces fameux comptes rendus de mes prétendues allégations, j'ai découvert que ce n'était qu'un tissu de mensonges. On avait déformé mes dires pour me faire passer pour un imbécile guidé par l'appât du gain et la vanité. »

Philby devint chef du MI6 en Turquie l'année qui suivit l'élimination de Volkov. En 1949, il prit ses fonctions à Washington et fit de fréquents séjours à Ottawa. Il persuada ses collègues canadiens d'essayer de mettre sur pied leur propre bureau du renseignement extérieur. Il suggéra qu'on lui confie l'organisation de ce service. Après tout, il était expert en la matière. S'il y était parvenu, le Centre de Moscou aurait contrôlé un service recueillant en toute légalité des renseignements confidentiels auprès des trois pays de l'Alliance *. Heureusement, les services secrets canadiens tinrent à organiser eux-mêmes ce département. Philby dut se contenter d'être à l'abri de tout soupçon et de se trouver en position d'aider ceux-là mêmes qui s'efforçaient de faire taire Gouzenko.

---

* C'est un procédé plus courant qu'on ne le croit. La Chine communiste y recourut pour contrôler le ministère des Affaires étrangères indonésien. En 1964, on incita le président Soukarno à déclarer « une guerre de confrontation » à la Malaisie. C'était la deuxième fois que la Chine tentait de déstabiliser les États malais en usant de moyens non conventionnels. La première fois, des guérilleros chinois avaient participé à la guerre de la jungle.

SEPTIÈME PARTIE

1954
LA PUISSANCE DU SECRET

28

LES DEUX ELLI
ET L'ORCHESTRE ROUGE

Début 1946, un membre du SIS britannique rendit visite à Gouzenko pour discuter de la taupe russe de Londres, qui travaillait sous le nom de code d'ELLI. En 1981, Gouzenko maintint sa version des faits quand on lui fit remarquer que l'envoyé du SIS n'avait pu dissimuler ses déclarations concernant les taupes puisque des personnes intègres comme Mackenzie King s'en étaient fait l'écho. « Oui, répliqua Gouzenko, seulement mes dires n'intéressèrent pas les hommes de Mackenzie King. Seul le fameux " monsieur qui venait d'Angleterre " prêta attention à mes révélations au sujet des agents doubles soviétiques, et c'est à lui seul que j'ai confié des renseignements que je jugeais particulièrement délicats. »

Gouzenko mit du temps à comprendre que ce « monsieur qui venait d'Angleterre » était précisément la taupe russe qu'il redoutait tant. Lors de sa déposition devant la commission royale, il avait évoqué la présence possible d'agents secrets soviétiques à l'intérieur des services de sécurité occidentaux et l'existence probable de deux agents doubles portant le même nom de code d'ELLI. Seulement cette partie de son témoignage ne figura pas dans le compte rendu que publia la commission. Gouzenko pensa qu'il devait y avoir de bonnes raisons à cela et que les enquêtes suivaient leur cours. Stephenson l'avait rassuré, et il ignorait tout de la dissolution du BSC.

En 1952, un peu dérouté par les événements, il n'avait cessé d'être convoqué par des commissions d'enquête à Ottawa et Washington. On l'interrogea à plusieurs reprises sur des questions déjà évoquées dans le compte rendu de la première commission, mais on ne l'encouragea jamais à aborder le problème qui le préoccupait le plus, à savoir que l'unique objectif des services secrets russes était d'infiltrer les services de sécurité occidentaux. Chaque fois qu'il rencontrait des membres de la police montée, il leur répétait que les services secrets russes n'avaient rien d'inexpérimenté et de maladroit comme on voulait le faire croire dans les romans d'espionnage. Il mit au point un projet destiné à séduire les transfuges potentiels, car il savait que seuls les agents de l'intérieur pouvaient apporter des renseignements dignes d'intérêt sur les opérations des services secrets russes. Si l'on souhaitait inciter les agents russes à passer à l'Ouest, il fallait leur offrir cinq garanties : une protection amicale, une naturalisation immédiate, un soutien financier, un emploi intéressant et l'assurance que l'on reconnaîtrait leur contribution à sa juste valeur.

La proposition de Gouzenko coïncida avec un certain remue-ménage souterrain dans les services de sécurité occidentaux. Maclean et Burgess avaient pris la poudre d'escampette. On avait rappelé Philby à Londres pour lui faire subir des interrogatoires qui ne mèneraient à rien. Et enfin, la police montée se décida avec quelque retard à demander à Gouzenko de lui répéter ses allégations à propos des agents doubles soviétiques.

Le 6 mai 1952, il écrivait au commissaire George McClellan (futur directeur des services secrets canadiens qui, à l'époque, effectuait des enquêtes pour le compte des services de sécurité américain et britannique) :

« Quand j'ai commencé à donner des renseignements aux autorités canadiennes, je ne faisais que répéter ce que j'avais appris de la bouche de l'employé du chiffre Kulakov qui venait d'arriver du Centre de Moscou. »

Gouzenko évoquait ensuite des Américains et des Britanniques travaillant pour le compte des Soviétiques :

> En ce qui concerne cette personne (un agent soviétique placé dans le MI5), je ne me suis pas fondé sur ce qu'on m'a raconté, *j'ai vu le télégramme de mes propres yeux!* Puis le lieutenant Lubimov m'a confirmé l'information. Le télégramme que j'ai vu fin 1942 ou début 1943 concernait une rencontre avec l'homme du MI5 dans une *dubok* (une cachette)... Plus tard, à Ottawa, Zabotin (chef du réseau GRANT) fut averti par Moscou qu'un représentant des « Verts » (contre-espionnage) britanniques devait venir aider la police montée dans sa lutte contre les agents soviétiques.

On donnait à Zabotin une liste détaillée des précautions à prendre pour affronter cette contre-attaque britannique.

En guise de conclusion, Gouzenko analysait les causes des différents échecs, comme le lui avait demandé McClellan. « La première erreur fut de confier au MI5 la tâche de trouver l'agent double... Un agent bien placé et influent peut s'arranger pour brouiller les pistes et rendre les enquêtes inutiles. Je suggère humblement (et je ne pense pas qu'il soit trop tard) que l'on donne ce travail à des gens n'appartenant pas au MI5... Si, pendant ces six dernières années, les autorités britanniques avaient surveillé vingt-quatre heures sur vingt-quatre, et mois après mois, tous les mouvements des membres de l'ambassade soviétique, elles auraient découvert non pas un mais une douzaine d'agents à l'heure actuelle. »

Cette lettre de Gouzenko ne quitta jamais le dossier top secret dans lequel on l'avait rangée. Londres ne réagit pas. L'inquiétude grandit à mesure que le temps passait car, comme l'avait souligné Gouzenko, un agent influent et haut placé pouvait effectivement faire disparaître toutes les traces des éléments qui tracassaient le transfuge russe. Quand on songe que Gouzenko fit part de ses préoccupations en 1952, à une époque ou l'idée même de trahison à l'intérieur des services de sécurité occidentaux était inconcevable, on se rend compte que le transfuge avait gardé toute sa lucidité malgré son isolement relatif.

Il entra en contact avec Stephenson pour lui faire part de ses appréhensions. L'homme qui lui avait sauvé la vie intervint auprès de la police montée et discuta du problème avec le FBI. Il découvrit à cette occasion que certains experts du contre-espionnage de la CIA étaient convaincus du bien-fondé des craintes de Gouzenko.

Néanmoins, si Gouzenko avait l'appui d'un chef du renseignement à la retraite, la bureaucratie restait sourde à ses cris d'alarme. Il lui faudrait attendre encore deux ans, jusqu'en 1954, pour qu'on lui prête une oreille attentive. A ce moment-là, les preuves de trahison s'accumulaient si rapidement qu'il devenait difficile de les ignorer. Et c'était une chance que Gouzenko fût encore vivant, car les services secrets russes avaient déjà lancé un assassin à ses trousses, lequel devait d'ailleurs se rendre à la police montée. Gouzenko dépendait des services spéciaux occidentaux pour sa sécurité et il n'était pas en mesure de passer outre les filières bureaucratiques, bien qu'il soupçonnât ses ennemis d'utiliser ces mêmes filières pour le museler. Il se trouvait dans une situation absurde.

Certains responsables américains et canadiens du contre-espionnage savaient maintenant que Gouzenko n'exagérait pas quand il décrivait les services secrets russes comme une organisation ayant une longue habitude d'introduire des taupes dans les organismes clés de l'Occident. Deux séries d'éléments le confirmaient : les messages décodés de BRIDE/VANOSA, les archives nazies, ainsi que les échecs de liaison inexpliqués et les tentatives du SIS de Londres de faire disparaître ce que l'on savait des opérations de l'Orchestre rouge en Angleterre.

Mme Brewer, ou si l'on préfère Ruth Kuczynski, le colonel du GRU qui avait dirigé les réseaux de l'Orchestre rouge en Angleterre, avait été nommée par le « grand chef » de ce réseau, Leopold Trepper lui-même. Si l'on en croit l'un des aides de camp de Hitler, les opérations menées par Trepper en Europe occupée auraient entraîné la mort de 200 000 soldats allemands. Pour l'instant, on se posait la question suivante : quelle était l'ampleur du tort causé par l'Orchestre rouge à l'Occident? Trepper travaillait pour Staline, dont les ennemis furent d'abord les pays de l'Alliance atlantique, puis l'Allemagne nazie. La guerre contre Hitler ne fut qu'un intermède dans le combat que livrait Staline à ses ennemis capitalistes. Trepper eut la chance d'avoir encore quelques inconditionnels qui parvinrent à le tirer des griffes de Staline pour l'expédier en Israël, où il se révéla une « véritable mine de renseignements ». Cet épisode confirma que Gouzenko ne se trompait pas dans son analyse des transfuges russes et qu'il était inutile d'adopter une attitude répressive à l'égard de ces pêcheurs qui finissaient toujours par passer aux aveux si on savait les y encourager.

Trepper avait reçu un passeport canadien subtilisé, comme à l'accoutumée, à un soldat tué pendant la guerre d'Espagne. Il se rendit en Belgique pour renforcer le contrôle des réseaux russes et recruter des agents et des saboteurs. Il avait pris l'identité d'Adam Mikler de Québec, homme d'affaires propriétaire d'une société fabriquant des imperméables, qui montait une chaîne de magasins en Europe. Ses « imperméables » servaient de couverture à ses agents qui se faisaient passer pour des actionnaires, des directeurs commerciaux ou des représentants de commerce. De son côté, sa femme, d'origine polonaise, utilisait un passeport canadien qui avait été délivré à un membre du parti communiste hollandais sous un faux nom.

Les enquêtes menées après la guerre révélèrent que, dans les années 30, la Belgique avait servi de terrain d'entraînement aux officiers du GRU et de dépôt aux agents. Le Canada était le principal fournisseur de faux papiers.

On s'apercevait une fois de plus que les avertissements lancés par Gouzenko étaient amplement justifiés. La falsification massive de passeports canadiens prouvait l'existence de complicités à Ottawa. Les difficultés rencontrées pour reconstituer des événements précédant une guerre qui avait détruit une grande partie de l'Europe occidentale furent accentuées par le zèle que mettait Trepper à brouiller les pistes. A Paris, il avait fréquenté la famille russe blanche de l'épouse de Dick Ellis sous le nom de Herbst des services secrets allemands. Trepper était entré en France avec le nom de Sommer, homme d'affaires suisse, et il en était sorti avec l'identité de Majeris, marchand de confection yougoslave. Pendant son séjour à Paris, il parvint aussi à trouver le temps de s'occuper de la filiale locale de la Société des imperméables sous l'identité d'Adam Mikler. L'histoire de ses allées et venues ne commença à s'éclaircir qu'en 1973, quand, reprenant sa véritable identité, Leopold Trepper échappa aux Soviétiques pour se réfugier en Israël, où il mourut en 1982.

Redevenu libre, Trepper nous aida à rassembler les pièces du puzzle. C'est dans les années 20 que les services secrets russes avaient commencé à s'attaquer à leurs homologues britanniques et, jusqu'à la Seconde Guerre mondiale, ils avaient donné la priorité à l'infiltration des centres de décision américains et britanniques. Ils dirigeaient les réseaux installés en Grande-Bretagne à partir de Bruxelles et Paris. Les agents soviétiques avaient attendu la rupture du pacte germano-russe pour participer à l'effort de guerre britannique contre Hitler. Auparavant, ils s'étaient attachés à saboter cet effort et à surveiller les factions nazies de Grande-Bretagne. C'étaient les services secrets nazis qui avaient baptisé le réseau Orchestre rouge à la suite de l'invasion de la Russie. De 1940 à 1942, Trepper eut sous ses ordres sept réseaux soviétiques, chacun doté d'un chef et responsable d'une tâche précise. En 1942, Trepper fut trahi en France. Il fit semblant de collaborer avec les Allemands qui l'avaient pris et parvint à s'enfuir. Il resta caché à Paris jusqu'à la libération de la ville, puis retourna à Moscou. En guise de remerciements, les Soviétiques l'envoyèrent en Sibérie. Staline n'arrivait pas à croire que Trepper n'avait pas réellement collaboré avec les nazis. « Il faut garder à l'esprit, expliqua Trepper, que Staline avait travaillé main dans la main avec les services secrets nazis, ce qui signifie que je suis resté en contact avec eux jusqu'en 1941. Staline trouva cela suspect. Il pensait que tout le monde était aussi déloyal que lui. » Khrouchtchev réhabilita Trepper, qui rentra dans sa Pologne natale au milieu des années 50. Il critiqua la politique antisémite du gouvernement polonais. Ses deux fils entamèrent des grèves de la faim en faveur des Juifs. La carrière de Trepper venait de prendre un tournant décisif, il se battait à présent pour ses congénères. Puis Varsovie céda aux pressions des sympathisants anglais de Trepper et autorisa le vieillard à partir en 1973. Il s'installa en Israël où il mourut à l'âge de soixante-dix-sept ans après avoir donné le précieux renseignements sur les services secrets russes. Son compte rendu sur des activités des Russes blancs à Paris et du jeu dangereux qu'ils avaient quelquefois joué entre les services secrets allemands et soviétiques fut d'autant plus apprécié que les archives correspondantes avaient disparu.

Le passage dans l'autre camp d'un vieux maître espion comme « l'oncle » Trepper empoisonne la vie des taupes, des agents en place depuis longtemps, des espions en sommeil et de leurs officiers traitants. Les Soviétiques ne savent jamais quelle information périmée et anodine fournira aux ennemis la pièce manquante, quand le vétéran fouille sa mémoire sous la conduite de ses nouveaux amis. Et justement, Trepper s'était souvenu que l'un de ses meilleurs agents avait pour nom de code GISEL – nom qu'employait le Centre de Moscou pour désigner le nid d'espions d'Ottawa, ce que Gouzenko avait déjà révélé. Ce nom de code apparaissait aussi fréquemment dans les communications des services secrets russes interceptés par BRIDE/VANOSA.

On se retrouvait donc avec plusieurs GISEL. Le GISEL suisse était Marie Josefovna Paliakova. Comme Gouzenko, elle avait été repérée par des chasseurs de têtes du parti qui l'envoyèrent à l'âge de vingt et un ans à l'école supérieure d'espionnage d'Arbatskaya Ploschad à Moscou. Elle avait résidé illégalement en Allemagne, en Belgique, en France et en Suisse dans les années 20, au service de l'unité du GRU spécialisée dans les opérations techniques. Pendant la Seconde Guerre mondiale, elle avait été chef provisoire d'une section spéciale du GRU et, pendant un certain temps, recruta des agents pour l'Extrême-Orient en passant par New York. Elle avait mis sur pied le légendaire réseau Lucy en Allemagne nazie et accueillit Trepper au nom du Centre de Moscou quand celui-ci eut la mauvaise idée de rentrer en URSS.

Pourquoi le Centre de Moscou l'avait-il baptisée GISEL, nom de code qui pouvait prêter à confusion?

La réponse à cette question allait démolir tous les arguments auxquels on recourait pour tourner en ridicule les affirmations de Gouzenko à propos des deux ELLI. On avait largement sous-estimé les capacités des services secrets russes. Si l'on en croit un rapport de la CIA, l'Orchestre rouge était « une structure construite trop tard et trop hâtivement... dont seules quelques branches ont soigneusement été mises au point et testées. Mais elle est surchargée et condamnée à s'effondrer. » Cela aurait pu être vrai si, comme le pensait la CIA, le « volume des communications pendant la guerre » avait désarçonné les analystes du Centre de Moscou. Seulement, les constantes purges opérées à l'intérieur des services secrets russes permirent de réparer les erreurs. Maintenant qu'on commençait à comprendre les nouvelles méthodes des services secrets russes, les allégations de Gouzenko paraissaient moins exagérées.

Les postes d'écoute occidentaux finirent par se familiariser avec les vastes réseaux des télégraphistes et des émetteurs secrets des services spéciaux russes. Les télégraphistes soviétiques faisaient l'admiration de leurs homologues occidentaux. Les « transmissions groupées » en morse accéléré n'étaient pas loin. A chaque opérateur clandestin correspondait un officier traitant à Moscou, et il n'y avait pas d'interférences possibles entre les réseaux. Chaque agent appelait son directeur régional. On utilisait des noms de code pour gagner du temps et faciliter les transmissions. On se servait souvent des mêmes d'une région à une autre, si bien que le GISEL suisse n'avait rien à voir avec le GISEL placé dans une autre partie du monde.

A présent, les dires de Gouzenko à propos de l'existence des deux ELLI tenaient debout : il y en avait un au Canada, démasqué celui-là, et un autre à Londres. ELLI était un groupe de lettres aisément transmissible.

Gouzenko avait parlé d'un agent soviétique, identifié comme était Hermina Rabinowitz de l'Office international ouvrier de Montréal, qui travaillait sous les ordres de GISEL. Les enquêteurs avaient pensé que GISEL était le commandement du GRU. En fait, il s'agissait du GISEL suisse. Les néophytes pouvaient s'y perdre, mais le Centre de Moscou y voyait parfaitement clair. Hermina avait obtenu des fonds pour des espions soviétiques d'Amérique du Nord grâce au consul soviétique de New York, Pavel Mikhailov, qui dirigeait son propre réseau – entité tout à fait indépendante de l'« hôpital » de Yakovlev qui récoltait les documents des espions atomiques.

Les preuves s'amassaient.

29

RÉPUTATION
ET DÉSINFORMATION

Les Allemands possèdent une excellente troupe d'agents secrets. Mais ils ont un point faible : ils ne travaillent qu'avec des Allemands. Que ce soit en Grande-Bretagne, en Amérique, ou au Japon, ils ne collaborent qu'avec des Allemands. Admettons qu'une guerre éclate, aussitôt tous ces Allemands seraient placés dans des camps de concentration et toute l'infrastructure du renseignement allemand s'effondrerait... En revanche, comme nous l'avons vu, tout le monde peut devenir un agent russe : les Anglais, les Italiens, les Esquimaux, et même les millionnaires.

Ainsi parlait un instructeur des services secrets soviétiques dans *The Fall of a Titan* (La chute d'un titan), premier livre de Gouzenko.

Il avait enfin terminé son long roman. Il y mettait en scène les rapports existant entre les citoyens soviétiques et les bureaucrates au pouvoir. Ses personnages étaient consistants et subtilement dépeints. Plusieurs histoires s'enchevêtraient autour de l'intrigue principale qui décrivait la résolution de l'appareil soviétique d'utiliser l'écrivain populaire Mikhail Gorin, « conscience du peuple ».

Par la flatterie, d'ambitieux universitaires attiraient Gorin dans leurs rêts. La famille de l'écrivain finissait par être entraînée dans le complot. L'auteur progressait judicieusement jusqu'au point culminant du roman : l'assassinat de Gorin, devenu trop encombrant et difficile à manipuler. Dans le tableau final, on assistait à l'enterrement en grande pompe de Gorin. Ses cendres étaient scellées dans les murs des Kremlin sous l'œil attentif d'un Staline au garde-à-vous et d'un Molotov qui rendait un cynique hommage à « notre compagnon d'armes, ami de Lénine et de Staline, père de la littérature soviétique... Grande et fertile fut l'amitié de ces deux titans unis dans un même effort patriotique... » En fait, Gorin était devenu l'ennemi de Staline. Mais comme il était mort et enterré, on pouvait tranquillement reconstruire son image de héros et utiliser ses œuvres populaires pour les besoins du parti.

Telle était la réalité cachée derrière *1984*, roman anti-utopique d'Orwell. Dans ce livre publié en 1949, Orwell avait anticipé l'époque où la bureaucratie suprême récrirait l'histoire à sa façon, en expurgeant les archives des journaux et en altérant la chronique quotidienne de l'histoire pour sauvegarder l'image d'infaillibilité du parti.

Gouzenko avait vécu cette expérience. Il avait vu combien les dictateurs dépendaient de la bonne volonté des bureaucrates. Pour lui, la structure même de la bureaucratie se prêtait admirablement aux méthodes fascistes du parti communiste. Il avait aussi compris que, dans les sociétés démocratiques, le parti au pouvoir se servait de la bureaucratie pour que les faits s'accordent à leur politique.

En 1950, Gouzenko gagnait sa vie en écrivant et en vendant ses tableaux. (Huit ans plus tard, les conservateurs renversaient le parti libéral. Le nouveau chef du gouvernement, John Diefenbaker, décida aussitôt que l'État donnerait une pension mensuelle de 500 dollars à Gouzenko. « Il est scandaleux, déclara Difenbaker, que l'on ait abandonné ce Russe courageux à sa lutte solitaire dans un environnement inconnu et difficile. Comment s'étonner qu'il se batte pour que l'Occident comprenne la nécessité d'une politique soutenue à l'égard des transfuges qui ont agi par conviction ? »

Les ennemis de Gouzenko s'employaient à le faire passer pour un ivrogne qui avait dilapidé « quelque chose comme 7 millions de dollars ». En réalité, l'alcool lui était interdit par la faculté, et ses revenus étaient si modestes qu'il ne payait pas d'impôts, mais on se garda bien de le dire. Lorsqu'on l'accusa d'avoir recouru aux services d'un nègre pour écrire son roman, il montra la série de « dessins architecturaux » dont il s'était servi pour construire son livre. Il avait fait bouger ses personnages dans des décors afin de savoir du premier coup d'œil où il en était quand il rédigeait un chapitre.

Un de ses personnages semblait se faire l'écho de ses frustrations : « J'ai l'impression d'être un pauvre, un homme trahi sur le plan spirituel. De quelque côté que je me tourne, je ne rencontre que du vide. Je suis au milieu d'un désert terrifiant. J'ai envie de hurler à la face du monde : " Donnez-moi une raison de vivre ! " Vous entendez ces gémissements ? Ils sont partout. En nous et autour de nous. Le monde se tord de douleur. Ils sont en train d'arracher son âme à la terre avec les forceps de la haine... Privée d'amour, l'humanité se dessèche comme une planète lointaine oubliée par le soleil. »

L'ironie de ce passage ne devient apparente au lecteur que plus loin dans la narration, quand il s'aperçoit que celui qui parle est l'agent du NKVD qui a reçu l'ordre de pousser l'écrivain Gorin à avouer sa désillusion vis-à-vis du communisme. L'agent du NKVD a saisi cette occasion pour exprimer ses sentiments véritables à l'égard du parti.

L'histoire de Gouzenko se termine sur une note d'espoir. Là, il s'identifie avec les trois survivants : une femme, un homme et leur enfant, dénommé Andrei. « Les fins nuages blancs s'écartèrent un instant... Le soleil brillait, amical, printanier, tellement attendu... Ses rayons caressants les surprirent tous les trois sur la colline et illumina la rivière qui serpentait à leurs pieds. Le petit Andrei s'échappa des bras de sa mère et tendit les bras vers l'astre. Puis il regarda ses paumes... l'avait-il attrapé ? »

Lorsque Gouzenko publia son livre en 1954, les libéraux au pouvoir ne voulaient toujours pas entendre parler de rémunération pour « cet opportuniste ». Heureusement pour les Gouzenko, cette attitude n'impressionna pas la police montée qui continua de les protéger.

La crédibilité de Gouzenko était remontée dans les services spéciaux canadiens et américains. En 1954, on invita le transfuge à témoigner sous le sceau du secret devant une sous-commission sénatoriale sur la sécurité intérieure. Mais cela ne se passa pas sans heurts. Les services secrets britanniques cherchèrent à empêcher cette procédure, sous prétexte que cela pouvait nuire aux enquêtes en cours. On eut vent de ces objections par le téléphone arabe, et le FBI ainsi que James Angleton de la CIA se demandèrent qui les avait émises. Était-ce une taupe placée au sein des services secrets anglais ?

On avait entrepris une action contre Philby, mais les choses traînaient en longueur et cela inquiétait Angleton. Sous la direction du chef et d'un conseiller de la reine du genre coriace, Helenus Milmo, le SIS faisait subir un « procès » secret à la taupe soviétique. Mais Philby survécut aux interrogatoires qui s'échelonnèrent entre 1952 et 1955. Puis le doyen des interrogateurs, Jim Skardon, prit le relais. Ultérieurement, Philby raconta cette épreuve : « Ce fut sans aucun doute possible l'expert du contre-interrogatoire le plus retors qu'il m'ait été donné de rencontrer... Skardon était d'une correction scrupuleuse et d'une exquise courtoisie. Les interrogatoires se déroulèrent dans une atmosphère chaleureuse *. »

La courtoisie à double tranchant de Skardon ne parvint pas à venir à bout des suaves dénégations de Philby. L'espion partit pour le Moyen-Orient comme correspondant de l'*Observer* et de l'*Economist,* grâce aux vives recommandations du Foreign Office. Il y resta de 1956 à 1963, continuant à envoyer consciencieusement des broutilles au SIS pendant que Moscou héritait des renseignements dignes d'intérêt.

Philby pouvait encore porter préjudice à Gouzenko. Il se savait certes surveillé, mais cela ne l'empêcha pas de sauver le second ELLI en semant une série de faux indices qui conduiraient à un homme que le Centre de Moscou tenait de toute façon à faire disparaître.

La rivalité entre le MI5 et le MI6 joua en faveur de Gouzenko. L'ancien service de Philby ne réussit pas à empêcher le MI5 d'aider le FBI à faire comparaître Gouzenko devant la sous-commission sénatoriale sur la sécurité intérieure. « Un transfuge, c'est comme un grand cru, déclara un jour un officier du contre-espionnage. C'est le premier jus qui est le meilleur. » Le MI6 avait essayé de démontrer que si l'on continuait à presser Gouzenko, il n'en sortirait rien de bon.

La déposition de Gouzenko fut à l'origine d'une nouvelle série d'enquêtes que l'on regroupa sous l'appellation d'opération Featherbed. Malheureusement, ses procédés avaient un relent de maccarthysme.

L'opinion publique avait fini par se retourner contre

* Pour une fois, un général du KGB et un chef de la CIA tombaient d'accord. Allen Dulles déclara : « L'existence d'un spécialiste de la trempe de Skardon à qui l'on fait appel pour confondre et " briser " une certaine catégorie de traîtres de haut niveau et de renégats est un phénomène de notre temps. » *Great True Spy Stories,* New York, Ballantine Books, 1982.

McCarthy. Ce revirement s'était produit après que Joseph N. Welch, corpulent républicain de soixante-dix ans, eut démoli le sénateur devant la nation. Welch, conseil spécial de l'armée américaine, s'était mis en colère en entendant un compte rendu de la chasse aux subversifs que menait la sous-commission au sein de l'armée. Ses mots furent souvent repris par la suite : « Jusqu'à ce jour, sénateur, jamais je n'avais mesuré l'ampleur de votre cruauté et de votre brutalité. Je suis un gentilhomme, mais je ne suis pas prêt de vous pardonner votre grossièreté. Ne vous reste-t-il donc aucune décence ? »

La fin de McCarthy fut le triomphe de la décence. La coupe était pleine. Les Américains en avaient assez. Les auditions télévisées McCarthy-armée servirent de révélateur. Les effets destructeurs des chasses aux sorcières et des listes noires prirent des allures de drame national. Les citoyens américains, conscients de la fragilité de l'Amérique, s'unirent pour faire face au danger représenté par le sénateur. Les audiences de l'HUAC, commission de la Chambre sur les activités anti-américaines, étaient un spectacle, comme l'arrachage rituel des boutons de l'uniforme du condamné. L'HUAC lui-même devint la cible de toutes les attaques. La constitution n'autorisait pas que l'on piétine ainsi les libertés du citoyen. La plupart des commentateurs s'accordèrent pour dire que « chacun des témoins qui coopéraient mettait en valeur l'autorité illégitime de cette commission ». Il n'y avait plus ni méchants ni héros, seulement des victimes.

Il devint difficile de convaincre les Américains honnêtes, en particulier les victimes, du bien-fondé des actions contre la subversion soviétique. En août 1954, les sondages enregistrèrent le déclin très net du sénateur McCarthy : 22 % des Américains avaient révisé leur position à son sujet, et 24 millions déclaraient qu'il ne leur inspirait que du dégoût *. Cette hostilité finit par déteindre sur les officiers du contre-espionnage du FBI et de la CIA, et l'aversion pour le maccarthysme s'étendit à la Grande-Bretagne et au Canada, ce qui eut pour effct de faciliter la fuite des véritables traîtres.

Stephenson essaya de rétablir l'équilibre. Il n'avait pas fait d'apparition publique depuis l'avant-guerre, quand il avait essayé d'attirer l'attention de ces concitoyens sur les préparatifs de guerre de Hitler. « Pour toute récompense, je me suis fait traiter de belliciste. » Le 31 mai 1954, il profita d'une conférence d'éditeurs canadiens pour réaffirmer l'importance de la liberté de la presse. « Il faut que l'information circule sans entraves. » Le contrôle exercé par les États totalitaires sur l'information empêchaient quelquefois les journalistes d'arriver à la vérité. Pour se préserver des dangers secrets, la démocratie devait recourir à son arme maîtresse, les informations recueillies par les médias, ou sinon par les spécialistes du renseignement. Les Soviétiques avaient livré une guerre secrète dont l'Occident n'avait pas été plus informé que des préparatifs de Hitler.

A cette occasion, Stephenson évoqua le décryptement des codes opéré pendant la guerre, mais son allusion passa inaperçue. Ce n'est que bien plus tard que l'on dévoila l'existence d'ULTRA et des écoutes de BRIDE/VANOSA, si bien que, ce jour-là, ses propos parurent sybillins.

On sait peu de choses sur l'Union soviétique, sinon qu'elle « est dirigée par quatorze hommes qui détiennent tous les pouvoirs. Leurs acolytes bénéficient de privilèges incommensurables. Ils ont même le pouvoir de donner la mort... »

C'était ce pouvoir secret et son puissant érotisme que

* En 1950, d'après les sondages Gallup, 50 % des Américains étaient bien disposés à l'égard de McCarthy; et 29 % seulement exprimaient leur désapprobation.

craignait Stephenson. Recourir aux mêmes procédés pour se défendre était bien sûr une idée tentante. Mais la seule riposte possible restait la liberté de la presse et la liberté d'expression.

Stephenson lançait un défi aux spécialistes de la désinformation du KGB, tout en refusant d'approuver les méthodes gestapistes de l'Ouest. Le refus d'utiliser des polices secrètes était la force de l'Occident.

Au moment où il parlait, le conflit des gestapistes et des libéraux prenait un tour dramatique dans les services secrets. La réputation d'hommes comme Dick Ellis allait souffrir de cette lutte interne.

30

CONFLIT DANS LES RANGS OCCIDENTAUX.
LES GESTAPISTES
CONTRE LES LIBÉRAUX

L'une des deux parties en présence dans ce conflit était les officiers du contre-espionnage « gestapistes » qui, loin de ressembler à la Gestapo de Hitler, prêtaient le flanc aux critiques en voyant des infiltrations soviétiques partout. Les « libéraux » du MI6 et de la CIA les haïssaient. Les chasseurs d'espions étaient par nature des désenchantés du genre humain. Leur profession les obligeait à supposer le pire. Leur formation était surtout technique, avec de brillantes exceptions comme James Angleton de la CIA qui, lui, possédait un bagage universitaire. Cette double formation était théoriquement ce que les chefs des services secrets des deux côtés de l'Atlantique souhaitaient trouver chez chacune de leurs recrues.

Dick Ellis faisait partie du camp des « libéraux ». Il n'était pas prisonnier de la raideur institutionnelle. En tant que chef du SIS en Asie après 1946, il vit se développer le « pouvoir du paysan » et comprit la vision de Mao : des millions d'atomes humains déclenchant leur propre explosion, qui bouleverserait autant le monde qu'une bombe nucléaire. La paysannerie était devenue une Quatrième Arme. Ellis n'était pas populaire auprès de ceux qui pensaient encore que le seul moyen de traiter avec des paysans rebelles était d'essayer de les ramener à la raison. Il préférait « combattre les subversifs, mais

327

négocier avec les honnêtes patriotes » qui s'étaient peut-être ralliés au communisme par désespoir. Ses détracteurs, quant à eux, étaient partisans de la manière forte.

Un exemple de cette politique de la manière forte fut l'explosion de la seconde bombe à hydrogène américaine, d'une puissance mille fois supérieure à celle d'Hiroshima, qui déchira l'atmosphère de l'atoll de Bikini, au moment où les nations afro-asiatiques se réunissaient à Bandung en Indonésie en 1955.

Une autre bombe américaine, grosse comme une tête d'épingle cette fois, déclencha à Bandung une réaction en chaîne beaucoup plus nuisible aux intérêts des États-Unis. Elle fut glissée à bord du *Kashmir Princess*, avion de ligne d'Air India, qui devait emmener Chou En Lai, ministre des Affaires étrangères de la Chine communiste, à la première conférence des pays du tiers monde à Bandung. Chou avertit le gouvernement britannique de Hong Kong de l'existence d'un complot visant à saboter l'avion. La bombe devait être placée à bord par des « forces contre-révolutionnaires » durant l'escale technique dans la colonie. Le gouverneur ne prit pas les craintes de Chou au sérieux. Le *Kashmir Princess* explosa au-dessus de la mer de Java, et tous les délégués de la Chine communiste périrent dans l'accident. Chou avait prudemment emprunté une autre route.

Dans son discours, Chou joua sur l'émotion. L'avion d'Air India avait été saboté, déclara-t-il. L'Inde, qui exerçait alors une immense influence sur l'Asie, avait été la victime de l'Occident. Les impérialistes occidentaux avaient conspiré pour étouffer la voix de la Chine lors de sa première apparition en terrain neutre. Ce discours, comme l'avait pressenti Dick Ellis, allait faire basculer l'Indonésie dans le camp chinois. Dans l'intervalle, les successeurs d'Ellis essayèrent de réparer un peu les dégâts en envoyant des plongeurs fouiller l'endroit où l'avion s'était abîmé. Ils trouvèrent des éléments prouvant que la bombe miniature avait été placée pour le compte de la CIA par des soldats de Taiwan.

La bombe H de Bikini introduisit le Strontium-90 dans le vocabulaire de la mort. Chou sut aussi exploiter ce détail. L'explosion « arrosa » un chalutier japonais, dont les occupants moururent rongés par le cancer. Ralph Lapp, directeur du département nucléaire de l'office américain de la recherche navale, prédit qu'avant le début des années 80 il y aurait, à la suite de ces essais, suffisamment de matières radioactives dans la stratosphère pour mettre en danger la santé de tous les êtres vivants de la planète. La propagande communiste répliqua que les victimes de ces bombes étaient toujours afro-asiatiques, parce que la minorité blanche les considérait comme une race inférieure. Chou se faisaient l'interprète des Pensées de Mao : Peu importe la puissance de ces nouvelles armes, elle ne l'emporteraient pas sur la force montante des pauvres et des opprimés. On avait l'impression qu'il annonçait la naissance d'une nouvelle version de la Quatrième Arme – les races de couleur contre l'impérialisme de l'Occident.

Le racisme divisait aussi le camp communiste. Gouzenko avait toujours prétendu que l'arrogance raciale des Russes aliénerait le communisme asiatique. Opinion partagée par Dick Ellis qui était devenu un expert des méthodes de guérilla de la Chine communiste en Malaisie. Gouzenko et Ellis avaient compris qu'une nouvelle forme de Quatrième Arme secrète se développait en Asie et que, bien qu'ils fissent semblant de respecter la ligne idéologique soviétique, les Asiatiques finiraient par défier l'Union soviétique.

Cette rivalité devint manifeste quand les Russes lancèrent le premier satellite humain de l'espace en 1957, le

Spoutnik. Les dirigeants rivaux de l'Asie communiste inquiétaient les Soviétiques qui voulaient montrer leur avance technologique. A New Dehli, Khrouchtchev éblouit Nehru et un vaste public indien en se vantant des succès scientifiques remportés par les Soviétiques.

Il voulait attirer l'Inde hors de l'orbite chinoise, au moment où les divergences s'accentuaient entre la Russie et la Chine. Stephenson avait appris par des sources chinoises que la rupture était imminente, et il y croyait. Mais à Washington, James Angleton de la CIA soutenait que ces rumeurs étaient dues à la propagande russe.

En fait, la création d'une Quatrième Arme maoïste préoccupait les Soviétiques. A l'instar de la Quatrième Arme de l'alliance ébauchée en 1941-1942, elle mobilisait des paysans opprimés et sans armes qui désiraient renverser leurs maîtres qui, eux, fourniraient des armes.

La minuscule bombe du *Kashmir Princess* fut plus exploitée sur le plan politique que les nouvelles armes monstrueuses. Elle allait servir de référence au terrorisme à venir. Quand on y repense à présent, on devine pourquoi les Soviétiques souhaitaient détruire ceux qui, comme Dick Ellis, comprenaient le symbole.

En 1950, Ellis travaillait pour les services secrets australiens qui suivaient de très près les guerres qui embrasaient l'Asie toute proche. Il ignorait qu'à Washington, on constituait un dossier contre lui, baptisté EMERTON, basé sur les dires de certains nazis à propos de ses relations d'avant-guerre. Faisait-il partie de ces agents du KGB qui s'étaient infiltrés dans les services d'espionnage de Hitler avant le début du conflit? A Londres, les partisans de la ligne dure du MI5 voulurent examiner le dossier d'Ellis, mais ses collègues du MI6, furieux, leur en refusèrent l'accès.

Les maîtres de l'illusion avaient créé un monde effrayant où des miroirs magiques déformaient ou flattaient, des trappes s'ouvraient sous les pas des imprudents et où des marionnettes indiquaient des fausses sorties. Le portrait d'EMERTON dansait au bout de sa corde. Était-il un espion qui, après les années de danger, se trouvait plus de points communs avec ses ennemis ? Était-il semblable à ce soldat qui endure tant d'épreuves avec ceux qu'il combat qu'il finit par mépriser les civils ? Les services secrets nazis, truffés d'agents soviétiques, rendaient Ellis sensible à la corruption. Cela semblait étrange de voir la carrière d'un homme menacée par d'anciennes intrigues soviéto-nazies.

Fait plus étrange encore, personne ne consulta Stephenson à propos des soupçons qui pesaient sur Ellis. Le général Donovan, qui vivait encore à l'époque, ne fut pas non plus interrogé. Les directeurs de l'OSS et du BSC gardaient le souvenir précis des cinq années qu'Ellis avait passées aux côtés d'Intrepid, et ses accusateurs auraient pu leur demander conseil. Seulement ils ne le firent pas. Peut-être savaient-ils qu'un examen des dossiers de l'OSS et du BSC aurait permis de comprendre qu'en fait les services secrets soviétiques avaient toujours cherché à abattre Dick Ellis, le vieil ennemi de Staline. L'occasion se présenta quand Moscou eut besoin de détourner l'attention du second ELLI, dont Gouzenko avait révélé l'existence.

Dans les années 60, décennie où la tromperie régna en maître, le spécialiste en la matière passait pour une victime. Ellis faisait l'objet d'une enquête, dont l'arrière-plan avait été secrètement embrouillé par les déformations que les Soviétiques avaient fait subir à l'affaire Gouzenko.

Les chefs du contre-espionnage américain s'étaient plongés dans des dossiers datant de la guerre, traquant leur proie dans des microfilms et des documents abîmés, des dépêches tachées et de vieux télégrammes froissés. Ils découvrirent qu'une « source bien vue du renseignement soviétique », selon un rapport du KGB, représentant officiel du SOE à Moscou, était tombé dans un piège tendu par une *mozhno*, prostituée « autorisée » travaillant pour le Centre de Moscou. Ils trouvèrent aussi que Donald Maclean avait été suivi en 1944 à Washington par un chef du renseignement soviétique, Anatoly Grimov, qui utilisait sa couverture diplomatique pour monter des opérations en liaison avec les réseaux de l'affaire Corby.

Un autre chef des services secrets russes, en mission analogue à Londres, avait recruté une taupe de poids. En l'occurrence, Washington dut se contenter de confier les preuves aux Britanniques qui menèrent une autre enquête secrète. Cette taupe était le conservateur des tableaux de la reine, ancien membre des services spéciaux de Sa Majesté, Sir Anthony Blunt, qui continuait à profiter des honneurs et à prodiguer ses conseils aux galeries d'art américaines. Il était chargé de veiller à la loyauté des intellectuels britanniques enrôlés par le chef des services secrets russes de Londres.

Le contre-espionnage israélien, qui passait au crible le passé des immigrants à la recherche de liens avec les services secrets russes, commença à publier des rapports indépendants. Philby fit l'objet d'une enquête minutieuse quand il arriva à Beyrouth comme correspondant étranger, muni de bonnes références du Foreign Office. Le Premier ministre de l'époque, Harold Macmillan, l'avait officiellement lavé de tout soupçon à propos de son appartenance aux services du renseignement russes, mais en 1963 il avoua tout à un collègue avant de s'enfuir en Union soviétique. Quelqu'un l'avait averti que les jeux étaient faits – et les accusateurs d'Ellis prétendirent que c'était lui le coupable.

Lorsqu'on lui apprit que Philby était bien un agent soviétique, Harold Macmillan s'exclama :

– On ne devrait jamais *arrêter* un espion! Le démasquer et le contrôler, d'accord. Mais l'arrêter, jamais. Un espion arrêté est beaucoup plus nuisible qu'un espion en liberté.

Cette attitude aurait pu éviter à Ellis d'être soupçonné si les Britanniques avaient encore impressionné les Américains qui avaient été initiés à la guerre secrète par des hommes comme Ellis et Philby. Ellis avait dit un jour :

– La haute société britannique a l'art de vous attirer dans ses rêts. Vous pouvez considérer que c'est fait le jour où une invitation lancée par une duchesse, un duc, un baron, un archevêque ou un roi, vous bouleverse. Vous êtes entré dans le cercle magique, et vous tremblez à l'idée de prononcer des paroles qui montrent que vous n'appartenez pas à ce monde.

Hoover n'était pas tombé dans les rêts, et le FBI échappait à l'influence de cette société.

C'était aussi le cas de James Angleton de la CIA. En tant que membre du X-2, branche du contre-espionnage de l'OSS, Angleton avait respectueusement écouté la conférence de Philby sur l'art de cultiver les agents doubles. A présent, il fulminait littéralement à ce souvenir.

James Jesus Angleton avait deux passions, la pêche de la truite et la poésie. Pur produit de Yale et de la Harvard Law School, Angleton avait un esprit d'une infinie complexité qui aimait à chercher ce qui se cachait sous la surface. Il avait toujours pensé que l'on avait trop vite écarté Igor Gouzenko. On avait intelligemment mis fin aux enquêtes en cours. Mais qui tirait donc les ficelles ?

Les admirateurs londoniens d'Angleton jugeaient eux aussi que l'on avait sous-utilisé Gouzenko. En fouillant dans les souvenirs du transfuge russe et en les comparant aux éléments récoltés grâce au décryptage de BRIDE/VANOSA, ils établirent des liens entre les opérations soviétiques avant la guerre et les preuves spécifiques de l'existence de fuites du SIS à Paris, recueillies dans les archives allemandes. Les anciennes sources du renseignement allemand prétendaient que les informations de première importance provenaient d'un officier britannique du SIS par l'intermédiaire d'une famille russe blanche. Une des sources parlait d'un capitaine Ellis, un Australien marié à une Russe. On disait que les Allemands avaient acheté à ce capitaine Ellis les organigrammes du SIS, ainsi que des renseignements sur la façon dont on avait mis sur écoute une ligne reliant le quartier général de Hitler et son ambassadeur à Londres avant guerre. Le véritable Dick Ellis, apprenait-on maintenant, avait été l'un des rares officiers du SIS chargés de l'écoute. Les preuves indirectes s'accumulaient.

Les amis d'Ellis eurent l'impression que l'on montait un coup contre lui, dans un service où l'on n'hésitait pas à créer des boucs émissaires pour rejeter sur eux la responsabilité de graves violations de la sécurité restées inexpliquées. Les Soviétiques avaient intérêt à encourager ce processus. Selon toute évidence, ils connaissaient parfaitement les faiblesses du SIS et savaient, grâce à leurs taupes, comment semer de fausses preuves et jouer sur les préjugés. Philby avait recouru à ce procédé pour se débarrasser des officiers supérieurs du SIS.

En 1963, Ellis fit une brève réapparition sous les traits d'Ellis-l'ennemi-du-bolchévisme, avec la parution d'un livre mettant en question la version soviétique d'une affaire qui avait permis à Ellis de faire ses premières armes dans le renseignement britannique. En 1957, Moscou avait publié un ouvrage intitulé *L'exécution des vingt-six commissaires* qui reprenait les vieilles accusations staliniennes sur les agissements des Britanniques en Asie centrale. Selon ces sources, les Britanniques avaient commis des actes d'agression délibérée pour gagner du terrain dans cette partie du monde, lors de l'éclosion de la révolution russe. Ellis riposta avec un ouvrage fort bien documenté, *The Transcaspian Episode*. « A une époque où les diatribes soviétiques contre " l'impérialisme " et le " colonialisme " forment la base de la propagande destinée au tiers monde, il m'a semblé urgent de rétablir les faits », écrivait Ellis. Et il concluait ainsi : « L'Afghanistan fait l'objet d'infiltrations soviétiques... La tentative communiste de prise de contrôle de l'Iraq a essuyé un échec, mais il s'agit peut-être d'une tactique. On bat en retraite pour mieux avancer plus tard. La région a acquis une nouvelle importance sous l'impact des impérialismes russe et chinois qui se cachent derrière les slogans glorifiant le communisme mondial, instruments de la volonté de puissance russo-chinoise. »

Étonnant de trouver de telles opinions sous la plume d'un prétendu espion soviétique! Seulement, les analystes de l'art de la tromperie soviétique étaient aveuglés par les soupçons. Ils estimèrent que le livre d'Ellis était un exemple type de désinformation soviétique d'une intelligence diabolique, destinée à présenter Ellis comme un ennemi de Moscou. « Cet ouvrage n'aura pas beaucoup de lecteurs. Mais, en attendant, Ellis passe pour un capitaliste antibolchévique impénitent. Philby a employé la même tactique – il a écrit lui aussi des articles anticommunistes pour couvrir ses activités d'agent soviétique. »

Deux transfuges de fraîche date, Anatoly Golitsin et Michael Goleniewski, avaient révélé les méthodes opérationnelles de désinformation du KGB. Goleniewski prétendait être le fils du tsar Nicolas et l'héritier légitime du trône de Russie, et ses détracteurs jouèrent là-dessus pour le discréditer. Golitsin avait lui aussi ses critiques qui affirmaient que cet ex-agent du KGB avait refusé d'avoir affaire à toute une série d'interrogateurs de la CIA et avait insisté pour parler au président des États-Unis en personne. Plus les accusations pleuvaient sur les deux hommes, plus James Angleton était convaincu qu'ils étaient victimes d'une campagne de désinformation.

Golitsin affirmait que les méthodes de désinformation de l'Union soviétique étaient le fruit de quarante ans d'expérience. « Angleton et plusieurs membres haut placés de la CIA consacrèrent les dix années suivantes à briser des transfuges russes présentés comme des agents de désinformation par Golitsin et à chercher la « super-taupe » qui se cachait au sein de la CIA, toujours d'après Golitsin. Cette obsession finit par déteindre sur les services britanniques. Et le rapprochement de la CIA et du SIS nous empêcha de mettre un terme à la propagation de ce poison. » Il fallut attendre 1974 pour que le nouveau directeur de la CIA, William Colby, déclare qu'il préférait licencier Angleton plutôt que de voir l'agence continuer à s'effriter.

Certains trouvaient des excuses à l'obsession d'Angleton. Le défection de Kim Philby était un épisode traumatisant pour cet homme de la CIA qui, un certain temps, avait considéré le Britannique comme un maître. Trahi dans son amitié, Angleton fut désormais incapable d'accorder sa confiance. Il commença à soupçonner tout le monde.

Ceux qui partageaient son inquiétude poussèrent une faction de jeunes rebelles des services de sécurité britanniques à demander pourquoi certaines opérations avaient échoué. De fatales erreurs avait été commises. Le conflit éclata quand les échecs devinrent le cheval de bataille des détracteurs. Il y eut un regain d'hostilité entre les services. Si le KGB avait voulu voir les services secrets occidentaux s'entre-déchirer, il avait choisi l'arme idéale en semant la méfiance.

L'histoire de Dick Ellis montrait combien un agent professionnel du renseignement est accessible à la désinformation soviétique. Ellis avait mûri à une autre époque, bien innocente en comparaison. Si les gens désireux de détruire la réputation de Lawrence d'Arabie, son contemporain, avaient disposé des techniques modernes de tromperie, il ne leur aurait pas été difficile de « prouver » que celui-ci était un traître au service de l'ennemi.

Gouzenko avait souligné que les bureaucraties du renseignement soviétiques offraient aux officiers rivaux toutes les occasions de se nuire. Quand les services secrets russes décidaient de neutraliser un ennemi extérieur, les candidats spécialistes des luttes internes du Centre de Moscou ne manquaient pas. Une fois de plus, il fut démontré que Gouzenko avait raison. Et c'est Ellis qui fit les frais de cette démonstration, chose que Gouzenko n'aurait pas pu prévoir.

Ellis avait toujours refusé de participer aux querelles intestines, et c'est pour cette raison qu'il passa pour un individu « socialement inadapté ».

On reprochait à Ellis de ne pas se plier aux règles « victoriennes » édictées par celui que les services secrets soviétiques appelaient le Chef et Intrepid, C. En 1964, on apprit que C était le général Stewart Menzies. Jusque-là, Sir Stewart Menzies avait joui du secret qui entourait traditionnellement tous les chefs des services de sécurité britanniques *. La publication de son nom l'exposa soudain au grand jour. Et sa réaction fut très symbolique de l'archaïsme des préoccupations de ceux qui traitaient Ellis d'inadapté. Quelle impression cela faisait-il à Menzies d'être ainsi mis à nu ?

---

* Jusque-là, la loi britannique des secrets officiels avait intimidé tous ceux qui auraient été en mesure de révéler l'identité de CSS et d'Intrepid, ou de lever le voile sur le BSC. Cette volonté de garder l'anonymat commença à disparaître quand les Américains en montrèrent toute l'absurdité en rendant publics les noms de leurs chefs des services secrets. En fait, l'anonymat semblait surtout avantager les bureaucrates, qui pouvaient abuser de la confiance des contribuables en toute impunité.

« Eh bien, répondit-il, je suis plutôt connu dans le comté de Hunt. Je me demande comment les gens vont le prendre. » Et les répercussions sur la sécurité nationale ? « Je ne pense pas qu'elle en souffre. Ce qui m'inquiète surtout, c'est que les habitants de mon comté vont dire que je les ai trompés. »

Philby écrivit de Menzies : « C'est son excentricité qui impressionnait d'abord le visiteur. Il utilisait un papier à lettres bleu vif et une encre verte. Son écriture était illisible... Sa marque officielle était CSS, mais dans la correspondance échangée entre Broadway et les stations à l'étranger, il était désigné par des groupes de trois lettres se succédant dans l'alphabet, ABC ou XYZ... Dans les cercles gouvernementaux, il était connu sous le nom de C. »

Philby ne précisa jamais si ce galimatias faisait rire Moscou. En revanche, il donna une description détaillée de Broadway, enclave nimbée de secret sur le territoire britannique. Il raconta les escaliers branlants, les ascenseurs grinçants, les plafonds bas et les constantes pluies de plâtre. Quant à Menzies, voilà ce qu'il en dit :

> Ce n'était pas un grand officier de renseignement, dans aucun sens du terme. Son bagage intellectuel n'était guère impressionnant et sa connaissance du monde extérieur, ses opinions à ce sujet, étaient celles que l'on s'attendait à trouver chez un fils de l'aristocratie britannique... Il était resté très collégien – il aimait les bars, les barbes et les blondes. Mais c'était justement le côté enfantin, qui perçait sous son enveloppe d'homme chargé d'immenses responsabilités, qui faisait son charme. Sa force résidait dans son incomparable compréhension de la politique de Whitehall, et dans sa capacité de se mouvoir dans les allées du pouvoir.

Ce personnage d'*Alice au pays des merveilles*, à l'identité mouvante, fut en lutte continuelle avec les chefs des services de renseignements des trois armes. Ils protestaient contre le « peu d'informations que leur fournissait le SIS ». Les officiers supérieurs guignaient le poste de Menzies, mais personne n'aurait pu prétendre que leurs plaintes étaient exagérées. Il ne fait aucun doute que les services secrets russes n'ignoraient rien de cette querelle, leur propre général Philby les renseignant de l'intérieur. Les révélations que les services secrets russes lâchèrent par la suite étaient surtout destinées à jeter le discrédit sur les services de sécurité occidentaux.

31

UN PARFAIT MÉPRIS DES RÈGLES.
L'HISTOIRE DE DICK ELLIS

Ellis était un officier du SIS dont la carrière dans le renseignement lui avait valu le douteux honneur d'être fiché au Centre de Moscou. Étant donné le nombre d'interprétations données au rôle joué par Ellis dans l'histoire de Gouzenko, il était intéressant de voir comment il intervint dans la « dernière affaire » d'Intrepid.

Dick Ellis était un rebelle. Il avait peut-être hérité ce trait de caractère d'un de ses ancêtres, William Webb Ellis qui, dit-on, créa malgré lui un nouveau jeu : le rugby. « Avec un parfait mépris des règles, lit-on dans une chronique du XVIIIe siècle, William Ellis prit le ballon dans ses bras et se mit à courir avec. »

Son descendant, Dick Ellis, se distingua toute sa vie par sa manie de courir avec le ballon dans les bras. Il montra un parfait mépris pour le règlement dès qu'il quitta son Australie natale pour rejoindre le front occidental pendant la Première Guerre mondiale. Comme Bill Stephenson, il connut l'enfer des tranchées et eut la chance de survivre au massacre. Ayant vu 400 000 soldats britanniques tomber dans la bataille de la Somme, il ne se départit jamais de son scepticisme à l'égard de la prétendue infaillibilité militaire. On le transféra au Moyen-Orient, où il se familiarisa avec le concept du « grand jeu » mené par la Grande-Bretagne pour empêcher l'ours russe d'envahir les Indes après avoir traversé l'Afghanistan et la Perse. Ce jeu-là avait lui aussi besoin d'être modifié. Ellis ne respectait pas les règles impériales traditionnelles.

« Il était volontaire quand les Britanniques entrèrent en Russie bolchevique en 1918, et le jeune leader communiste qui s'opposait à eux n'était autre que Staline », lit-on sous la plume d'Ernie Cunéo. Cet avocat de Washington apprit à bien connaître Ellis pendant la Seconde Guerre mondiale, lorsqu'ils travaillèrent tous les deux pour le BSC, après que Donovan eut choisi Cunéo pour le représenter au département d'État et au ministère de la Justice. « A la chute des tsars, les musulmans du Turkestan avaient constitué un gouvernement autonome sous l'égide du Soviet central. Quand ils refusèrent d'obéir, le Soviet turkestan leva une armée pour écraser le gouvernement... Staline envoya alors ses commissaires pour rétablir l'ordre dans les régions en proie à la rébellion, et ils furent exécutés. »

Staline considérait que ces vingt-six commissaires avaient été victimes d'un peloton d'exécution dirigé par les Britanniques. Un artiste soviétique représenta Ellis en train de donner l'ordre de tirer. A Bakou, on peut encore voir un monument érigé à la demande de Staline, qui proclame qu'à cet endroit les commissaires tombèrent sous les balles britanniques.

Si l'on en croit Ellis, la réalité était tout autre. Ce pays avait connu la terreur. Une révolte d'ouvriers opposés au Soviet avait renversé le gouvernement de Bakou, et les commissaires avaient été arrêtés. Une mission britannique dirigée par le général de division W. Malleson tentait de stopper l'avance de troupes allemandes vers l'Afghanistan sous domination anglaise. La chute des tsars avait été suivie du retrait brutal de la Russie de la Première Guerre mondiale, et les forces britanniques, partant du nord-ouest de la Perse, marchèrent vers Bakou pour occuper cette ville pétrolière d'une importance stratégique capitale. Lorsque le gouvernement rebelle de Bakou refusa de confier les commissaires à la protection des Britanniques, comme Malleson le souhaitait, une querelle éclata. « Vous êtes bien tous pareils, fulmina Malleson. Si nous n'emmenons pas les commissaires en lieu sûr, vous allez les fusiller! » C'est précisément ce qui s'était passé. Malgré les démentis officiels, Staline ne crut jamais à l'innocence des Anglais dans cette affaire. Selon la propagande soviétique, les Britanniques soutinrent tous les groupes contre-révolutionnaires d'Asie centrale, en dépit de la présence des Soviets. Par la suite, on falsifia des « documents historiques » pour prouver que les Britanniques avaient eu l'intention de profiter des troubles pour coloniser la région. Le Caucase et l'Asie centrale étaient les points faibles de l'empire soviétique. Staline resta persuadé qu'à l'avenir Bakou serait le premier objectif de toutes les opérations secrètes anglaises. Cela tourna à l'obsession et, pendant le second conflit mondial, Ellis parut confirmer les pires soupçons du dictateur.

Ellis était revenu marqué à vie des tranchées. Tous ceux qui avaient survécu à cette effroyable effusion de sang en étaient sortis différents.

Chaque année, des coquelicots fleurissent telles des gouttes de sang aux boutonnières pour rappeler le souvenir des Flandres dans tous les pays de langue anglaise. Quelque soixante ans après la mort de McCrae, auteur d'un poème qui avait su traduire l'horreur de cette guerre, Ellis avoua qu'il s'était souvent interrogé sur le sens de ces vers : « Si vous manquez à la parole que vous nous avez donnée... nous ne dormirons pas en paix. » Qu'entendait-il par *manquer à la parole*? Ne pas parvenir à maintenir la paix? Ou provoquer une guerre en négligeant nos défenses? Ellis aimait tirer les choses au clair.

Son travail clandestin pour le SIS pendant l'entre-deux-guerres lui permit de se familiariser avec les langues de l'Allemagne et de la Russie, et leur politique. En poste à Istanbul, Berlin et Paris, il vit se développer une alliance impossible entre les généraux allemands vaincus et l'Union soviétique. A la suite d'un traité signé en 1922 par les Allemands et les Soviétiques à Rapallo, on forma une « armée allemande noire » dans les vastes plaines russes. Ellis décrivit ainsi cette collaboration :

L'Allemagne, qui avait perdu la Grande Guerre, était plongée dans une très grave crise économique. Le traité de Versailles l'avait réduite à néant sur le plan militaire. L'Union soviétique était coupée du monde extérieur depuis la révolution. Les deux pays avaient besoin l'un de l'autre. L'Armée rouge manquait de soldats, et aucune organisation militaire étrangère ne voulait l'entraîner. L'Allemagne, quant à elle, n'avait pas le droit de posséder de canons lourds, de chars, une armée de l'air ou une marine; et sa petite armée de 100 000 hommes n'allait pas loin.

Le marché était le suivant : si l'Allemagne mettait ses chefs militaires à la disposition des Soviétiques et les aidait à reconstruire la machine de guerre russe, l'Union soviétique fabriquerait les armes et fournirait l'instruction et des terrains de manœuvre aux forces allemandes.

Junkers créa une usine de bombardiers près de Moscou. En 1926, les obus produits en Union soviétique au bénéfice de l'Allemagne se chiffraient annuellement par centaines de milliers... On alla jusqu'à mettre au point un projet d'invasion conjointe de la Pologne. Jusqu'en 1930, un tiers du budget annuel de l'Allemagne ainsi que des sommes considérables en marks stabilisés furent placés chaque année dans un cartel qui renvoyait l'équivalent en liquide en Russie. Cet argent finança la fabrication du gaz toxique à Kresnovgardeisk, la construction de cuirassés dans les chantiers navals de Léningrad et la production de bombardiers en Sibérie centrale. L'Union soviétique fournit un champ de manœuvres à une compagnie de chars allemands sur les bords de la Volga, où le *Reichswehr noir* entraîna ses 20 000 officiers et hommes de troupe. On avait rayé leurs noms des listes officielles de l'armée allemande... Ces hommes étaient les futurs officiers de l'armée secrète. Des prototypes d'armes nouvelles partirent démontés vers l'Allemagne par le port libre de Stettin sur la Baltique. Les premiers modèles du Stuka et des bombardiers à longue portée Fockewulff virent le jour sur les rives du Don. Ce réarmement illégal de l'Allemagne se fit sous diverses couvertures commerciales. Comme les Allemands avaient l'immense avantage d'opérer dans un territoire protégé, ce réarmement passa inaperçu.

En Grande-Bretagne et en France, les industriels commencèrent à préconiser une alliance avec l'Allemagne pour retirer le marché aux Russes et créer un front anglo-germano-français contre le « communisme sans Dieu ». Travaillant dans cette atmosphère, Ellis ne se sentait guère obligé de limiter sa propre exploration des réactions nazies et soviétiques. On vivait une époque bizarre. Des hommes cyniques profitaient de toutes les occasions qui s'offraient. Staline avait ordonné au parti communiste allemand de considérer les démocrates sociaux, et non les nazis, comme l'ennemi potentiel. Pour le dictateur soviétique, Hitler était un « collègue ». Staline était persuadé que, grâce à l'appui des communistes allemands, il finirait par contrôler complètement l'État fasciste. En 1938, Ellis travaillait à Londres avec Stephenson, rassemblant des preuves des préparatifs de guerre de Hitler pour le compte de Churchill, alors en pleine traversée du désert. Ellis était un spécialiste reconnu de l'histoire de la Perse ancienne et des empires égyptien et babylonien. Il possédait une connaissance encyclopédique de l'Islam. Il se lia d'amitié avec H.G. Wells. Chaque semaine, ils assistaient avec Stephenson à un déjeuner réunissant les excentriques créatifs qui se battraient clandestinement si les armées de Hitler soutenues par les Soviétiques attaquaient.

C'était plus qu'une période d'apaisement. Les fascistes s'étaient infiltrés dans l'élite dirigeante britannique. Ils, auraient jugé qu'Ellis se rendait coupable de trahison en passant des renseignements destinés à soutenir des préparatifs militaires clandestins, alors qu'il servait un gouvernement pacifiste qui prônait la conciliation. Malgré son serment, il livrait des informations que les hommes au pouvoir préféraient ignorer. L'amiral Barry Domville, par exemple, recrutait des Britanniques influents pour son mouvement LINK. Ellis pensait que, si Hitler envahissait la Grande-Bretagne, des Anglais haut placés seraient tout prêts à collaborer et il ne se gêna pas pour le dire. Longtemps après, certains hommes puissants en voulaient encore à Ellis pour avoir condamné les amis potentiels de Hitler – et, dans leur désir d'atteindre Ellis, ils se jetèrent sur les histoires qui couraient sur sa collaboration avec les services secrets allemands.

Avant la guerre, Berlin était devenu, après Moscou, le centre des opérations des services spéciaux communistes. A un certain niveau, les services du renseignement nazis et soviétiques collaboraient, mais au niveau des ouvriers allemands affiliés au communisme il ne pouvait y avoir coopération, car l'intention des Russes était d'exercer un contrôle secret. Ellis estimait que son travail exigeait qu'il gardât le contact avec des agents ouvertement staliniens et nazis. Il était très recherché par les hommes de Moscou pour les informations qu'il pouvait donner sur les ambitions britanniques en Asie centrale. Staline craignait encore de se faire déborder par des accords germano-anglais secrets, et il fit à nouveau part de ses soupçons en 1938, quand le révolutionnaire Nikolai Bkharin fut accusé d'aider les Anglais à annexer le territoire soviétique.

Un an plus tard, en août 1939, les nazis et les Soviétiques signaient le pacte de non-agression, ainsi que le protocole additionnel secret (l'accord Ribbentrop-Molotov) qui divisait l'Europe orientale en deux zones d'influence. La Pologne allait être coupée en deux. En septembre 1939, les Allemands se mirent en marche. Dès le premier jour de l'invasion nazie, Moscou fournit des renseignements militaires à Berlin. Quand la Grande-Bretagne et la France, fidèles à leur engagement vis-à-vis de la Pologne, déclarèrent la guerre à l'Allemagne, tous ceux qui œuvraient dans le monde secret de l'espionnage commencèrent à avoir des difficultés à faire la part du vrai et du faux.

Ellis revêtit l'uniforme et, début 1940, rendit visite à Stephenson dans son bureau de Saint-James' Street. Parmi les rares objets d'art décorant son appartement figurait un pistolet à canon court. Ellis l'avait obtenu de cosaques qui se battaient autour de Bakou en 1918, bien qu'à l'origine cette arme eût été fabriquée pour la cavalerie impériale perse. Ellis dit à Stephenson qu'il était fort possible qu'il retournât bientôt dans ces régions exotiques.

Ellis était impliqué dans le projet Bakou. En 1940, ce projet était apparu dans une étude officiellement intitulée « Les implications militaires des hostilités avec la Russie », destinée aux chefs d'état-major britanniques. Selon cette étude, si Bakou tombait, 90 % des ressources pétrolières soviétiques deviendraient inaccessibles aux clients de Staline, à savoir Hitler et la machine de guerre nazie. On assigna 60 000 soldats britanniques en poste au Moyen-Orient à une expédition en territoire soviétique. On renseigna secrètement les pilotes des bombardiers de la

RAF sur les approches de Bakou. Un avion espion avait déjà traversé la mer Caspienne pour photographier le port de Bakou et ses installations pétrolières. L'avion de reconnaissance avait apporté une mosaïque de clichés qui révélait l'insuffisance des défenses russes. L'expert britannique de la 4e armée, Colin Gubbins, qui travaillait avec les mouvements clandestins polonais, devait soutenir les séparatistes caucasiens dans l'opération PROMETHEUS, destinée à semer le désordre et provoquer des sabotages parmi « les nations opprimées du Caucase et de l'Asie centrale soviétique qui subissaient une répression d'une indescriptible sauvagerie ». L'intention était de saper les préparatifs de Hitler pour frapper à l'ouest, après la chute de la Pologne et la « drôle de guerre ».

Du côté ennemi, l'étrange alliance continuait. L'accord commercial germano-soviétique signé le 11 février 1940 mettait en échec le blocus britannique de l'Allemagne. Les Soviétiques fournissaient les énormes quantités de métaux et de matières premières requises par l'industrie d'armement nazie : le pétrole et le coton russe indispensables aux campagnes militaires allemandes; 100 000 tonnes de chrome; 500 000 tonnes de minerai de fer; 300 000 tonnes de fonte brute; 500 000 tonnes de phosphates et un million de tonnes d'aliment pour bétail. Cet accord permit à l'Allemagne d'importer directement d'Union soviétique les marchandises essentielles qui empruntaient, en temps normal, des voies maritimes contrôlées par la marine britannique. Cet arrangement signifiait que l'Allemagne ne manquerait pas de caoutchouc. Finalement, l'aide soviétique à l'Allemagne nazie dépassa celle que les États-Unis accordèrent à la Grande-Bretagne au moment critique où ce pays se retrouva seul face à l'ennemi.

Rares étaient ceux qui pouvaient prévoir la rapidité et le succès de la guerre éclair nazie sur le front occidental. D'après les informations rapportées par Ellis, les propagandistes de Staline n'avaient pas attendu cet événement pour miner la résolution des Alliés. Le *Daily Worker* de New York écrivit en août 1939 que la rumeur disant que l'Union soviétique songeait à passer un accord avec « cet ennemi vicieux, ces brutes de nazis » était un « mensonge éhonté et sordide ». Quelques jours plus tard, cet accord devenait officiel et les nazis pouvaient envahir la Pologne en toute impunité. Sans se décourager pour autant, le *Daily Worker* déclara quelques semaines plus tard que cette guerre était « impérialiste », voulant apparemment ignorer que pendant ce temps-là, on saccageait la Pologne. Ce même journal incita les ouvriers inscrits aux syndicats communistes à ralentir leur rythme de production et à saboter la fabrication d'armes destinées à la Grande-Bretagne. Une certaine presse justifia l'annexion de territoires opérée par les Soviétiques par la nécessité d'établir une ligne de défense stratégique avancée. (En plus de la Pologne orientale, la Russie devait exercer son « influence » sur la Finlande, l'Espagne, la Lettonie, la Lithuanie et la Bessarabie.) Cette acquisition était autorisée par le traité d'amitié et de délimitation des frontières germano-russes, dont le véritable objectif devint évident quelque dix-huit mois plus tard quand Hitler finit par lancer ses troupes contre l'URSS. Staline, tout à sa soif de conquête des pays limitrophes, n'était pas du tout prêt à affronter un conflit d'une telle envergure provoqué, qui plus est, par Hitler, son allié.

Le projet Bakou ne se matérialisa jamais. Un diplomate britannique, Fitzroy Maclean, rapporta que Staline avait demandé à l'ambassade américaine de Moscou d'évaluer les dégâts qu'entraînerait un bombardement anglais de Bakou. Les experts américains lui avaient répondu que la ville se transformerait en brasier et qu'il faudrait des années pour remettre les raffineries en état de marche.

Qu'est-ce qui avait poussé Staline à faire cette étrange requête? Y avait-il eu des fuites? A cette phase de la guerre, deux mois avant l'invasion de l'Europe par les nazis en avril et début mai 1940, Churchill n'était pas encore Premier ministre, et Neville Chamberlain s'opposait toujours à ce qu'on largue de vraies bombes sur les terres des propriétaires fonciers allemands; on se contentait donc de leur lancer des tracts de propagande. Personne ne voulait entendre parler de projets de guerre secrète. La commission de défense suggéra d'inonder les marchés de l'Allemagne nazie en Amérique du Sud de faux billets allemands. Frank Pick, représentant des transports londoniens, déclara qu'il ne pouvait appuyer cette proposition, « parce que ce serait tomber aussi bas que les Allemands ». Churchill, qui, entre-temps, était revenu au pouvoir, se leva et dit : « Monsieur Pick! Serrez-moi la main. » Surpris, M. Pick s'exécuta. Churchill expliqua qu'il partait pour Douvres, ville qui essuyait alors les bombardements nazis : « Si je dois mourir, je serai fier, quand je me retrouverai en face du Créateur, de lui apprendre que le dernier homme à qui j'ai serré la main sur terre était un être *droit*. » Pick ayant quitté la salle, le Premier ministre se tourna vers les autres : « Ne me demandez jamais plus de rencontrer cet irréprochable conducteur de bus. »

Ellis comprit très vite qu'il fallait dissimuler ce genre de projets aux politiciens trop scrupuleux, moralisateurs ou timorés. Il est fort possible qu'il ait laissé filtrer le projet Bakou qui, cette fois, fut rejeté à cause de son coût trop élevé, pour effrayer Staline et l'inciter à réduire son aide aux nazis.

Comme, en l'occurrence, il n'existait pas de documents prouvant qu'Ellis avait l'aval des autorités pour agir ainsi, il n'était pas difficile de le faire passer pour un traître. A l'époque, on ne consignait pas grand-chose par écrit. Ellis citait souvent le vieil argument de défense qu'utilisaient ses compatriotes australiens : « Vous ne pouvez rien prouver, puisque je n'ai rien signé. » Et Ellis ne signait rien et évitait tout engagement écrit. C'était la marque du bon agent. Plus tard, des bureaucrates plus prudents du renseignement tombèrent dans l'extrême inverse : ils se mirent à tout mettre noir sur blanc et à faire signer leurs comptes rendus par tout le monde. S'il est vrai qu'Ellis devint ensuite une cible des services secrets russes, il fut une proie facile parce qu'il avait l'habitude de ne jamais laissé de traces écrites de ces actes. En outre, il était associé à Churchill qui, dans le jargon stalinien, était le conspirateur par excellence qui voulait « tuer le bolchevisme dans l'œuf ». Ellis avait aidé des résistants à l'autorité soviétique. Il connaissait, depuis sa première mission à Bakou, les points faibles des frontières de l'empire soviétique.

Ellis avait échangé des renseignements d'importance capitale contre des « broutilles » qu'il offrait pour convaincre l'autre bord de sa corruption. Par la suite, ses ennemis prétendraient qu'il avait au contraire livré de vrais secrets. Ses chefs admirent publiquement, bien plus tard, qu'ils lui accordaient un salaire dérisoire, respectant en cela la coutume d'avant-guerre qui voulait qu'on payât mal les agents parce que le renseignement n'était pas leur seule source de revenus. « Bien sûr qu'Ellis acceptait l'argent de l'ennemi, commenta un ancien chef du SIS. On encourageait nos agents à vider les poches de l'ennemi s'ils le pouvaient. Dans le temps, le mot d'ordre des services secrets était de rouler ces salauds de toutes les manières imaginables. Un bon agent devait souvent accepter l'argent de l'autre bord pour rester crédible. On a raté bien des affaires à cause de cette fichue moralité. »

En août 1940, on envoya Ellis à New York pour travailler au rapprochement du SIS et du FBI. La Grande-Bretagne était isolée. Les nazis avaient poussé jusqu'à la Manche avec leurs chars ravitaillés à l'essence soviétique et leurs balles gainées de cupro-nickel soviétique. De l'autre côté de l'Atlantique, l'exécution « légale » de Trotsky, l'ennemi numéro un de Staline, apporta la preuve que les Soviétiques pouvaient tout faire. Personne n'aurait été mieux placé qu'Ellis pour aider le FBI, avec sa connaissance parfaite du terrorisme russe. Dans la mesure où Trotsky avait été condamné à mort par contumace pour trahison, cet assassinat ne violait aucune loi soviétique. D'après Ellis, le plus grand tort de Trotsky avait été de dire la vérité : il avait décrit Staline comme un complice de Hitler.

Un plan spécifique de la RAF pour le bombardement de Bakou passa effectivement aux mains des Russes, dans une pile de documents du ministère de l'Air anglais que leur livra un ancien dirigeant de la jeune ligue communiste britannique, Douglas Springhall, qui fut jugé et condamné pour espionnage en 1942. Le projet Bakou mit Staline dans une colère noire, mais il fut rassuré par la légèreté de la peine à laquelle fut condamné son agent. L'espionnage pour le compte des Soviétiques était mieux toléré, maintenant que l'URSS avait rejoint les rangs des Alliés. A partir de 1942, les propagandistes soviétiques barbouillèrent les murs des villes anglaises bombardées avec des slogans exigeant que l'on ouvre un second front. Ceux qui portaient les pots de peinture étaient les mêmes qui, avant l'invasion nazie de l'URSS, s'opposaient à la guerre. Il était difficile de parler de trahison à une époque où on livrait secrètement au NKVD des renseignements concernant des cibles comme Bakou.

Après l'avortement du projet Bakou, les hantises du dirigeant soviétique s'accentuèrent à la vue des décisions stratégiques prises lors des pourparlers secrets des Alliés à Washington en 1941-1942. Pour la première fois, les chefs d'état-major acceptaient d'inclure des méthodes utilisées par la guérilla et le terrorisme dans un plan stratégique.

La Quatrième Arme allait organiser l'« insurrection contre la tyrannie », selon les propres termes d'Ellis. Sa présence à ces discussions fut rapportée à Moscou par un de leurs agents à Washington, qui portait le numéro 19 si l'on en croit les messages décodés ultérieurement. Staline comprit le danger. Il préconisa aussitôt une attaque frontale des Alliés contre Hitler. Il savait bien que l'alternative, l'organisation d'armées secrètes en Europe, serait beaucoup plus dangereuse pour la cohésion de son empire.

Pendant qu'Ellis et les autres discutaient des méthodes de guérilla, le directoire du renseignement militaire soviétique installait une base opérationnelle en Amérique du Nord. A Ottawa, le NKVD et le GRU se servirent de la couverture diplomatique pour infiltrer leurs missions.

Hoover, comme nous l'avons vu, mit un terme à la présence officielle du NKVD et du GRU à Washington pendant la guerre. Le conflit avait considérablement réduit les ressources du FBI. Le directeur soupçonnait l'existence d'activités soviétiques clandestines, mais il ne put jamais le prouver. L'une de ses sources était un transfuge important, Walter Krivitsky. Celui-ci déclara que lorsqu'il dirigeait les opérations soviétiques en Europe, il avait remarqué que certains renseignements étaient fournis par une famille de Russes blancs exilés à Paris, qui les achetaient à un officier supérieur du SIS. Or, Ellis, qui avait épousé une Russe blanche, avait souvent utilisé les relations de sa belle-famille pour recueillir des informations destinées au SIS lorsqu'il était basé dans la capitale française.

Quand on l'interrogea sur ce point, Ellis donna une explication très plausible. Oui, il avait effectivement épousé une Zilenski, famille de Russes blancs installée à Paris. Le beau-frère d'Ellis connaissait un général russe blanc qui était en contact avec un agent des services secrets nazis. Le général russe livrait de faux renseignements aux nazis et, en échange, il récoltait ce que les Allemands voulaient faire savoir aux Russes blancs. Les Allemands souhaitaient convaincre les Russes blancs de rejoindre les rangs des nazis lors de l'invasion de l'Union soviétique *. Ellis s'intégra à ce trafic et s'empara de tous les renseignements qui pouvaient intéresser Londres.

On aurait vérifié ces éléments auprès de Krivitsky, si celui-ci n'avait pas été tué à Washington en 1941, à la fin de ses entretiens avec le FBI et le SIS. Il avait reçu une balle dans la tête; quant au message retrouvé près du corps, c'était un faux, car il ne s'agissait pas d'un suicide. Quand Dick Ellis apprit les circonstances de cette mort, il fit remarquer que l'on reconnaissait la marque du SMERSH. La tête du transfuge avait éclaté sous l'impact d'une balle déformable.

Qui avait tué Krivitsky? Ellis ne douta pas un seul instant qu'on avait assassiné le transfuge. Non seulement le Russe occupait un poste important au KGB, mais c'était un de ces « témoins à charge du communisme » que Staline redoutait tant.

Quand en 1944, Ellis fut transféré à Londres, puis au Caire, après avoir quitté Intrepid, il était destiné à devenir le troisième de la hiérarchie du SIS, le responsable des opérations de l'Extrême-Orient et de l'hémisphère occidental. En tant qu'assistant d'Intrepid, chargé de la coordination des renseignements, il avait eu accès à une masse d'informations secrètes. « C'était un être remarquable. Sans son aide, la CIA n'aurait jamais succédé à l'OSS », déclara David Bruce qui, après avoir dirigé l'OSS à Londres, devint par la suite le premier représentant des

* Staline avait infiltré les rangs des Russes blancs en exil, parce qu'il craignait que Hitler ne mette leurs militaires à la tête d'une « armée de libération ». Les nazis formèrent effectivement une armée de libération, mais celle-ci ne fut jamais directement utilisée contre les Soviétiques car le général Ellis réussit à convaincre les services secrets allemands que cette armée changerait de camp à la première occasion. Le général travaillait en fait pour le Centre de Moscou.

États-Unis en Chine communiste. En 1946, le président Truman décora Ellis de la Légion du mérite pour « s'être dépensé sans compter pour développer certaines de nos organisations et méthodes de renseignement... Sa perspicacité et son sens de la diplomatie ont largement contribué à la réussite d'opérations d'une importance capitale. » De son côté, Ernie Cunéo, officier de liaison et conseiller juridique du général Donovan, écrivit :

Ellis forma l'OSS naissant aux techniques de communication clandestines qu'il connaissait à la perfection... La clé de voûte de tout système de renseignement... Quand l'OSS eut besoin d'instructeurs, Stephenson fit appel aux meilleurs : le général de division Colin Gubbins du SOE, dont la mission était la lutte armée derrière les lignes ennemies... et du SIS, l'un de ses commandants, Dick Ellis.

Cunéo soulignait que Dick Ellis avait « démasqué l'un des plus grands espions de tous les temps, Harry Dexter White, qui était alors pratiquement aux commandes du Trésor américain, gibier auprès duquel Philby faisait figure de menu fretin... C'était comme si nous avions eu un agent américain à la tête du Politburo, car White jouait un rôle de premier plan dans l'élaboration de la politique des États-Unis ».

Au début, personne ne crut aux allégations contre White. On mit du temps à se rendre compte du tort qu'il avait causé aux intérêts américains. Les Soviétiques perdirent un agent influent, mais ils auraient perdu davantage si l'on avait écouté Ellis et le BSC. Au lieu de cela, Ellis devint la cible de ceux qui croyaient White incapable de traîtrise, et Moscou lui en voulut d'avoir démasqué White. Ellis se retrouvait entre deux feux.

Ellis, à l'instar de cet ancêtre qui intenta un nouveau jeu pour n'avoir pas respecté les règles de l'ancien, n'avait aucune considération pour les cravates club ou ce confort qui auraient permis à White d'échapper au châtiment public. Si les classes supérieures voulaient protéger ceux des leurs qui s'étaient rendus coupables de délits mineurs, c'était leur affaire. Mais lorsqu'il s'agissait de trahison, Ellis n'avait pas la moindre intention de réserver un traitement de faveur à ceux qui se targuaient d'une supériorité intellectuelle qui, d'une certaine manière, les innocentait.

32

LES DERNIÈRES ANNÉES D'ELLIS

S'il est vrai qu'Ellis s'attira quelques ennemis à Washington, sa compétence professionnelle lui gagna le respect de beaucoup. Après la guerre, sa mission en Asie le conduisit dans une partie du monde sur laquelle les opinions des Américains et des Britanniques divergeaient. Washington ne s'intéressa guère aux premières guérillas qui éclatèrent en Malaisie, archipel que l'on considéra de 1945 à 1950 comme une colonie qui résistait au mouvement national pour l'indépendance. Ellis fut le premier de son espèce à être mêlé aux nouveaux combats inspirés par le communisme asiatique qui se servait du thème de « l'indépendance nationale » comme d'un paravent. A Singapour, il participa à la création de Phoenix Park, base de la lutte contre le terrorisme. Le symbolisme de cet oiseau renaissant de ses cendres n'était pas pour déplaire à Ellis.

La guérilla faisait rage dans les deux presqu'îles malaises et en Indochine française, plus connue ultérieurement sous le nom de Vietnam. Ellis était le seul à connaître parfaitement toutes les organisations de façade. Il avait affaire à elles depuis 1920, quand l'International Worker's Aid avait lancé la formule. Invention du communiste allemand Willi Muenzenberg, l'IWA répandit la propagande communiste en Grande-Bretagne, en Allemagne et au Japon. Muenzenberg, qui avait regagné la Russie aux côtés de Lénine pendant la Première Guerre mondiale « apportant le germe de la révolution », mit sur pied le programme des « fronts patriotiques » du Komintern qu'Ellis avait depuis longtemps signalé au SIS. Dans les années 30, il avait averti ses chefs que Muenzenberg créait des « clubs d'innocents » qui, sous des noms insignifiants, dissimulaient leur véritable objectif, c'est-à-dire l'exploitation systématique pour le compte de Moscou de tous les mécontentements. En 1950, Ellis avait recensé des centaines d'organisations de ce genre en Asie.

Ses collègues de Singapour étaient peu bavards. « Ces types sont des obsédés de la sécurité, rapporta Bob Jantzen, chef du bureau de la CIA à Singapour. Ils ne se racontent pas ce qu'ils font, si bien que nous ne risquons pas d'être au courant. Le MI5 n'adresse pas la parole au MI6 et réciproquement... C'est cent fois pire que pendant la guerre. »

Ellis devint un spécialiste des opérations antiterroristes bien avant que le terme de terrorisme n'entre dans le vocabulaire occidental. Son expérience des méthodes de la Quatrième Arme employées par l'Occident pour lutter contre les nazis lui permit de riposter efficacement.

Si sa carrière comportait des points obscurs, c'était dû au mystère qui entoure le renseignement. En tentant de la reconstituer, ses détracteurs ne remarquèrent pas qu'il n'avait connu Gouzenko qu'à travers les rapports des enquêteurs. Ellis n'avait jamais rencontré le transfuge. Mais cela n'empêcha pas ses détracteurs de tirer des conclusions hâtives, et ils ne furent pas les seul, car le Centre de Moscou ne tarda pas à leur emboîter le pas.

Plus tard on accusa Ellis de se réfugier derrière une maladie diplomatique, après les interrogatoires que lui fit subir le contre-espionnage occidental pendant l'enquête sur les liens entre Philby, Burgess et Maclean. Il regagna effectivement son Australie natale en 1954, non pour soigner de prétendus malaises cardiaques mais pour conseiller les services du renseignement australien. Bien qu'officiellement à la retraite, il fut rappelé au quartier général londonien du SIS en 1963 pour épurer les dossiers des services secrets.

Sa nouvelle tâche consistait à expurger ou à préparer les dossiers secrets et à les mettre « en ordre ». Le but de l'opération était de rendre ces dossiers inutilisables pour l'historien officiel qui travaillerait sur ces archives dès qu'Ellis aurait terminé son « ravalement ».

En 1963, Ellis écrivait dans un rapport destiné à un chef du renseignement en retraite :

> Je suis en train de relever et de recopier certains éléments susceptibles d'intéresser (Stephenson) que j'espère bien pouvoir vous montrer. Malgré tous les efforts de ses détracteurs, des imposteurs, des incompétents et des trouillards (SM en était), le BSC apparaît sous son meilleur jour et (Stephenson) émerge de cette masse de documents sous les traits d'un homme digne, étonnamment perspicace, plein d'initiative et doué d'une patience infinie à l'égard des imbéciles...

Ellis poursuivait avec des croquis sur le vif des chefs des services secrets, et ses portraits n'étaient pas toujours flatteurs. Il trouvait que l'analyse de leurs mémos et de leur correspondance permettait de se faire une idée de la véritable personnalité de plusieurs chefs du contre-espionnage du MI5 et que le résultat n'avait rien de séduisant. Apparemment, Claude Dancey, Britannique controversé qui s'était opposé aux opérations de renseignement menées par Alan Dulles pour le compte de l'OSS pendant la guerre, était loin de remporter ses suffrages.

En revanche, Ellis semblait apprécier les « dynamiques » comme Lord Louis Mountbatten et le général Colin Gubbins du SOE. Sa lettre sous-entendrait que ces partisans d'Intrepid n'étaient cependant pas parvenus à déjouer les manœuvres de ses ennemis bureaucrates :

> J'ai découvert des recommandations de très haut niveau pour l'attribution de distinctions honorifiques à Stephenson. Elles ont toutes été écartées... Par qui? Ce n'est pas très clair. Quoi qu'il en soit, quand on écrira la fameuse histoire officielle dans cinq ans (?), on ne pourra que faire un portrait élogieux du BSC et de son chef. Pour l'instant, l'histoire s'arrête au début de la guerre. *J'en profite pour glisser quelques papiers dans les dossiers.* (Italiques de l'auteur.)

Ellis jouissait manifestement d'une très grande liberté. On lui confiait des dossiers ultraconfidentiels en lui demandant de les « arranger » pour l'usage des historiens à venir.

On arrivait ensuite à un passage très significatif où Ellis faisait allusion à William John Vassall, gratte-papier du ministère de la Marine qui avait été arrêté pour espionnage. On avait conclu qu'il travaillait pour le KGB grâce à des informations fournies par le FBI au MI5 à la suite des révélations d'Anatoly Golitsin. Plus tard, le transfuge russe interrogé à Londres donna « plus de deux cents exemples » de pénétration soviétique des services secrets britanniques. Après enquête (et des aveux obtenus pendant les interrogatoires), on déclara Vassall coupable d'avoir livré des documents secrets aux Soviétiques. Il fut condamné en 1962 à dix-huit ans de prison. L'année suivante, le rapport du tribunal eut de telles répercussions politiques que le Premier ministre MacMillan devait déclarer plus tard à propos des problèmes que soulève l'arrestation d'espions : « L'ennui avec les espions, c'est qu'on ne peut pas leur faire subir le sort que réservent les gardes-chasse aux renards qu'ils capturent, les enterrer dans un coin. »

Dans sa lettre, Ellis disait : « Le rapport Vassall crée une certaine panique. C'est un document extraordinaire. Apparemment, personne n'était à blâmer dans cette affaire sinon un obscur officier du renseignement de la Marine – qui est mort depuis. »

Ellis sous-entendait que le meilleur moyen d'étouffer un scandale d'espionnage était d'accuser un mort. Peut-être prévoyait-il qu'on lui ferait jouer ce rôle de bouc émissaire. Ses vieux ennemis de Moscou connaissaient cette méthode. Ils savaient qu'il leur serait facile de pousser une faction des services du contre-espionnage à monter une campagne de désinformation qui débouche-rait sur la condamnation *posthume* d'Ellis comme agent soviétique.

Dans son rapport, Ellis faisait allusion à ce genre d'ennemis placés à l'intérieur du Foreign Office. Menzies l'avait recommandé à une organisation baptisée INTER-DOC dont la spécialité était de publier les versions corrigées des bulletins d'informations inspirés par les communistes. INTERDOC opposait des faits à la désin-formation du KGB. Travail qu'Ellis connaissait bien.

INTERDOC m'occupe beaucoup. J'ai créé avec d'autres une commission d'études chargée d'organi-ser une conférence internationale qui aura lieu à Oxford au mois de septembre. Nous avons recueilli des fonds auprès de –, –, –, et certains groupements professionnels, au grand étonnement du Foreign Office qui prétendait la chose impossible. Ils com-mencent à se demander s'ils n'auraient pas dû me garder en nous voyant réussir là où ils ont toujours échoué – faire fonctionner un « groupe d'action ». Cette initiative doit rester « privée et confidentielle »,

360

car la moindre publicité réduirait notre entreprise à néant.

Ellis s'était servi du papier à en-tête de son club, le 'Travellers', pour écrire la note qu'il joignit au rapport. Ce club, situé sur Pall Mall, était le lieu de rencontre privilégié des mandarins de Whitehall. Les amis et ennemis du monde du renseignement et de la diplomatie d'Ellis s'y retrouvaient pour déjeuner.

Plus tard, Ellis dut quitter le Travellers' pour des « raisons économiques ». C'est dans son nouvel endroit de prédilection, le Royal Automobile Club, qu'il m'expliqua en 1972 le genre de pressions que l'on exerçait sur lui. Et je le crus. A l'époque, à plus de soixante-dix ans, il était encore très alerte malgré « ce cœur qui lui jouait des tours ». Sa mise était celle d'un homme qui avait connu des jours meilleurs : costume sombre soigneusement brossé, chemise rayée aux poignets un peu fatigués et chaussures parfaitement cirées. Il avait pris le train pour venir. C'est un câble de Stephenson qui m'avait permis de le retrouver à Eastbourne où il habitait provisoirement. Notre discussion porta sur la contribution qu'il allait faire au livre que je consacrais aux opérations des services de renseignements pendant la guerre, *Nom de code : Intrepid*. « Les autorités constituées, me dit Ellis, pensent que le moment est bien choisi pour révéler dans quelle mesure ces opérations nous ont sauvés. »

Mais il se moquait bien de ces « autorités constituées ». Les bureaucrates n'étaient qu'un tas de vieilles commères qui avaient recours au secret pour masquer leurs erreurs. Ces « grandes nerveuses » avaient froncé le sourcil quand il avait aidé Montgomery Hyde parce qu'il était membre des Parlements britannique et européen. De toute façon c'était un homme « qu'on ne menait pas en bateau ». On avait reproché à Ellis de ne pas avoir respecté son obligation de réserve et on avait diminué sa retraite. (« Les billets de train ne cessent d'augmenter, remarqua-t-il tristement. Dieu sait comment les personnes âgées arrivent à joindre les deux bouts avec des retraites aussi maigres. Je me demande comment j'y parviens, C'est comme ça qu'ils vous tiennent. Ils trouvent toujours un moyen de réduire votre retraite, même si elle n'est déjà pas bien grosse. »)

Nous convînmes d'une rémunération très modeste pour le travail de recherche qu'Ellis allait effectuer pour moi. Il me défricha le terrain. Souvent les personnes que je venais interroger sur leur rôle pendant la guerre m'accueillirent en brandissant un télégramme d'Ellis : « Vous pouvez tout dire. » Le général Gubbins me montra la préface qu'il avait écrite pour le livre qu'Ellis préparait sur le prêt-bail américain. Ellis était un homme intègre et un observateur digne de foi, me dit le général.

Gubbins rédigea cette préface élogieuse et me parla d'Ellis en termes admiratifs quelque *sept ans après* la fameuse confession. Il est inconcevable que Gubbins n'en ait pas eu vent à l'époque. Eût-il été au courant, je suis sûr qu'il m'en aurait parlé.

Les accusations contre Ellis étaient-elles une vengeance des Soviétiques? Stephenson le pensait. Ellis était un ennemi personnel de Staline depuis les premières heures du règne de la terreur en 1918-1920. Ellis avait participé à la guerre secrète contre Staline, si bien que le dictateur le considéra toujours comme un élément subversif. La réouverture du dossier Corby dans les années 80 permit de comprendre comment Philby s'était servi des luttes intestines pour monter un coup contre Ellis à l'époque où il examinait les communications décryptées des services secrets soviétiques à Washington. Cela arrangeait Moscou que l'on fasse passer pour une de ses supertaupes un homme que Philby prétendait ne pas connaître, bien qu'ils aient eu des bureaux mitoyens dans le bâtiment du SIS à Londres.

Il y avait apparemment deux factions qui cherchaient à coincer Ellis. D'abord les Soviétiques. Nous avons vu comment Philby procéda pour attirer les soupçons sur lui afin de détourner l'attention générale des autres taupes. Quoi de plus facile que de procéder de la même façon pour faire tomber Ellis. L'autre groupe, ennemi déclaré de Moscou, était le contre-espionnage occidental. Ellis avait été interrogé lors d'une enquête menée par les services de sécurité anglais. Il me l'avait confié peu de temps avant sa mort en 1975. En 1981, les journaux consacraient leurs gros titres à ces enquêtes. Les histoires d'agents doubles qui s'étalaient dans la presse à ce moment-là ébranlèrent la confiance du public, semèrent la confusion dans les services de sécurité et compromirent gravement les rapports entretenus par les différentes agences de l'Alliance atlantique. Il fallait un bouc émissaire, et on jugea peut-être qu'Ellis serait parfait pour ce rôle.

C'était commode d'accuser Ellis d'être le fameux ELLI, cela permettait de répondre aux questions embarrassantes que soulevaient les nouvelles révélations. On ne pouvait plus taxer les services secrets d'avoir été imprudents, au mieux. Les accusations contre Ellis faisaient aussi le jeu du KGB en relançant la polémique sur la centralisation des services secrets et en ravivant les doutes des autres armes sur le bien-fondé des méthodes de la Quatrième Arme auxquelles recouraient de plus en plus la CIA et le SIS.

Les Soviétiques pouvaient enfin se consacrer tranquillement à la tâche que le jeune Winston Churchill décrivait ainsi :

Depuis que le secret de la fabrication de la bombe atomique a été livré aux Russes, le principal objectif des services secrets soviétiques a été de recruter des agents d'influence – en recourant à l'idéologie, au chantage ou aux espèces sonnantes et trébuchantes – pour les placer à des postes clés leur permettant d'influer sur les décisions ou de prendre des mesures favorables à leurs maîtres soviétiques. Aujourd'hui, non seulement la Russie possède quinze fois le nombre de chars dont disposait Hitler pour envahir la France, la Belgique et les Pays-Bas, mais elle détient une cinquième colonne et une Quatrième Arme puissante auprès desquelles Hitler paraîtrait aussi inoffensif qu'une réunion autour d'une tasse de thé dans un presbytère.

HUITIÈME PARTIE

1981
QUI SURVEILLERA
LES OBSERVATEURS?

33

TAUPES
ET BUREAUCRATES
EFFACENT
LEURS TRACES

En 1981, Washington s'indigna quand on apprit qu'il ne subsistait aucune trace des immunités et pots-de-vin offerts avant 1964 aux espions en contrepartie de leurs aveux. A Londres, les journaux spéculaient sur l'identité des taupes et des informateurs. Un enquêteur révéla que chaque fois que l'on cherchait un ouvrage gênant pour les Soviétiques à la bibliothèque de New York, pourtant l'une des plus complètes du monde, on tombait sur la mention « manque au catalogue ». L'assassinat de Trotsky, par exemple, aurait aussi bien pu n'avoir jamais eu lieu, car aucun des ouvrages de référence sur la question n'était disponible : ni *Murder in Mexico* du général Leandro Sanchez Salazar, ni *The Mind of an Assassin* d'Isaac Don Levine, ni l'ouvrage du « père du service public canadien », O. D. Skeldon, l'un de ceux qui avaient été interrogés lors de l'opération Featherbed. Cette opération avait permis de conclure que le service public grouillait de sympathisants communistes : on avait recensé douze hauts fonctionnaires, quatre secrétaires d'État, et deux cent cinquante-quatre membres de l'Internationale communiste au sein de l'administration.

Seulement, il était difficile de rendre cette affaire publique si, par ailleurs, on accordait le bénéfice de l'anonymat à ceux qui avouaient travailler pour les Soviétiques. L'ancien chef du contre-espionnage de la CIA, James Angleton, redoutait que la dénonciation des traîtres passés aux aveux ne serve les intérêts de Moscou : « Le problème est de savoir si ces arrangements secrets conclus par des États souverains pour accorder l'immunité ont été violés de façon flagrante. Le coupable est celui qui trahit le secret, car il met en danger la relation de confiance qui s'avère quelquefois indispensable si nous voulons un jour endiguer et neutraliser le déploiement permanent d'agents et d'assassins soviétiques opérant actuellement en Occident. »

« Pour les services secrets, déclara Sir Michael Havers, ministre de la Justice britannique, le seul moyen de marquer des points est de promettre l'anonymat en échange de confessions détaillées. » En fait, c'est le KGB qui profita surtout du flot de révélations du début des années 80. Les agents soviétiques commencèrent à hésiter à passer aux aveux parce qu'ils avaient l'impression que, malgré les garanties offertes, leur anonymat ne serait pas respecté.

Certains soutenaient un autre point de vue : il leur paraissait scandaleux que l'on fasse de telles promesses à des complices de meurtres et de massacres pour obtenir des aveux. La plupart des officiers de renseignement refusaient de se prononcer sur ce sujet, de peur de perdre leurs prérogatives. Comme Ottawa se proposait de créer une force de sécurité indépendante, la police montée révisa sa position. Menacés de disparition, certains officiers de la police montée se mirent à parler plus ouvertement à la suite des nouvelles révélations de Gouzenko. « Rien ne garantit que les services secrets ne seront pas obligés de suivre les directives du gouvernement au pouvoir, et rien ne garantit non plus que le Centre de Moscou ne contrôlera pas ce nouvel organisme, déclara l'un d'eux. C'est trop facile après tout. Les taupes se placent au sommet de la hiérarchie, se ménagent les bonnes grâces du gouvernement et exécutent ses ordres. En cas de crise, il ne fait aucun doute que c'est Moscou qui tiendrait les rênes. »

La fuite d'un rapport confidentiel de la police montée donna lieu à un étrange procès. Le très patriote rédacteur en chef d'un quotidien canadien, Peter Worthington du *Sun* de Toronto, opposant déclaré du gouvernement fédéral, se vit soudain accusé ainsi que son journal d'avoir violé la loi sur les secrets officiels. Cet événement sortant de l'ordinaire touchait un homme au-dessus de tout soupçon. Worthington avait été aviateur pendant la Seconde Guerre mondiale et parachutiste en Corée. Son père, général de l'armée, avait combattu l'inertie bureaucratique pour relever le défi hitlérien. Le jeune Worthington avait hérité du caractère rebelle de son père. Correspondant de presse en Union soviétique, il avait aussi couvert les guerres de brousse en Asie et en Afrique. Son expérience l'avait amené à critiquer ouvertement les Soviétiques et surtout leurs services secrets, et ce pour la meilleure des raisons : en tant que journaliste, il avait été confronté à des faits qui le poussaient à une conclusion sans appel – Moscou était le plus grand ennemi de la liberté et de la classe ouvrière de l'histoire. Celui qui était devenu le confident de Gouzenko se voyait maintenant accusé de *publier des exemples d'espionnage soviétique.*

Ce procès était l'illustration même de ce qui pouvait arriver quand un gouvernement vengeur mobilisait ses forces de sécurité non pas pour protéger la société mais pour réduire au silence un opposant bien informé. Tant qu'ils se trouvaient entre les mains de dirigeants dignes de confiance, les services secrets avaient paru être à l'abri de toute intervention. En l'occurrence, on tentait de se servir d'eux. Heureusement, la justice resta au-dessus de toute

369

interférence gouvernementale, et les poursuites finirent par être abandonnées au bout d'un an d'interrogatoires incessants.

On avait accusé Worthington et son journal d'avoir utilisé des rapports confidentiels de la police montée sur des espions soviétiques. Worthington fut en mesure de démontrer que ces rapports avaient été distribués à trois gouvernements et à nombre de particuliers. Cela n'empêcha pas les officiers de la police montée de fouiller son bureau de fond en comble. Plus tard, des officiers du contre-espionnage, un peu embarrassés, admirent que cette opération avait confirmé leurs pires craintes : les services de sécurité étaient effectivement manipulés par un groupe politique œuvrant pour un gouvernement antidémocratique. A Ottawa, les instigateurs de l'affaire firent rapidement marche arrière dès qu'ils se rendirent compte que l'opinion publique les condamnait. Cet incident rappela à Gouzenko qu'il était dans une situation précaire depuis près de trente-cinq ans, depuis qu'un autre gouvernement fédéral avait essayé, sans succès il est vrai, de se débarrasser de lui en le rendant à Moscou.

Quelles sont donc les informations que ce gouvernement cherchait à dissimuler? Mis à part des exemples spécifiques d'espionnage soviétique se rattachant tous à des affaires réglées, on trouvait un rapport de la police montée intitulé : « La fragilité du service public face aux services secrets étrangers ». Voilà ce qui était dit :

Si le KGB reste l'ennemi numéro un, il faut cependant noter que la nature de l'extrême gauche canadienne a radicalement changé. Un membre clandestin du parti communiste qui photographie des documents confidentiels dans un ministère, c'est déjà un problème. Mais l'affaire se corse quand il s'agit de partisans de factions dissidentes qui n'ont

370

pas plus d'estime pour les gouvernements occidentaux que pour certains États communistes. S'il est peu probable que la frange trotskyste produise des fonctionnaires comme X qui passe des secrets d'État à un officier traitant du KGB au siège des Nations unies à New York, il n'est pas exclu que des militants photocopient des documents importants à des fins de publication dans des journaux anti-occidentaux.

Pour fabriquer des documents, le KGB se sert d'authentiques papiers officiels qu'il déforme pour salir la réputation d'un gouvernement ou d'un citoyen du monde occidental. C'est le deuxième changement que l'on remarque.

Le troisième est l'évolution de l'attitude de l'opinion publique à l'égard de l'homosexualité. Celle-ci n'est plus considérée comme une tare interdisant à un fonctionnaire d'accéder à un poste de confiance. On s'est rendu compte du nombre élevé d'homosexuels dans des ministères comme celui des Affaires étrangères le jour où furent démasqués cinq fonctionnaires de haut rang dont les activités homosexuelles les avaient mis à la merci du KGB qui les avait photographiés dans des situations compromettantes. On pense aujourd'hui qu'il n'y aurait pas eu chantage si la société faisait preuve de plus de tolérance à l'égard de l'homosexualité.

« L'espion en sommeil » placé par les services secrets russes dans les hautes sphères gouvernementales reste le plus dangereux et le plus difficile à neutraliser. Sans la coopération des transfuges, il serait impossible de détecter sa présence. L'idéologie n'est pas sa première motivation...

L'espion en sommeil est surtout attiré par le pouvoir secret dont il jouit ou croit jouir, qui vient compenser son sentiment de frustration. Les diplomates de carrière sont les plus vulnérables apparemment. En effet, des enquêtes récentes montrent que 50 % des diplomates avouent que, frustrés par les procédures bureaucratiques, ils démissionneraient s'ils pouvaient trouver un poste équivalent dans le privé...

L'espion en sommeil professionnel qui gravit avec application tous les échelons et qui brouille les pistes en laissant derrière lui de consciencieux mémos qui reflètent son obéissance et sa loyauté envers son service reste le plus dangereux.

L'affaire Corby avait déclenché les enquêtes du FBI puis l'opération Featherbed, qui confirma que les Soviétiques avaient la mainmise sur les investigations des services de sécurité. L'opération Featherbed fut lancée à la suite des révélations de la commission sénatoriale sur la loyauté des fonctionnaires, de la découverte du réseau d'espionnage atomique Silvermaster par le FBI et de l'exécution des Rosenberg. Deux subdivisions des équipes d'enquête de la police montée travaillèrent sous les noms de code MERCURY et APACHE. Elles étudièrent les comptes rendus d'écoute de BRIDE/VANOSA et les déclarations des transfuges russes, et traquèrent les suspects pendant quatorze ans. Pendant cette période, cinq années furent consacrées à la surveillance étroite du chef de la sécurité lui-même, Robert Bryce, qui avait été membre du Conseil privé et secrétaire de cabinet à la fin des années 50 et au début des années 60, période pendant laquelle les services de contre-espionnage américain et anglais tentaient d'évaluer les dégâts causés par les taupes soviétiques démasquées.

Pour l'opinion publique, Bryce avait loyalement servi son pays. Les Canadiens détestaient les calomnies, les preuves fondées sur les ragots et la culpabilité par assimilation. Bryce avait été l'ami de Herbert Norman, cet ambassadeur canadien au Caire qui s'était suicidé après la crise de Suez en 1956. Leurs deux noms avaient été cités lors du procès d'Elisabeth Bentley. Les enquêtes du FBI sur Norman ravivèrent des soupçons qui étaient déjà apparus pendant la Seconde Guerre mondiale. A Harvard, Norman fréquentait un marxiste japonais à qui Bryce l'avait présenté. Lorsque les agents du FBI vinrent chercher le Japonais pour le déporter après Pearl Harbor, ils surprirent Norman en train d'essayer de récupérer les papiers du Japonais, parmi lesquels figuraient des plans de la Défense nationale.

En reprenant l'affaire au début des années 80, on se pencha à nouveau sur le suicide de Norman. Celui-ci avait demandé au Premier ministre canadien, Lester Pearson, de lui renouveler publiquement sa confiance, mais il avait essuyé un refus. Plus tard, alors qu'il était en poste au Caire, Norman déclara qu'il ne se sentait pas de force à subir une nouvelle enquête américaine et, au bout de trois semaines d'examen de conscience, il se jeta dans le vide. Plus tard encore, l'une des recrues d'Anthony Blunt avoua que Norman était l'un des nombreux sympathisants soviétiques qu'il avait dénoncés au FBI en échange de l'immunité.

En 1981, le *Globe and Mail* de Toronto remarqua qu'un nombre incroyable de suspects avaient connu une mort subite. Le journal publiait une série d'articles sur les « papiers manquants de Gouzenko » et se posait des questions. Dans certains cas particuliers, la mort avait été due à des « crises cardiaques » : Tom Wylie, ami homosexuel de Guy Burgess et haut fonctionnaire à Whitehall... un ancien ambassadeur du Canada et ancien directeur d'une école militaire... Sir Andrew Cohen, un ami d'Anthony Blunt... et John Watkins.

Watkins avait été ambassadeur du Canada à Moscou. Lors d'un interrogatoire Featherbed, on lui apprit que son successeur, David Johnson, avait secrètement été photographié par le KGB pendant des ébats homosexuels. Et la police montée lui révéla qu'il avait subi le même sort.

Certains faits finirent par tomber dans le domaine public, à la suite d'une campagne pour rétablir la vérité. Watkins était mort d'une « crise cardiaque » le 12 octobre 1964. A l'époque, Leslie James Bennett, directeur du contre-espionnage canadien, et Harold W. Brandeis, futur chef des opérations « B » de la police montée, l'avaient tiré de sa retraite parisienne pour l'interroger. Le rapport d'autopsie tenait sur une page jaunissante. Manuscrit, rédigé en mauvais anglais, il précisait que la mort de Watkins avait été subite, inattendue et non imputable à un meurtre ou à la négligence de quiconque. Enquête inutile. Deux décennies plus tard, on reconnut soudain la nécessité d'ouvrir une enquête, mais elle fut bâclée, attira peu l'attention des médias et on referma le dossier *.

On avait convoqué Watkins parce que ses relations avec les Soviétiques avaient été confirmées par trois sources : deux transfuges russes et les écoutes de BRIDE/VANO-SA. Watkins était mort juste avant de reprendre l'avion de Montréal pour rejoindre Jules Léger, ambassadeur canadien à Paris et futur gouverneur général du Canada. Ni le médecin qui signa l'autorisation d'inhumer ni le juge qui fit le rapport d'autopsie ne se souvenaient de l'affaire en 1982. En fait, on avait offert l'immunité à Watkins s'il acceptait de donner les noms d'autres agents soviétiques.

* ROCKBOTTOM était le nom de code de Watkins, révéla le chef du contre-espionnage canadien, qui n'était autre que Harold Brandeis, à la « commission d'enquête spéciale » en 1981. Le chef « est sorti de l'ombre pour déclarer que son rôle dans la mort de John Watkins avait été gardé secret pendant dix-sept ans pour des " raisons de sécurité ", rapporta le *Star* de Toronto. De son côté, le *Globe and Mail* titra : UNE AFFAIRE ÉTOUFFÉE POUR DES RAISONS DE SÉCURITÉ. Un ancien chef du contre-espionnage du Québec déclara au coroner: « Nous avions des renseignements sur le KGB, mais nous ne pouvions les rendre publics sans courir le risque que le KGB ne réagisse. » L'enquête reprit en 1982, sans que cela apporte grand-chose de nouveau.

Ces révélations tardives eurent des répercussions inattendues. Bennett, le chef du contre-espionnage, avait été interrogé et mis à la retraite anticipée en 1972, mais il fallut attendre dix ans pour que le public fût informé. Il apparut alors que les épurations qui avaient suivi la mise à nu de Philby dans les services de sécurité occidentaux n'avaient pas épargné les services canadiens. Lorsqu'un journal d'Ottawa publia une photo de Philby sur la place Rouge, quelqu'un l'épingla au tableau d'affichage du quartier général de la police montée. Philby ressemblait vaguement à Bennett et une main anonyme avait écrit sous la photo : « S'agit-il de notre Jim ? »

Une question se posait : « Pourquoi les opérations de contre-espionnage canadien échouent-elles toujours ? » Un ancien membre de la police montée apporta un élément de réponse en révélant que l'on entassait des « rapports vagues et des comptes rendus inutiles de filatures de routine qui ne menaient à rien. » Bennett accusa le chef de l'enquête, le directeur du contre-espionnage John Starnes, « d'accuser quelqu'un (Bennett) de trahison sans avoir de preuves ». Cela ne l'empêcha pas d'être envoyé aux oubliettes pour des « raisons de santé ». Les doutes à son sujet continuèrent à s'accumuler jusqu'à ce qu'on comprenne, en 1983, que le seul bénéficiaire de cette affaire avait été le KGB. Cette année-là, à la grande satisfaction du Centre de Moscou, on commençait à parler de priver la police montée de tout pouvoir en matière de sécurité nationale. Une commission d'enquête déclara dans un rapport de 1 800 pages que les officiers de la police montée se considéraient au-dessus de l'instance gouvernementale dont ils dépendaient.

Elle proposait la création d'un nouveau service de renseignements canadien. Certains experts prédirent qu'il faudrait cinq ans pour mettre sur pied une agence capable de se mesurer au KGB et que Moscou aurait tout le loisir de profiter de cette faiblesse momentanée. D'autres, dont l'Association canadienne des droits civiques, prétendirent que cette nouvelle agence civile jouirait de « pouvoirs démesurés par rapport aux besoins du pays ».

Stephenson apporta son expérience au débat. En 1982, il avait été nommé commandant honoraire du service de renseignements de la défense canadienne. On estima que, malgré son âge avancé, il était le seul à être capable de respecter équitablement les besoins des services de sécurité et les droits du citoyen.

Le problème n'était pas nouveau. Dans un monde idéal, on pourrait considérer les mesures de sécurité comme une menace pour le simple citoyen. Mais dans un monde où le terrorisme régnait en maître, où un bloc livrait à l'autre une guerre secrète de plus en plus sophistiquée, il semblait nécessaire de demander au citoyen de renoncer à certains de ses droits pour préserver sa liberté.

Cette incapacité de voir le monde tel qu'il était avait d'étranges conséquences. En 1981-1982, on se rendit compte qu'Anthony Blunt, en principe en disgrâce, sur-pervisait le travail de détectives amateurs en quête d'espions soviétiques. Jouant toujours les experts d'art, il écrivait pour des revues intellectuelles dont les rédacteurs en chef avaient la délicatesse de passer sous silence sa principale qualification : traître. Blunt fut l'un de ceux qui lancèrent les accusations contre Dick Ellis et, grâce à lui, on parvint à démasquer plusieurs informateurs soviétiques mineurs. Leo Long fut forcé de confesser publiquement qu'il avait passé des renseignements à Blunt pendant la guerre. Long n'était qu'un sous-fifre du renseignement militaire britannique, dont l'importance fut gonflée par les journaux qui entraient dans le jeu de Blunt. On commençait à se demander si Blunt ne travaillait pas encore pour ses maîtres soviétiques. Les scandales publics n'inquiétaient pas les services secrets russes qui n'avaient rien à perdre, d'autant que Blunt donnait une certaine respectabilité à l'espionnage par idéalisme. « De toute façon, déclara-t-il en cachant mal sa satisfaction, c'est fort drôle de voir les services secrets tourner en rond en se mordant la queue. »

Ses nombreuses relations avaient été interrogées. Tel Stuart Hampshire, directeur du Wadham College d'Oxford, qui envoya au *Times,* le 28 novembre 1981, un violent réquisitoire contre ce « maccarthysme britannique distingué qui use de la culpabilité par assimilation et fait de sombres allusions à de prétendues sources dans les services secrets pour arriver à ses fins ». On lui avait montré le projet d'un article dans lequel l'auteur « insinuait que j'étais justement soupçonné d'avoir été un agent soviétique... L'auteur oubliait de préciser que tous ceux qui avaient été associés au renseignement militaire pendant la guerre et au professeur Blunt avaient été interrogés, et qu'ils étaient fort nombreux ».

Louis Dolivet, metteur en scène français qui avait participé aux James Bond, écrivit au *Times :* « On vient de lier mon nom au dernier sport en vogue en Grande-Bretagne : la chasse aux espions... Ce sport peut devenir très dangereux si les chasseurs perdent la tête, se mettent à tirer dans toutes les directions, traquent et blessent des innocents et, dans le feu de l'action, finissent par en oublier le gibier qu'ils poursuivent. »

Cette propension des bureaucraties à vouloir démontrer qu'elles détiennent la vérité pouvait avoir de désastreuses conséquences, l'affaire Corby était là pour le prouver. Stephenson avait toujours déploré l'institutionnalisation du renseignement. C'était encourager les élitistes à former leurs propres organisations secrètes, à mener une politique indépendante et à suivre leurs lois propres. Quiconque ne se pliait pas à leurs lois était irrémédiablement condamné. Ils ressemblaient à ces ordres monastiques du Moyen Age qui prétendaient avoir le monopole de la vérité. L'erreur aujourd'hui était de mettre en question la sagesse des services secrets. Et les transfuges comme Gouzenko n'avaient pas pu contester le sérieux de leurs interrogatoires dans cette atmosphère d'infaillibilité.

Cette certitude quasi religieuse était gravée dans le marbre au quartier général de la CIA : Nous connaîtrons la vérité et la vérité nous rendra libres. Chaque fois qu'il voyait cette inscription, Stephenson repensait à ce vieux journaliste bourru, symbolique du scepticisme salutaire des médias, qui aurait certainement ajouté ce qu'il se proposait de mettre aux fronts des églises : Important – si c'est vrai.

La réputation de Dick Ellis avait été traînée dans la boue. Il avait violé les règles; peu importait que ce fussent celles des Soviétiques, des nazis ou des Occidentaux, il s'agissait de toute façon de règles édictées par les grands prêtres du renseignement pour protéger leurs intérêts. On fit passer le bras droit d'Intrepid pour un espion soviétique qui avait détruit les pistes données par Gouzenko sur les opérations soviétiques à venir. C'était le plus surprenant de tous les revirements officiels depuis la clôture du dossier Corby. Si ces allégations étaient fondées, c'était important. Si elles ne l'étaient pas, il fallait découvrir la véritable raison de ce revirement.

La situation particulière dans laquelle se trouvait Ellis était un défi pour l'esprit discipliné de Stephenson. Ellis n'avait pas falsifié le dossier Corby ou les preuves apportés par Gouzenko. Mais apparemment, quelqu'un avait de bonnes raisons de faire naître une certaine méfiance à l'égard d'Ellis. Il était stupide de penser que le KGB ignorait tout des raisons des querelles qui divisaient les Alliés occidentaux. L'histoire officielle de la CIA publiée dans les années 80 révéla que, pendant la guerre, les Américains s'étaient inquiétés des opérations menées par les services secrets britanniques sur le territoire des États-Unis. Aujourd'hui, les mauvaises langues pouvaient attiser les soupçons en prétendant que ces opérations britanniques avaient bénéficié aux Soviétiques. Pendant la Seconde Guerre mondiale, on avait reproché à l'organisation de Stephenson d'être « une police secrète et un service de renseignements... dirigés par des Britanniques sur le sol américain ». L'histoire de la CIA citait cette accusation sans pour autant y souscrire. Mais c'était exactement le genre de détails qui faisaient la joie des propagandistes ennemis.

Le rapport secret sur l'affaire Corby ne fut pas dévoilé. Cependant, en 1981, on publia à Ottawa un document annexe qui portait à croire que les arguments utilisés par Stephenson pour maintenir les opérations du BSC justifiaient les craintes du département d'État. Effectivement, Stephenson avait défendu le maintien de l'alliance de guerre, et cette opinion partagée par Donovan de l'OSS figurait dans les archives. En revanche, Stephenson n'avait jamais écrit qu'il fallait « influencer le public américain en recourant à des moyens clandestins ». Cela revenait à dire que les États-Unis étaient une nation d'imbéciles incapables de s'unir contre un nouvel ennemi. On renforçait ainsi l'impression que la Grande-Bretagne conservait une attitude impériale face à ses anciennes colonies américaines. C'était un retour à l'époque où les Britanniques achetaient des journaux pour faire de la propagande contre les défenseurs de l'indépendance. C'était exactement le genre d'arguments qui choqueraient les Américains. Ils avaient toléré le *chutzpah* de l'occupation secrète de Manhattan parce que c'était une question de survie. Cette falsification visait apparemment à semer la discorde entre les vieux alliés.

Dick Ellis avait effectivement rédigé le projet du dossier secret de l'affaire Corby. Mais il ignorait tout de cette fameuse annexe. Les allégations qu'elle renfermait la rendait suspecte. On lisait sur ce document daté de juin 1946 :

Sir Winston S. Churchill a fort justement déclaré
que la leçon à tirer de l'affaire Corby est que
l'espionnage soviétique est dangereux car il recrute
ses agents parmi les communistes de la « cinquième
colonne ». Mais il faut aussi souligner que la propagande soviétique aux États-Unis est également dangereuse – et ce, pour la même raison... Le seul espoir
de contrecarrer cette propagande est de recourir aux
méthodes clandestines décrites dans la section de
l'histoire officielle du BSC concernant la guerre
politique... Le gouvernement de Sa Majesté devrait
aussi utiliser des moyens clandestins pour...

Il était exact que Stephenson avait poussé Churchill à
évoquer ce problème de la cinquième colonne devant le
Parlement. Mais trente-cinq ans après, il était impossible
de détecter les subtiles déformations que l'on avait fait
subir à ce document annexe. Il était tentant d'en rejeter la
faute sur le KGB si avide de détruire la réputation d'Ellis
et l'alliance américano-anglo-canadienne. Seulement, certains membres du clan d'Ellis avaient peut-être aussi de
bonnes raisons de se livrer à ce manège. Étaient-ils venus
à son enterrement ?

34

FUNÉRAILLES
SOLITAIRES
ET ARCHIVES ÉPURÉES

Encore un enterrement de maître espion. Un homme à la tête de hibou se tenait au fond de l'église froide et lugubre. Il portait un de ces imperméables sombres typiques des officiers de Scotland Yard et des lunettes à monture épaisse. Sans lunettes, son visage paraissait plat, sans expression, vulnérable. Il ressemblait à Smiley, le héros de John Le Carré, que d'ailleurs il connaissait. Ce maître et chasseur d'espions s'appelait Sir Maurice Oldfield, et avait quarante ans d'espionnage derrière lui. La CIA avait un dossier sur lui depuis l'époque où Ellis et lui était collègues à Singapour, quand, si l'on en croit le chef de station de la CIA, ils étaient si obnubilés par la sécurité qu'ils « ne se racontaient jamais ce qu'ils faisaient » et communiquaient exclusivement par mémos interposés.

Ellis avait toujours bénéficié du soutien et de la confiance d'Oldfield, même après ses aveux présumés. En 1974, un an avant la mort d'Ellis, Oldfield lui avait envoyé un télégramme de félicitations pour son quatre-vingtième anniversaire. Comme à son habitude, Oldfield ne mâchait pas ses mots, se moquant bien de ce qu'on pourrait en penser. Il rendait hommage à son aîné, le grand homme de l'espionnage britannique. A ce moment-là, Ellis était le plus vieux des agents secrets encore vivants.

Maintenant Ellis était mort. Il ne pouvait plus répondre aux attaques des assassins de personnalité, « ces profanateurs de sépultures », comme les surnommait Oldfield. Aux funérailles, Oldfield avait l'air d'un vieux sage tiré à quatre épingles mais un peu défraîchi avec sa chemise rayée au col amovible à l'ancienne mode, sa cravate club filiforme, son costume sombre et ses grosses chaussures noires.

Il était devenu profondément pieux sur le tard et ne cachait pas que son pouvoir de recourir à la violence et de donner la mort le choquait. Devenu directeur général du SIS, il interdit à ses agents d'user de violence quand il apprit que l'on avait donné des explosifs à des Britanniques infiltrés dans l'IRA. Plus tard, l'ironie du sort voulut qu'il combatte l'IRA sur le terrain, en tant que coordinateur de la sécurité en Irlande du Nord. Certains de ses hommes se demandèrent si entre-temps il s'était ravisé sur la question.

Oldfield faisait l'effet d'un honnête homme essayant de préserver son équilibre au milieu d'individus sans scrupules. Au commencement de sa carrière, Ellis était son supérieur. Puis les choses parurent mal tourner pour Ellis. Il se mit à stagner pendant qu'Oldfield gagnait des galons. Finalement, Oldfield le dépassa et devint le spécialiste des méthodes de désinformation du KGB.

Il suivit le cortège funèbre jusqu'à la tombe béante sous les ormes dégoulinant de pluie et resta à l'écart derrière un fossoyeur. Pendant ces dix dernières années, avec d'autres chefs de la sécurité, il s'était arrangé pour trouver des petits travaux à Ellis afin d'arrondir sa maigre retraite. Quand on leur demandait pourquoi Ellis n'avait pas été pendu s'il s'était effectivement rendu coupable de trahison pendant la guerre, ses ennemis tournaient autour du pot. Certains expliquaient que, dans son travail, Ellis avait été exposé à des tentations auxquelles aucun homme n'aurait pu résister. D'autres disaient qu'il avait violé les règles du service et qu'il aurait dû se débarrasser des rapports de bureau qui lui étaient défavorables. Oldfield avait une bonne définition pour ces fameux rapports de bureau : pour lui, c'était « du fourrage pour les commissions qui écrivaient des rapports sur des commissions destinés à être lus par des commissions et présentés comme de l'histoire ».

Le seul jeu auquel Ellis se soit jamais prêté, c'était le Grand Jeu contre l'Ours russe. Et, à l'instar de son ancêtre pour le rugby, il le joua avec « un parfait mépris des règles ».

Mais *quelles* règles ? On descendit le cercueil d'Ellis dans la tombe. Après avoir passé sa vie à se cacher, Ellis avait voulu partir en grande pompe, propre comme un sou neuf. Quel contraste avec Oldfield qui, en croisant les mains derrière son dos, écarta les pans de son manteau qui dissimulaient mal un pantalon fripé et un veston trop juste. Le fossoyeur envoya la première pelletée de terre sur le cercueil.

Quelles règles ? Qui les définissait ? Oldfield se retourna et aperçut, près des portes du cimetière, les familières silhouettes informes des observateurs silencieux qui remontaient dans leurs voitures banalisées.

Oldfield rejoignit l'un des enfants d'Ellis. Il lui tendit sa carte, « Si je peux être utile en quoi que ce soit ? », puis il hésita. Le service avait été simple et si austère. Il frissonna. La fille d'Ellis lui prit gentiment le bras et s'approcha de la tombe.

Le cercueil avait déjà disparu sous les pelletées de terre. Oldfield regarda fixement le trou béant. Et il ne parlait visiblement pas du corps d'Ellis quand il murmura : « Je pars, sans la grâce de Dieu. »

Oldfield mourut à son tour, subitement. Son corps n'était pas encore froid que les services secrets fouillaient déjà sa chambre d'hôpital, mettaient son appartement de célibataire sens dessus dessous et épluchaient ses papiers, jusqu'à ses notes d'épicerie. Voulaient-ils frapper avant l'ennemi ? Quel ennemi ?

En 1982, un an après son enterrement solitaire, Oldfield fit l'objet d'un article. Auberon Waugh écrivait :

> Officiellement, sa mort a été attribuée à des raisons de santé... Pour ma part, je croyais que le vieux avait été assassiné par des membres du SIS... Normalement, quand les officiers du SIS s'entre-tuent, c'est à la suite de querelles de tapettes ou de prises de bec d'amoureux. En l'occurrence, il semble-rait que cet assassinat serait dû à un désir mal contrôlé de sauver la réputation du Cirque. Je crois comprendre que les membres du Home Security Service, rival mais légèrement plus respectable, ont commencé à harceler leurs fascinants collègues du SIS à propos d'extravagantes allégations... Si ces allégations avaient été mises sur le tapis une bonne fois et si, par la même occasion, le nom de Maurice Oldfield avait été traîné dans la boue, c'eut été une jolie façon de se venger de ce que ces tapettes du SIS ont fait subir à la réputation de mon vieux chef Roger Hollis.

Waugh était certes un satiriste qui écrivait pour un journal à scandale, mais il était connu pour être bien informé. Le *Christian Science Monitor* fit appel aux lumières de son spécialiste du renseignement, William V. Kennedy. Il rapporta qu'aux États-Unis aussi, les services secrets se livraient à une concurrence acharnée. « En dépit des milliards de dollars qu'ils ont consacrés à la question ces trente dernières années, écrivait Kennedy dans le *Monitor* du 7 juin 1982, les États-Unis ne possèdent pas de service de renseignements fiable. » En revanche, les États-Unis comptaient une quantité de services rivaux, dont le plus discutable était celui qui regroupait les équipes d'action clandestine de la CIA. Kennedy ne disait pas si ces services étaient prêts à s'entre-tuer, mais il ressortait néanmoins de son témoignage qu'ils se surveillaient de très près. Et ils savaient eux aussi ce qu'épurer les dossiers voulait dire.

Chaque service suivait ses propres règles, mais le mot d'ordre était de garder une certaine dignité et, dans l'intérêt de tous, il fallait étouffer les scandales. Il y en avait justement un qui couvait. Un chef de la sécurité ouest-allemande aurait demandé à la CIA de faire disparaître aux États-Unis tous les documents ayant trait au passé nazi du chancelier Kurt Georg Kiesinger. Le ministère de l'Intérieur bavarois suspendit un chef de département pendant qu'on enquêtait sur les négociations qu'il avait menées avec un directeur de la CIA pour que les journalistes « aient des difficultés » à mettre la main sur les documents compromettants pour Kiesinger aux Archives nationales américaines. On avait procédé très simplement. Il avait suffi d'escamoter l'index. « Sans index, déclara un fonctionnaire de Bonn, tout le monde sait qu'il est impossible de s'y retrouver. On avait dérobé la clé des Archives américaines. »

Pendant la Seconde Guerre mondiale, l'art d'extraire les informations clés des dossiers secrets avait ses spécialistes chevronnés. La vérité ne se faisait jour que maintenant parce que, pendant longtemps, chaque pays avait conservé ses archives propres qui ne correspondaient pas forcément à celles de ses alliés.

Prenons l'exemple du gouvernement polonais en exil à Londres. Jan Nowak, qui avait joué les messagers héroïques entre Varsovie et Londres pendant la guerre, était à présent conseiller auprès du Conseil de sécurité américain et, en tant que tel, il avait accès aux dossiers.

Jan Nowak fut intrigué par certaines rumeurs. On prétendait que les Alliés avaient été au courant de l'existence des camps d'extermination nazis mais qu'ils n'avaient rien fait. Les Alliés avançaient comme excuse que peu d'informations avaient filtré sur les camps. Seulement Nowak n'avait jamais manqué, au terme de ses voyages terrifiants, de « soulever le problème de l'extermination des Juifs et de la destruction du ghetto de Varsovie... en soulignant l'ampleur et les méthodes du génocide ». Son prédécesseur, Jan Karski, était arrivé à Londres en 1942 avec des rapports complets de témoins oculaires. Il avait même risqué sa vie en s'introduisant dans un camp pour voir les choses de ses propres yeux. Karski avait personnellement raconté tout ce qu'il savait au ministre des Affaires étrangères britannique, Anthony Eden, qui fit circuler son rapport dans le Cabinet de guerre.

Longtemps après, Jan Nowak se rendit aux Archives nationales près de Londres, où il fut choqué de découvrir qu'aucun des documents relatifs à l'extermination des Juifs que Karski et lui avaient rapportés ne figurait au fichier.

Jan Nowak finit par écrire un livre sur ce sujet, *Courier from Warsaw*, où il évoquait la façon dont l'histoire est réécrite dans les dossiers secrets. Ceux qu'il avait examinés à Londres faisaient en principe partie de la masse de documents qui étaient tombés dans le domaine public au bout des trente ans réglementaires puisqu'il s'agissait de secrets d'État. Seulement, Jan Nowak disposait d'une autre source : les archives conservées par le gouvernement polonais en exil. Nowak démontra que les déclarations qu'il avait faites au conseiller de Churchill en matière de renseignements, Desmond Morton, étaient rapportées de façon complètement opposée. Le bureau du Premier ministre polonais avait rédigé un compte rendu des renseignements fournis par Nowak sur la résistance polonaise aux nazis. Mais, si l'on en croyait les archives anglaises, Desmond Morton n'aurait même pas examiné les rapports de Nowak. Manifestement, la version britannique avait été modifiée pour des raisons politiques.

Lesquelles? On avait dit à Nowak que les Britanniques ne souhaitaient pas entendre parler de l'extermination des Juifs. Tout mouvement de réfugiés vers la Palestine ferait naître des problèmes insurmontables avec les alliés arabes. Quant à la résistance polonaise, mieux valait l'oublier car les Alliés n'avaient pas envie de se colleter par la suite avec Staline en empêchant l'invasion de la Pologne par les Soviétiques.

Ces distorsions eurent de graves répercussions. Comme le souligne Zbigniew Brzezinski, conseiller du président Carter en matière de sécurité, dans son avant-propos à l'ouvrage de Nowak : « Il jette un jour nouveau sur des événements capitaux qui, jusqu'ici, sont restés peu connus ou mal compris. » Les découvertes de Nowak ne pouvaient qu'inciter les gouvernements amis à se poser des questions sur le sérieux de leurs alliés.

Quiconque aurait cherché le volume le plus significatif des journaux de Mackenzie King, renfermant les notes prises par le Premier ministre canadien après son fameux déjeuner avec le NKVD à Londres à la fin du mois d'octobre 1945, se serait rendu compte qu'il manquait. En l'occurrence, cette absence n'était pas imputable à la perte de l'index. Les journaux de King étaient conservés avec tous les égards dus à un trésor national. On avait simplement fait disparaître les pages couvrant les mois de novembre et de décembre pendant lesquels King avait frénétiquement tenté de résoudre à sa manière l'affaire Gouzenko.

Les experts du maquillage de la vérité mettaient tout sens dessus dessous à la mort d'un maître espion pour brûler les documents compromettants. Ils subtilisaient les notes d'un Premier ministre qui avait personnellement traité avec les services secrets soviétiques. Ils falsifiaient des rapports retraçant en principe l'histoire de l'espionnage de guerre. Ils supprimaient, déguisaient, déformaient. L'histoire du BSC de Stephenson échappa aux modifications pour une raison bureaucratique toute bête : Stephenson ne tombait pas sous la loi du secret qui bâillonnait d'autres hommes de bonne conscience. Stephenson était un amateur doué, et comme il était son propre patron, il conservait lui-même ses documents. Et ces documents laissaient penser qu'Ellis avait été victime des méthodes qu'il avait lui-même employées pour modifier les dossiers de son propre service.

Début 1982, le *Daily Mail* publiait un article de l'infatigable Chapman Pincher, dont le titre s'étalait en première page : LE CHEF DU MI5 QUI DÉTRUISIT DES ARCHIVES CAPITALES. Pincher faisait allusion à l'opération d' « épuration » d'Ellis et à la destruction des dossiers de ceux qui étaient passés aux aveux contre la promesse d'immunité. « Le Premier ministre anglais ignore, écrivait Pincher, que même Philby a bénéficié de ces mesures. En 1963, le MI5 a promis d'accorder l'immunité à ce traître monstrueux s'il se confessait... Pourtant, les autorités savaient pertinemment que Philby s'était fait le complice de nombreux meurtres d'agents antisoviétiques travaillant pour la Grande-Bretagne et les États-Unis... »

Complices de meurtres ?

Oui. A l'époque où Philby était directeur des opérations antisoviétiques au SIS, il avait soutenu les plans occidentaux visant à provoquer des « guerres civiles » en Union soviétique. Ce n'est que longtemps après que l'on comprit que les Soviétiques *souhaitaient* voir l'Ouest gaspiller ses agents en les lançant à la poursuite du menu fretin que le Centre de Moscou était tout prêt à sacrifier pour préserver le gros gibier.

Ces détails pouvaient paraître dérisoires dans un monde hanté par la peur d'une catastrophe nucléaire plus dévastatrice qu'Hiroshima. On avait tendance à oublier que, dans le même temps, les armes secrètes du terrorisme et les techniques de la Quatrième Arme faisaient d'énormes progrès. Pas un jour ne se passait sans que les journaux ne consacrent leurs colonnes aux moyens d'empêcher l'utilisation des armes nucléaires – pendant que trois pages plus loin, on rendait compte d'actes de terrorisme de plus en plus sophistiqués.

Une fois que la maîtrise de la Quatrième Arme était acquise, il était difficile de faire marche arrière. Chaque nouveau défi appelait la mise au point de nouvelles armes. La Quatrième Arme secrète de l'Occident avait officiellement été abandonnée au lendemain de la défaite de Hitler. C'est alors que Gouzenko arriva avec des documents prouvant que les Soviétiques livraient une guerre secrète à leurs anciens alliés. Ces révélations poussèrent l'Ouest à réagir. Pour riposter, on s'inspira des méthodes utilisées pendant la Seconde Guerre mondiale, mais on ne disposait plus d'officiers expérimentés. On intégra à la CIA les derniers arrivés de l'OSS. Comme on avait affaire à forte partie, les civils et les militaires recrutés à la hâte se mirent en quête de spécialistes de la guerre secrète russe. Et trop souvent, en guise d'experts, on tomba sur des nazis allemands ou autres dont l'anticommunisme proclamé bien haut cachait la plupart du temps un opportunisme politique certain.

Cela commença à apparaître dans les années 80, quand le ministère de la Justice américain se mit à enquêter sur le trafic clandestin de nazis auquel l'Occident s'était prêté en échange d'assistance dans la guerre secrète avec l'Union soviétique. Le retour en France de Klaus Barbie recherché pour crimes de guerre commis à Lyon quand il était chef de la Gestapo accéléra le processus. Barbie était un de ceux qui s'étaient réfugiés en Bolivie, où il avait joui d'une protection spéciale jusqu'à ce que le gouvernement français passe à l'action en 1983. Certains des nazis que l'on avait aidés à immigrer en Amérique du Sud avaient refait surface au Moyen-Orient pour reprendre leur guerre contre les Juifs. Chaque fois que les Soviétiques avaient placé des spécialistes de la désinformation dans les rangs des nazis, des hommes honnêtes étaient faussement accusés.

Les partisans de la poursuite de l'action clandestine en Occident avançaient comme argument que les Soviétiques s'étaient emparés du concept de la Quatrième Arme. A l'instar de ceux qui prônaient l'escalade nucléaire pour contrebalancer la puissance soviétique, ils faisaient valoir que les Soviétiques cautionnaient des terroristes, des guérilleros et des assassins politiques pour réclamer une force équivalente. Dans les années 80, une des versions russes des groupes de combat de la Quatrième Arme fut le *Spetsnaz* (« objectifs spéciaux »), qui était entraîné et contrôlé par le KGB pour des opérations clandestines de l'Afghanistan à Zanzibar. Les membres du Spetsnaz étaient meurtriers, coriaces et fuyants. On avait réussi à en prendre quelques-uns lors de raids en Angola, mais on ne parvint pas à les identifier de façon sûre. Chaque membre du Spetsnaz a sa « légende », une biographie fictive qui lui permet de passer pour un conseiller civil ou un employé de l'aéronavale.

Qu'est-ce qui venait en premier : l'action clandestine de l'Occident ou le Spetsnaz ? Les Russes ne se faisaient pas faute de rappeler les interventions de l'Occident lors de la révolution bolchévique, Bakou et Dick Ellis en 1918. L'Ouest répliquait qu'il n'était pas intervenu depuis la création de l'URSS – il y avait eu une telle volonté de respecter les accords conclus avec Staline après la guerre que l'on avait renvoyé deux millions d'expatriés russes à une mort certaine.

L'article du *Christian Science Monitor* se faisait l'écho de la répugnance américaine à déclencher des opérations clandestines pour répondre au défi lancé par le Spetsnaz : « C'est l'OSS qui a institutionnalisé l'action clandestine... On a saboté, exécuté des leaders de l'opposition et usé de la guerre psychologique... Si une société démocratique poursuit ce genre d'activités en temps de paix, elle court le risque de corrompre ses propres institutions. »

Gouzenko soutenait toujours que l'Occident devait continuer ses activités clandestines pour se protéger des opérations menées par le KGB et le Spetsnaz. Mais on ne l'écouta pas plus qu'en 1946.

En 1946, les actions clandestines lancées à la suite de l'affaire Corby eurent des conséquences désastreuses pour leurs commanditaires. Une de ces opérations consista à parachuter des agents en Russie blanche, terrain de prédilection d'Ellis. Malgré les avertissements de Gouzenko à propos de l'existence d'agents doubles, personne ne s'aperçut que Moscou avait introduit des agents soviétiques dans ces équipes. Le but de l'opération était justement de fomenter des révoltes contre Moscou. Finalement, le KGB cucillit les conspirateurs à l'arrivée et les exécuta tous, à l'exception bien sûr de ses propres *agents provocateurs*.

Dans ces tentatives de démantèlement de l'empire soviétique, on avait fait appel à d'anciens nazis et à des criminels de guerre qui furent trahis par des agents doubles russes. Cela ramena Dick Ellis à l'époque des conspirations de la Russie blanche dont il avait exploité les jeux dangereux avec les services secrets nazis et soviétiques. C'est de ce cloaque que l'on pouvait tirer des « preuves » de la traîtrise d'Ellis.

Si les opérations clandestines avaient échoué, c'était quelquefois à cause de la trahison de ceux que l'on avait recrutées pour leurs opinions anticommunistes. Ces faits

391

furent dissimulés. Ellis s'était opposé à ces opérations parce que, selon lui, elles étaient condamnées dès le départ. Ses attaquants considérèrent cette prise de position comme une nouvelle preuve de sa duplicité.

Le 16 mai 1982, un ancien enquêteur du ministère de la Justice américain apporta la preuve que l'on avait tenté d'étouffer certains faits. Des dossiers manquaient. Des détails avaient été rayés de certains documents des services secrets pour des raisons de « sécurité nationale ». Plusieurs papiers avaient été « perdus ».

Qui cherchait à entraver les enquêtes? Une taupe, apparemment, mais qui? Cette question resta sans réponse.

35

QUAND LE CHAT
N'EST PAS LÀ,
LES TAUPES DANSENT

Puis Igor Gouzenko mourut. Le *Times* de Londres annonça sa disparition le 2 juillet 1982, après les obsèques qui durent avoir lieu entre le 27 et le 30 juin dans un endroit inconnu. « La mort de Gouzenko, due *apparemment* à des causes naturelles, fut d'une certaine manière aussi mystérieuse que la vie qu'il a menée depuis septembre 1945 », lisait-on dans le complément au témoignage de Gouzenko publié par le gouvernement canadien.

On vit pour la première fois dans la presse des photos de Gouzenko à visage découvert. Un bulletin de Washington dirigé par Thomas F. Troy, ancien historien de la CIA, publia un portrait de Gouzenko « qui apparaît ici tel qu'on ne l'a jamais vu de son vivant... Sans sa cagoule qui était devenue son symbole, cette cagoule qu'il porta pour ne pas être reconnu des Soviétiques et échapper aux représailles. »

La notice nécrologique du *Times* disait : « Nous nous souviendrons de M. Igor Gouzenko, mort à l'âge de 63 ans la semaine dernière près de Toronto, comme de l'employé du chiffre le plus célèbre de toute l'histoire du renseignement... Il passa le reste de sa vie à redouter la vengeance du KGB. »

La mort et l'enterrement de Gouzenko furent entourés de mystère. La police n'avait jamais vraiment cessé de le protéger. Dans son oraison funèbre, le pasteur parla de « M. Brown qui nous arriva de Prague », bien que l'assistance fût exclusivement composée de la famille et d'amis proches qui connaissaient tous la véritable identité du défunt.

Ses funérailles révélèrent un autre secret bien gardé. La nouvelle vie de Svetlana et d'Igor avait été féconde : ils avaient eu dix enfants. Une des filles attendait un heureux événement, et tous les petits-enfants étaient là. On n'avait jamais divulgué le nombre des enfants Gouzenko de peur de fournir aux Russes un indice sur le nom d'emprunt du transfuge. « Il a eu une vie très pénible ici, dit Peter Worthington, rédacteur en chef du *Sun* de Toronto qui assistait à la cérémonie. Il a dû se cacher et travailler dur. Mais il est parvenu à donner à ses enfants un bon départ dans l'existence. Ils ont superbement réussi. Ils symbolisaient sa victoire finale. Ils se trouvaient à son chevet quand il mourut – en paix et non par la violence, comme le souhaitaient les Soviétiques. Le KGB n'avait pas été capable de le tuer. Il les a battus à leur propre jeu. Et malgré les épreuves qu'il a traversées, jamais il n'a regretté sa décision. »

D'après le *Times*, Gouzenko « était très dévoué à la famille royale ». L'ironie voulut qu'il meure dans l'obscurité, pendant que les traîtres qu'il avait tenté de démasquer jouissaient de l'approbation de l'élite. Le roi George VI avait accordé la nationalité britannique à Gouzenko et à sa famille, mais rien de plus. Anthony Blunt avait été anobli, et bien que sa culpabilité ait été formellement établie en 1979, il n'en continuait pas moins d'écrire ses chroniques d'art pour le *Times*. Blunt avait fini par être publiquement dénoncé parce que des citoyens opiniâtres avaient exigé que l'on réponde aux questions que Gouzenko posait. On aurait encore appelé Blunt *Sir Anthony* au moment du décès de Gouzenko si une partie de l'opinion n'avait forcé le gouvernement à admettre que l'on avait promis l'immunité contre toute poursuite judiciaire à Blunt en échange de sa confession.

Pourquoi Blunt fut-il autorisé à conserver son titre après ses aveux en 1964 ? Pourquoi lui accorda-t-on l'immunité, alors que des espions moins haut placés (et peut-être moins coupables) se voyaient condamnés ?

Autre point plus important encore : Blunt connaissait-il l'identité du ELLI londonien ? Aurait-il pu épargner des années d'angoisse à Gouzenko ?

La dernière fois que je rencontrai Gouzenko, je me retrouvai en face d'un homme qui souhaitait désespérément qu'on le vît tel qu'il était : un loyal citoyen de l'Occident, un écrivain et un peintre sensible, un être préoccupé par le formidable défi que les Soviétiques lançaient au mode de vie qu'il avait choisi. Il ne pensait pas être obsessionnel, mais il connaissait bien la psychiatrie soviétique et sa détermination à faire passer pour fous tous les dissidents. Il avait décrit les méthodes employées par la police secrète pour détruire l'équilibre mental dans *The Fall of a Titan*, où l'écrivain Gorin perd la raison en cherchant à garder son indépendance.

Il n'avait pas de réponses aux questions qui empoisonnèrent ses dernières années. S'il avait été plus avisé, il aurait trouvé le moyen d'identifier le « monsieur qui venait d'Angleterre », cet homme qui avait tranquillement fait disparaître ses révélations les plus gênantes. Il avait parlé à un magnétophone débranché, si bien qu'il ne fut jamais entendu de ceux qu'il voulait avertir. Si les autres avaient commencé à douter de l'existence de l'agent soviétique qui était parvenu à ce résultat, Gouzenko, lui, ne démordit jamais de son histoire. Oui, il y avait un ELLI à Londres. Oui, les Soviétiques avaient largement infiltré les services du renseignement occidentaux. Oui, il avait jugé ces problèmes suffisamment délicats pour ne les confier qu'à cet interrogateur, ce « monsieur qui venait d'Angleterre », qui, il en était sûr, allait prendre des mesures en conséquence.

Pourquoi ne donna-t-on jamais à Gouzenko l'occasion de voir ces suspects qui furent découverts à la fin de sa vie? Pourquoi ne lui montra-t-on pas les photos de Dick Ellis en 1981, année où les premières accusations publiques furent lancées? Gouzenko n'aurait-il pas pu identifier son interrogateur anonyme, même après toutes ces années?

Une confrontation aurait pu faire taire les détracteurs qui affirmaient que les preuves de l'existence de taupes russes apportées par Gouzenko n'auraient jamais pu être éliminées par un interrogateur perfide. Il soutenait qu'un traître haut placé pouvait étouffer l'affaire et garder pour lui les détails révélés lors de cet unique interrogatoire. Philby avait montré à quel point il était facile d'agir ainsi, et on aurait pu obtenir des aveux semblables en démasquant la ou les taupes russes qui bâillonnaient Gouzenko.

Alors pourquoi ne lui a-t-on pas donné une chance d'observer les suspects ou leurs photos, quand on rouvrit le dossier Corby dans les années 80?

La réponse est simple : Gouzenko avait perdu la vue.

La cécité de Gouzenko était un des secrets de sa vie étroitement gardé. Sa vue avait commencé à baisser à l'époque des scandales d'espions en 1973. C'est à ce moment-là qu'il eut la preuve de l'existence d'un complot le visant, quand on l'autorisa enfin à écouter une version de sa prétendue déclaration au « monsieur qui venait d'Angleterre ». Le KGB tenta d'empêcher Gouzenko de dénoncer la fausseté de ce rapport. On convoqua un agent du KGB pour tuer Gouzenko, mais les plans de Moscou furent contrariés.

On avait de bonnes raisons de ne pas parler de la dégradation de sa vue. Sa cécité le rendait encore plus facile à identifier, et le KGB aurait compris qu'il y avait moins de risques que Gouzenko reconnaisse l'homme qu'il soupçonnait de le trahir.

Peut-être que cette nouvelle filtra. En 1981, on relia les histoires courant à propos du mystérieux ELLI aux accusations portées contre des hommes que Gouzenko aurait pu reconnaître.

Maintenant qu'il était mort, tous ceux qui se trouvaient approximativement au bon endroit au bon moment pouvaient passer pour ELLI. « Approximativement » était bien le mot qui convenait aux allées et venues des officiers du renseignement du genre de Dick Ellis. Il nous parut urgent de rassembler tous les éléments que nous possédions, et je rédigeai le comte rendu suivant pour Stephenson :

> Aujourd'hui le second ELLI reste une énigme totale. Nous ne saurons jamais s'il s'agissait de Philby. Il est évident que Philby eut le loisir et l'occasion de prendre des notes sur les déclarations de Gouzenko à propos des taupes, de déformer ensuite ce témoignage et de semer le trouble (même depuis sa retraite moscovite) en répandant de faux indices afin de porter préjudice aux véritables ennemis des Soviétiques. Le chaos qui régna au lendemain de la Seconde Guerre mondiale créait des conditions idéales pour brouiller les pistes fournies par le transfuge. L'OSS et le SOE passèrent, sans que nous le sachions, des accords secrets avec le NKVD pour une étroite collaboration pendant la durée du conflit. Lorsque la défection de Gouzenko empêcha les Philby et autres sympathisants d'exploiter cette collaboration, il s'ensuivit une sorte de

guerre secrète entre les Soviétiques et nous, les Soviétiques bénéficiant en l'occurrence de l'immense avantage de pouvoir poursuivre leurs opérations avec leurs organisations encore debout. Les nôtres – le BSC et l'OSS – avaient été dissoutes.

Si nous en savions plus sur la manière dont les accusations se sont accumulées contre Dick Ellis, nous comprendrions mieux le destin de Gouzenko. Sa défection et ses retombées immédiates eurent lieu à une époque où les activités clandestines des Américains en Europe changeaient radicalement. Les éléments commencent seulement à se faire jour grâce aux résultats d'une enquête menée par le ministère de la Justice américain.

Voici comment Barney Frank, député du Massachusetts, réagit (à la publication du rapport de l'enquête) : « Je pensais que c'était le genre de choses que les gens inventent de toutes pièces. On se trouvait en face d'une sorte d'hystérie. Les États-Unis possédaient plus d'agences de renseignements qu'on ne comptait de pays à espionner. »
Reconstituons la chronologie des événements :

A. AVANT LA SECONDE GUERRE MONDIALE, Dick Ellis eut affaire aux exilés anticommunistes en Europe. Il était l'expert du SIS pour ce que Staline appelait la question des nationalités – un euphémisme pour qualifier l'agitation parmi les non-Russes qui composaient la moitié de la population de l'URSS. Staline considérait les Russes blancs comme des fauteurs de trouble potentiels. Ellis, qui était en contact avec le plus connu des dirigeants russes blancs à Paris, le général Andrei Turkhul, l'encouragea à entretenir ses puissantes relations nazies. Les nazis projetaient secrètement d'utiliser les Russes blancs et les Ukrainiens pour renverser Staline, bien que, pendant les années 30, ils continuassent à collaborer clandestinement avec le renseignement militaire soviétique.

B. APRÈS LE DÉCLENCHEMENT DE LA SECONDE GUERRE MONDIALE, Turkhul disparut. Beaucoup d'Ukrainiens pensaient que si Moscou était vaincu par les Allemands, l'Ukraine redeviendrait indépendante. Ils revêtirent l'uniforme allemand et luttèrent contre l'Armée rouge.

LE GÉNÉRAL TURKHUL réapparut de façon inattendue en Europe centrale, retrouvé grâce à un émetteur clandestin qui donnait aux Allemands des renseignements sur les mouvements des troupes russes. Turkhul était en fait un agent soviétique qui envoyait des broutilles aux nazis pour conserver sa crédibilité. Donc, Turkhul travaillait en fait pour le Centre de Moscou quand il jouait les Russes blancs devant Dick Ellis. On a utilisé les rapports d'Ellis avec Turkhul comme une preuve évidente de sa traîtrise.

C. A LA FIN DE LA SECONDE GUERRE MONDIALE, le retour forcé de deux millions de citoyens de pays non communistes convoités par l'Union Soviétique fut secrètement organisé par le département d'État américain et le Foreign Office. Les tragiques victimes de la vengeance de Staline étaient pour la plupart des Ukrainiens et des Russes blancs qui ne jouissaient légalement plus de la citoyenneté soviétique, contrairement à ce qu'affirmait Staline. On sait qu'ils furent soit exécutés soit jetés en prison.

Cependant, d'anciens nazis entraient en Amérique

grâce à un accord secret baptisé loi des cent-par-an de la CIA. On faisait clandestinement entrer des immigrants aux États-Unis. (Fait que l'on ne connaît que maintenant, grâce au député Frank, membre de la commission sur l'immigration.) On avait recruté les nazis dans l'espoir de se familiariser avec les méthodes soviétiques du renseignement.

PHILBY ENTRE EN SCÈNE. En tant que chef des opérations antisoviétiques du SIS en 1945/1946, il jouissait d'un pouvoir considérable. Ses recommandations au sujet des missions secrètes menées conjointement par les Anglais et les Américains avaient du poids. Les véritables patrons du Centre de Moscou lui donnèrent l'ordre d'organiser le retour de davantage d'anticommunistes. Ce fut moins difficile à arranger qu'il n'y paraissait *.

IL Y AVAIT EU UN GOUVERNEMENT NAZI EN BIÉLORUSSIE, composé de Russes du cru choisis par les envahisseurs nazis en 1941. Les collaborateurs nazis exterminèrent 25 % de la population, dont la majeure partie des Juifs du pays

* Philby patronna puis trahit l'opération VALUABLE, selon son propre aveu. L'objectif était de renverser le gouvernement fantoche mis en place par les Soviétiques en Albanie. Le parachutage de troupes anticommunistes opéré par l'aviation britannique et américaine se termina par la capture des patriotes albanais. Mais ce n'est qu'en juin 1982 que la publication de documents du département d'État devait révéler un autre aspect de la machination soviétique : on apprit à cette occasion que l'on avait favorisé l'immigration aux États-Unis d'Albanais qui avaient collaboré avec les nazis, et que parmi eux se trouvaient des agents soviétiques « anticommunistes » fervents. Si l'on en croit le compte rendu d'une conversation entre le secrétaire d'État Dean Acheson et le ministre britannique des Affaires étrangères Ernest Bevin, les « Albanais libres » de Philby comptaient dans la politique américaine. Acheson raconte : « Bevin demanda si nous serions d'accord pour essayer de renverser le gouvernement Hoxha (communiste)... Je répondis : " Oui, mais si l'on précipite le mouvement, les Grecs et les Yougoslaves pourraient provoquer une crise "... Bevin (demanda) : " Quel gouvernement pourrait remplacer Hoxha ? Y a-t-il un roi dans les parages que l'on pourrait mettre sur le trône ? " »

– trois ou quatre cent mille Juifs. Le gouvernement nazi de Biélorussie au grand complet : le président, les vice-présidents, ministres, gouverneurs, maires et chefs de la police, vint aux États-Unis, comme nous le prouve le rapport du ministère de la Justice.

Le complot biélorusse pour « libérer » le territoire de la présence des Soviétiques *avait été soutenu par Philby*. « Chacune des opérations avaient été infiltrées par des Soviétiques... Presque tous les parachutistes furent pris et tués dans les quelques minutes qui suivirent leur arrivée au sol... Ils venaient pour assassiner. C'étaient des troupes de choc qui devaient déclencher une guerre civile. On apprit par la suite que beaucoup d'entre eux étaient des agents doubles. Les Soviétiques avaient pénétré les services du renseignement britanniques et allemands. »

LA SOPHISTICATION de cette trahison soviétique permet de mieux comprendre maintenant comment le coup fut monté contre Ellis. Il avait été associé aux « interventions impérialistes » chez les non-Russes et aux manœuvres de la Quatrième Arme contre les dictateurs. Philby n'ignorait rien d'Ellis. Cela avait dû être un jeu d'enfant de faire porter à Ellis la responsabilité de l'élimination de Gouzenko des services de renseignements occidentaux.

CONCLUSION : quand Gouzenko commença à faire naître des doutes, il fallut trouver un bouc émissaire. Philby connaissait le dossier Ellis. Il savait que les accusations contre lui remontaient à 1946, lorsqu'un officier du renseignement allemand désireux de prouver son anticommunisme affirma qu'Ellis espionnait à la fois pour les nazis et les Soviétiques. (L'informateur allemand travaillait peut-être déjà pour le Centre de Moscou. Un de ses contemporains, Heinz Felfe, lança des accusations similaires contre des Américains pour gagner la confiance des États-Unis. Felfe termina sa carrière comme conseiller du renseignement ouest-allemand jusqu'à ce qu'on découvre qu'il était un espion soviétique. Et il passa aux aveux.)

Après la fuite de Philby à Moscou, une recherche frénétique des taupes commença. Le contre-espionnage américain se pencha sur une enquête anglaise, qui contenait un rapport sur les activités d'Ellis. Le SIS refusa que le MI5 poursuive l'examen du dossier d'Ellis. Quand des taupes soviétiques du style d'Anthony Blunt se confessèrent, la querelle des libéraux contre les gestapistes s'accentua. Ellis fut interrogé au milieu des années 60. On ne publia rien qui puisse prouver sa culpabilité, mais il sentit que les mandarins des services secrets occidentaux se servaient de lui. Ils détestaient l'exentricité créatrice de l'espion à l'ancienne mode : cette mode qui, avant la Seconde Guerre mondiale, jeta Ellis dans cette fosse aux serpents d'agents doubles ou triples qui vendaient leur vertu comme des putains.

Néanmoins, cette enquête de neuf mois vient de se terminer, et la commission de sécurité britannique dirigée par Lord Diplock affirme à Mme Thatcher que son gouvernement est à l'abri des taupes. On ne parle plus d'Ellis. L'*Economist* dit de la version expurgée du rapport Diplock « qu'il sent la suffisance, étant donné le passé de la Grande-Bretagne en matière de pénétration communiste aux plus hauts niveaux ». Si Ellis était dans le collimateur des Soviétiques, quel avantage pouvaient en tirer les services secrets russes ? L'obstruction des canaux du renseignement occidentaux. La commission Diplock a créé un dispositif anti-taupe d'une complexité ministérielle. L'examen de la sécurité sera effectué par un réseau de commissions interdépendantes. Le schéma directeur ressemble à un système de plomberie mal organisé. Chaque branche du gouvernement est sous surveillance. Un excellent moyen pour constiper le système de défense d'une nation. Qui souhaiterait devenir un futur Ellis, publiquement humilié parce qu'il ou elle a pris des initiatives ? Qui voudrait risquer sa retraite, son avancement ou sa carrière pour l'honneur douteux d'être traité d'excentrique créatif ? Pourtant les adversaires les plus gênants du KGB sont justement ces excentriques créatifs qui ne laissent pas traîner de bouts de papier à portée de main des taupes dans les fichiers bureaucratiques.

La bureaucratie soviétique exige que tout soit signé en triple exemplaire. L'esprit démocratique américain représente un immense atout, parce qu'il nous permet de contourner les règlements en cas d'urgence et de refuser de signer des documents officiels.

Mais une feuille de papier portant le nom d'Ellis à Moscou, l'ensevelissement des fichiers concernant Gouzenko et les retombées de sa défection mettent en danger l'esprit d'excentricité créatrice qui caractérisa la guerre secrète que l'on mena avec succès contre Hitler. Si cet état d'esprit disparaît, les Soviétiques remporteront une victoire remarquable.

36

LES VICTIMES
DE LA TROMPERIE

Au moment de la mort de Gouzenko, un exemplaire du *Daily Mail* de Londres arriva dans la paisible retraite des Bermudes où Stephenson se tenait prêt à accueillir quiconque viendrait « attiré par un fil invisible », selon l'expression du général Gubbins.

Le *Daily Mail* publiait la réponse du « maître espion Intrepid » aux accusations portées contre Ellis qui, d'après Sir William, n'étaient qu'une « manœuvre de désinformation du KGB ».

Le journal commentait : « C'est un plaisir de voir ce personnage raisonneur se montrer à la hauteur de son surnom de Willy (*sic*) la Mitrailleuse (*Machinegun Willy*) en montant ainsi à l'assaut de ses ennemis. »

Le général Gubbins avait évoqué ces gens « qui venaient le voir comme les Grecs anciens se rendaient à Delphes consulter l'oracle pour poser leurs innombrables questions... Nous avions toujours l'impression que Bill nous apportait une réponse définitive ».

Cette fois, néanmoins, il n'y avait pas de réponses définitives. L'oracle sur son île située à six cent milles de la côte de la Caroline du Nord tirait encore ses fils invisibles. Cet homme avait été confronté à toutes les formes d'agression, du corps à corps pendant la Première

Guerre mondiale aux agissements des ennemis de l'ombre engagés dans un conflit qui durerait vraisemblablement encore longtemps. Il connaissait les tentations qu'offre le pouvoir secret. A présent, les techniques de la guerre clandestine semblaient éclipsées par le formidable potentiel de guerre atomique. Gouzenko avait démasqué des espions qui avaient participé à la construction de la bombe d'Hiroshima. Aujourd'hui, en cas d'attaque soviétique, c'était l'équivalent de 525 000 bombes qui pouvait être largué en quelques secondes sur les États-Unis, anéantissant 86 millions d'Américains sur le coup.

« Si l'on pense à cette menace d'apocalypse, l'affaire Corby peut évidemment paraître dérisoire, dit Stephenson. Pourtant, Gouzenko nous a permis d'entrouvrir les portes du monde de la guerre secrète dont l'opinion publique connaissait si peu de chose : un genre de guerre qui se développe aussi rapidement que la technologie de l'arme nucléaire. En réexaminant cette affaire, l'opinion peut se faire une idée de ce qui s'est passé dans ce royaume de l'espionnage, où l'arme maîtresse est la tromperie. »

Gouzenko a été victime d'opérations de tromperie, dont le premier objectif était de réduire son importance et de limiter la discussion au problème de l'espionnage atomique à une période où l'Union soviétique et les États-Unis étaient obligés de s'épauler. L'autre objectif des services secrets soviétiques était d'accréditer l'idée que les secrets devaient être partagés... A une nuance près. Les Soviétiques posaient une condition tacite : « Ce qui est à vous est à nous, mais ce qui est à nous est à nous seuls. »

On fit en sorte que les motivations des traîtres paraissent raisonnables. L'un des informateurs des services secrets russes démasqués grâce à Gouzenko était le Dr. Raymond Boyer, décrit par ses employeurs comme le « plus grand spécialiste des explosifs du continent américain ». Lorsqu'on lui demanda pourquoi il avait livré aux

Russes des renseignements que son serment lui interdisait de divulguer, il eut cette réponse : « Je trouvais dommage qu'il n'y eût pas de collaboration scientifique sur ce plan... J'aurais aimé que les Alliés puissent envoyer des missions techniques en Union soviétique et que les États-Unis reçoivent des missions russes. J'estimais primordial que l'on coordonne l'effort scientifique de guerre sur les deux fronts. » Cette explication désarmante n'était pas sans rappeler la position de l'Association internationale des travailleurs scientifiques, dont Boyer était l'un des membres. Boyer certifia que le professeur Alan Nunn May était l'un des nombreux communistes qui militaient dans cette organisation favorable à ce que l'on partage le secret de la bombe avec les Russes.

Stephenson pensait que la question n'était pas de savoir si l'URSS aurait ou non construit sa propre bombe sans l'aide de ses espions placés à l'Ouest. Les révélations de Gouzenko auraient dû soulever le problème beaucoup plus important de la coexistence avec une puissance mondiale qui traitait toutes ses affaires comme des secrets d'État, tout en usant d'arguments démocratiques pour convaincre les victimes désignées que le secret devait être inexistant dans une démocratie. Grâce à Gouzenko, on avait été à même de démontrer que les opérations des services secrets russes en Amérique du Nord remontaient aux années 20. Les documents qu'il avait apportés couvraient toutes les sphères d'activité des services secrets russes : militaires, atomiques, politiques et diplomatiques. L'échange de correspondance entre le gouvernement canadien et ses ambassadeurs, par exemple, n'avait pas échappé aux Soviétiques :

Le secrétaire d'État aux Affaires du dominion à Londres au secrétaire d'État aux Affaires étrangères à Ottawa, le 24 août 1945 : « La Russie n'a jamais accepté de discuter du problème de la Bulgarie, de la

Yougoslavie, de la Hongrie ou de la Roumanie...
Tous ces pays sont sous l'influence et la surveillance
de la Russie... Il nous faut gagner la confiance et
l'attention de ces pays.

Une telle lettre aida sans aucun doute les décideurs
soviétiques de l'époque à estimer le degré d'opposition de
l'Occident à leur annexion des pays d'Europe de l'Est.

Gouzenko démontra que tous les documents confidentiels, même de routine, avait de la valeur pour un ennemi
décidé à berner et surtout à dominer les démocraties. Ces
fameux « agents d'influence » qui, si l'on en croit les
apologistes soviétiques, passaient des « lignes directrices »
inoffensives à Moscou, aidaient en fait un ennemi à
anticiper les initiatives de l'Occident et à préparer sa
riposte sur les plans diplomatique et militaire. Dans son
premier roman, Gouzenko concluait tristement que les
meilleurs alliés de Moscou étaient des hommes et des
femmes de bonne volonté considérablement vaniteux qui
avaient accès aux documents politiques. Le reste incom-
bait aux agents de métier. Gouzenko permit de comprendre combien il était devenu difficile de résister au pouvoir
de la police secrète à l'intérieur de l'Union soviétique. Il
était parvenu à tenir tête au KGB grâce à son immense
obstination et à son courage. Pour réussir, un résistant
avait besoin d'un nouveau pays et d'une nouvelle identité.
C'est seulement à ce moment-là qu'il pouvait se sentir
relativement en sécurité.

NEUVIÈME PARTIE

1982-1983
SÉCURITÉ ET DÉMOCRATIE :
INCOMPATIBILITÉS

37

LA RECHERCHE
DE LA SUPERTAUPE

Quand Gouzenko revint sur le devant de la scène en 1981, un an avant sa mort prématurée, il condamna publiquement les déformations que l'on avait fait subir à ses réponses à l'interrogatoire du SIS en 1946. Conduit dans le plus grand secret, celui-ci avait exclusivement porté sur sa certitude que des taupes soviétiques s'étaient infiltrées au sommet de la hiérarchie des services occidentaux du renseignement. Son interrogateur anonyme s'était attribué un tel pouvoir que personne n'avait osé contester son intégrité ou ses actions ultérieures. Puis, sur ces entrefaites, Londres se décida enfin à envoyer de nouveaux visiteurs pour satisfaire Gouzenko qui exigeait de savoir ce qu'il était censé avoir dit au premier « monsieur qui venait d'Angleterre ». La deuxième vague d'émissaires arriva en 1973, avec quelque vingt-sept ans de retard. A ce moment-là, Gouzenko commençait à perdre la vue et aussi un peu la mémoire. Le compte rendu officiel de l'interrogatoire de 1946 le mit en colère.

« C'était un tissu de mensonges, me confia-t-il. Des pages d'absurdités destinées à me discréditer. On voulait me faire passer pour un imbécile prétendant connaître des détails hors de sa portée. » Ce n'est qu'à la veille de sa disparition, presque dix années plus tard, qu'il rendit ses accusations publiques. Dans l'intervalle, il avait essayé de rétablir la vérité en usant de moyens plus discrets. Mais pourquoi avait-il attendu près de huit ans pour protester?

Pour comprendre, il ne faut pas oublier l'étrangeté de la situation des transfuges russes. Peter Worthington, rédacteur en chef du *Sun* de Toronto, décrit ainsi l'état d'esprit de Gouzenko en 1973 :

> Il vint me voir à mon bureau pour me demander si je pouvais l'accompagner au Royal York Hotel où, me dit-il, deux représentants des services secrets britanniques voulaient l'interroger sur l'une de ses déclarations à propos de la présence de taupes haut placées dans le MI5... Gouzenko craignait que ces hommes ne veuillent le liquider... Il appréhendait aussi que les Soviétiques, redoutant qu'il ne livre *involontairement* des indices menant à d'autres espions russes, ne mettent un assassin à ses trousses.

Gouzenko pria Worthington de l'attendre dans le hall de l'hôtel. « Je ne suis pas suicidaire, vous le savez, me dit-il. Si jamais on devait me retrouver mort, comprenez bien que je n'aurai pas sauté, on m'aura poussé. »

Gouzenko n'avait pas tort de s'inquiéter. Oleg Khomenko, conseiller d'ambassade à Ottawa, venait de remettre un « espion en sommeil » en activité, avec pour mission de tuer Gouzenko lors de la rencontre du Royal York. Seulement, l'espion en question, qui avait pris goût à la vie occidentale, préféra se rendre aux autorités canadiennes. En échange de l'asile politique, ledit Anton Sabotki, donna une description détaillée de l'équivalent moderne des escouades de la mort du SMERSH.

Les Soviétiques avaient de bonnes raisons de vouloir remettre cet espion dans le circuit. Il fallait empêcher

Gouzenko de parler à ces nouveaux « messieurs venant d'Angleterre » qui enquêtaient sur l'infiltration russe pour le compte d'une section secrète du SIS, le K-7, créé dans le but de retrouver la trace de la soixantaine d'officiers du renseignement considérés comme suspects. Les révélations que Gouzenko ne manquerait pas de faire une fois confronté à son témoignage tronqué par le KGB allaient lancer une nouvelle série d'investigations. *Comment le KGB l'avait-il appris?*

Les enquêtes menées par le K-7 dans les années 70 étaient une des conséquences directes de la chasse à la supertaupe. Sir Roger Hollis, ancien chef du MI5, était à présent à la retraite. On l'avait soumis à un interrogatoire serré parce qu'on le soupçonnait d'avoir usé de son pouvoir pour mettre un terme à des recherches qui auraient peut-être permis de démasquer les Soviétiques. On avait dit qu'il était le mystérieux interrogateur et l'auteur du rapport expurgé. Aujourd'hui encore, le doute subsiste : ou Hollis était bien le « monsieur qui venait d'Angleterre », ou il faut croire Stephenson lorsqu'il affirme : « J'ai renvoyé Hollis en Angleterre avant qu'il n'ait eu le temps de rencontrer Gouzenko, et ce sont mes propres spécialistes qui se sont chargés des interrogatoires. »

Tous les rapports avaient été détruits. A Londres, les dossiers sur l'affaire avaient disparu. Il est possible qu'Hollis soit revenu au Canada à l'époque de la dissolution du BSC, mais il ne reste aucune preuve matérielle de ce voyage. « Les services secrets sont secrets, et il est inadmissible que l'on évoque publiquement le travail qu'ils effectuent. » Il aurait été « inadmissible » de discuter des allées et venues de Hollis dans un pays comme le Canada qui, en 1945 et 1946, respectait les lois britanniques.

Dans les années 70, Gouzenko avait assimilé la leçon de Stephenson à propos de la « publicité dissuasive ». Son fidèle ami, Peter Worthington, pensait lui aussi que la dernière rencontre de Gouzenko et du SIS devait rester confidentielle. Mais quand, en 1981, on accusa publiquement Hollis et Dick Ellis d'avoir trahi, personne ne se sentit plus tenu de garder le silence. Le rapport que l'on montra à Gouzenko en 1973, déclara Worthington, avait manifestement été rédigé par un agent soviétique.

Mais de qui s'agissait-il? Du second ELLI? D'un autre membre d'un réseau dépendant d'ELLI?

En 1981, Chapman Pincher, spécialiste des questions de défense nationale de deux journaux à grand tirage, reprit les allégations à propos de l'existence de supertaupes en Grande-Bretagne dans un livre intitulé *Their Trade is Treachery* *. Pincher se proposait de prouver que Dick Ellis était l'un de ceux qui avaient trahi l'Ouest.

Le public s'émut : si l'on en croyait cet ouvrage, les services du renseignement se fondaient surtout sur les on-dit pour prouver la culpabilité d'un suspect.

Dans sa préface au livre que consacrait Joseph P. Lash à la mère de Franklin D. Roosevelt junior, Stephenson rappela un incident qui corroborait cette impression. A l'époque, Franklin D. Roosevelt avait réfuté le service du contre-espionnage du FBI. Le bruit que Lash et sa mère entretenaient des rapports intimes avait, prétendait-on, poussé Roosevelt à se venger en envoyant le simple soldat Lash en première ligne en 1943. Lash, grâce à la loi sur la liberté de l'information, put remonter à la source de cette rumeur et découvrit que ce ragot avait été lancé par un

---

* Ce titre est emprunté à une publication des services secrets britanniques visant à mettre en garde les fonctionnaires contre les ruses des Soviétiques. Le livre de Pincher fut publié aux États-Unis par Bantam en 1982. Cette même année, on décidait de garder secrets certains documents concernant les procédés soviétiques qui devaient pourtant tomber dans le domaine public en 1982. Ces documents avaient trait à Burgess et Maclean. On peut déplorer que cette décision ait été prise, car le récit des activités prosoviétiques de ces deux espions auraient certainement été une meilleure incitation à la prudence que cette fameuse publication.

officier du contre-espionnage qui avait incité le FBI à mener son enquête. Par la même occasion, Lash trouva que John Dean, conseiller de la Maison-Blanche, essayant de dénicher des précédents à l'usage abusif du contre-espionnage par le président Nixon dans l'affaire du Watergate, avait pris cette rumeur au pied de la lettre et (avec le souci d'exactitude qui caractérise tant d'auteurs de rapports secrets inattaquables) avait baptisé à tort cette histoire « Le cas Don Lash ». Stephenson pensait que cette anecdote était un rappel utile de la façon dont des contre-vérités s'introduisaient dans les dossiers confidentiels et risquaient de donner naissance à des monstruosités quand le public n'avait pas le moyen de les réfuter.

Dans les années 80, ceux qui rencontraient des difficultés pour contester le contenu des fichiers confidentiels estimèrent que le droit à la vie privée du citoyen américain était à nouveau en danger.

Les professionnels du renseignement expliquèrent que la CIA se trouvait pratiquement dans l'incapacité d'agir, ce qui incita certains transfuges russes à tirer le signal d'alarme. Vladimir Sahkarov, pur produit de l'élite du Centre de Moscou (où, d'après lui, l'on pratique le népotisme pour attribuer les postes du KGB) devint un agent de la CIA. Il lança des appels au réalisme : à son avis, les États-Unis se faisaient une idée fausse du nouveau KGB. Avec ses officiers hautement qualifiés, très organisés et arrogants, ce service était devenu la puissance Quatrième Arme des Soviétiques.

Le contre-espionnage avait été émasculé en 1973-1974 par un projet de loi qui stipulait que toutes les missions de la CIA devraient être examinées par des commissions politiques représentant les citoyens américains. On avait sérieusement réduit les prérogatives du FBI, qui ne pouvait plus entreprendre d'enquêtes sur des espions présumés sans posséder de preuves concrètes, les plus difficiles à réunir.

Équilibrer les besoins des services de sécurité et la liberté individuelle posait un problème délicat. Cette question fut évoquée par le docteur Wilfred Basil Mann, savant nucléaire anglais naturalisé américain qui travaillait pour le Bureau national des statistiques. En 1982, il répliqua aux accusations portées contre lui dans un livre consacré aux taupes, qui l'assimilait au fameux « Basil ».

Le docteur Mann est l'homme qui, un matin, avait trouvé Philby et Burgess dans le même lit. Il nia être le « cinquième homme » des réseaux d'espionnage de Philby, Burgess, Maclean et Blunt. Puis, dans *The Climate of Treason*, Andrew Boyle signala qu'il était un espion soviétique. M. Mann écrivit : « Ce n'est pas la première fois que l'on tente de me faire ressembler à... un citoyen américain ayant des liens très particuliers avec la CIA. Si Philby veut semer encore plus la discorde, qu'il joue sur ces peurs paranoïaques et ces accusations sans fondement. »

Il illustra la façon dont la politique de désinformation du KGB exploitait « le problème délicat de l'espionnage nucléaire » en citant deux articles parus en première page du *Times* du 21 août 1975. En haut de la page, un gros titre s'étalait : « La CIA a apporté un soutien technologique à Israël pour la fabrication de bombes atomiques. » Dans la colonne voisine, on lisait un compte rendu des négociations menées par le secrétaire d'État Henry Kissinger entre Israël et l'Égypte.

« S'agissait-il d'un coup monté par un spécialiste de la propagande du KGB au Moyen-Orient? Mon vieux collègue Philby peut-être? » demanda le docteur Mann. « Le MI5 a-t-il remarqué cette étrange juxtaposition? » Le premier article reprochait à James Angleton du contre-espionnage de la CIA d'avoir fourni la bombe à Israël. Peu de temps après, des journalistes vinrent interroger le docteur Mann à propos d'allégations selon lesquelles il aurait aidé Israël à contourner le traité de non-prolifération lancé par les États-Unis. « Cet épisode marqua mon entrée en scène comme suspect. »

Le docteur Mann concluait en évaluant l'équilibre nécessaire entre la liberté de parole et la sécurité dans une démocratie. « C'est un problème qui ne se poserait pas en Union soviétique. Mais nous autres citoyens du monde occidental devons accepter que sécurité totale et démocratie totale sont incompatibles. Tant que la démocratie subsistera dans notre pays, les services secrets russes pourront opérer en toute tranquillité. Si nous voulons que la balance ne penche pas trop en leur faveur, il nous faut pouvoir les combattre en surveillant nos citoyens, ce qui représente en soi une atteinte à la liberté... Pour sauvegarder à la fois la sécurité nationale et notre liberté, il faut admettre que même des innocents peuvent subir des tracasseries. »

38

LE MONSIEUR
QUI VENAIT
D'ANGLETERRE

Je pensais que la mort de Gouzenko inciterait Intrepid à abandonner l'enquête qu'il menait sur sa « dernière affaire ».

C'était bien mal le connaître.

Au printemps de 1983, je partis pour les Bermudes avec des rapports qui semblaient apporter la solution de tous les problèmes qui nous préoccupaient, à l'exception cependant de l'énigme du second ELLI. De nombreux points paraissaient clairs à présent :

— Dick Ellis était blanchi. Pour rétablir sa réputation, un de ses anciens collègues avait montré à un journal londonien la lettre que Margaret Thatcher avait envoyée à l'un des enfants d'Ellis.

— Trois notices nécrologiques mettaient un fait curieux en valeur : pour peu qu'ils soient issus d'un milieu élégant, les espions à la solde des Soviétiques étaient couverts d'éloges; en revanche, on ne consacrait que quelques lignes sèches à l'humble Gouzenko. Les deux avis de décès les plus récents concernaient Anthony Blunt et Donald Maclean.

— On reconnaissait maintenant ouvertement l'existence de la désinformation russe. Un théoricien du parti com-

muniste avait expliqué noir sur blanc comment les Soviétiques procédaient pour discréditer les services secrets
occidentaux en recourant, par exemple, à la publication
de documents préjudiciables aux chefs de ces services.

D'une certaine manière, ces bizarreries confirmaient le
bien-fondé de la foi de Stephenson en l'information
ouverte. Une fois les passions retombées, l'homme de la
rue saurait faire la part des choses, à moins, bien sûr, qu'il
ne soit sensible aux apparences de respectabilité sociale et
intellectuelle.

Prenons l'exemple des notices nécrologiques.

Gouzenko avait peut-être remporté une ultime victoire
en parvenant à mourir en paix, comme l'avait déclaré
Peter Worthington, mais il faut avouer qu'il quitta cette
terre sans grande gloire. L'hommage que lui rendit l'au-
guste *Times* fut bref.

Au contraire, Anthony Blunt fit l'objet dans ce même
journal d'une « notice nécrologique digne de celles que l'on
consacre seulement aux grands de ce monde »; si l'on en
croit un ancien chef du MI5, Blunt bénéficia d'une
réhabilitation posthume. On lui attribua d'extravagantes
déclarations à couleur marxiste. « On assiste à l'apparition
d'un art nouveau, aurait dit cet expert de renommée
mondiale, produit du prolétariat, recouvrant enfin sa
véritable fonction de propagande... Les artistes retrouvent
l'importance du concret, le blé, la copulation, l'eau et
l'espace. »

Donald Maclean, ce diplomate britannique qui avait
œuvré pour les Soviétiques et les avait tenus au courant
de la progression des enquêtes Gouzenko, devint sous la
plume du journaliste du *Morning Star* « un être d'une très
haute moralité » et un « homme de parti dévoué ». Il faut
reconnaître que le *Morning Star* était un des porte-parole
du parti communiste. Néanmoins, ce ne fut pas le seul
journal à reproduire in extenso la notice nécrologique

publiée par les *Izvestia* où l'on pouvait lire que Maclean « avait consacré son existence consciente aux idéaux élevés du progrès social, de l'humanisme, de la paix et de la coopération internationale ». (On sous-entendait que Maclean n'était plus « conscient » quand il finit par émettre des doutes sur la cause. Cela me fit penser au héros du roman de Gouzenko, l'écrivain Gorin, dont les protestations à l'égard du régime furent rapidement étouffées par le coup sur la tête que lui assena son assassin. Une fois sûr d'être débarrassé de Gorin, Staline n'hésitait pas à louer « ce grand patriote tout dévoué aux idéaux du parti ».

H. Montgomery Hyde, vieil ami et collègue d'Ellis au SIS, avait répliqué à ses détracteurs par une déclaration bienveillante, ce qui était une bouffée d'air frais dans cet univers où l'on ne parlait plus que Novlangue *. Cet avocat londonien, historien distingué et écrivain à succès, écrivit dans le *Daily Telegraph* de Londres après avoir pris connaissance des nouvelles accusations portées contre Ellis en 1983 : « Je l'ai côtoyé pendant trente-cinq ans... Et il ne m'a jamais donné l'impression d'être déloyal. »

Mme Thatcher avait écrit à la fille d'Ellis : « Je partage votre peine à propos des allégations contre votre père que l'on trouve dans le livre de Chapman Pincher et je déplore aussi vivement que vous ces attaques qui bafouent la mémoire de ceux qui ne sont plus là pour se défendre. » Le Premier ministre expliquait aussi qu'il était difficile de faire des commentaires sur les insinuations et les accusations portées contre d'anciens officiers du SIS sans indiquer implicitement (par omission) dans quelles directions il fallait plutôt diriger les soupçons. Elle ne s'était permis de faire un commentaire officiel sur les rumeurs à propos de Sir Roger Hollis que parce qu'il avait été directeur général des services secrets.

* Sur Novlangue cf *1984* de George Orwell.

Le *Morning Star* avait repris les assertions contre Sir Roger Hollis le 31 mars 1983 dans un article où l'on accusait aussi un autre directeur général, Sir Michael Manley, ainsi qu'un directeur général adjoint, Graham Mitchell, d'avoir aidé les Soviétiques. Un journaliste du *Star,* l'idéologue du parti communiste britannique George Matthews, commenta ainsi l'article accusateur : « Si l'auteur était de gauche, on l'accuserait de tenter délibérément de discréditer les services de sécurité anglais. »

Cette atmosphère me donna envie de retrouver la patience et la bonne humeur de Stephenson. La vision des eaux calmes des Bermudes par le hublot de mon avion me rasséréna. Je regagnais une communauté multiraciale où régnait la tolérance et le calme.

Les journées de Stephenson se déroulaient selon un rituel presque immuable. Il se levait dès les premières lueurs de l'aube, écoutait les radios étrangères, nourrissait les oiseaux dans son jardin luxuriant et repartait vers ses livres et sa correspondance. Il menait ses journées comme il avait mené sa vie, il faisait chaque chose en son temps. Il semblait rajeunir malgré les années qui passaient.

Il travaillait le discours qu'il projetait de prononcer à bord de l'*Intrepid,* amarré maintenant de façon permanente à la jetée 86, non loin de son ancien quartier général du Rockefeller Center. Les anciens de l'OSS devaient lui remettre la médaille du général William J. Donovan dans ce décor prestigieux.

Comment se rendrait-il à bord du porte-avions?

« Avion, puis hélicoptère », me répondit l'octogénaire sans sourciller.

Souvent, plus les hommes se font vieux, plus ils se réfugient dans le passé. Ce n'était pas le cas de Stephenson. Il avait l'intention d'attaquer Youri Andropov, l'ancien chef du KGB qui dirigeait alors l'URSS. Andropov régnait sur un empire bâti sur la trahison, soudé par des

421

informateurs et des espions. Le monde vivait à l'ombre de cette monstruosité depuis l'époque de Gouzenko.

Je compris soudain que Stephenson n'était pas près de clore sa dernière affaire

« Gouzenko a été le premier à nous révéler l'existence des traîtres modernes, me dit-il. Il a essayé de nous aider à comprendre leurs faiblesses. »

Gouzenko s'était trouvé confronté à la réussite du parfait exemple de ce genre de traîtres, le second ELLI, dont l'histoire symbolisait bien la façon dont ces hommes et ces femmes étaient protégés, recrutés et infiltrés dans les services les plus sensibles de la défense occidentale. Mais le second ELLI avait servi de diversion, tant le véritable traître et ses complices étaient sûrs de ne pas être démasqués. Partout, on retrouvait des preuves de leurs activités, il n'était plus possible de nier l'évidence. Le fameux « monsieur qui venait d'Angleterre » avait existé. Ce mystère subsistait encore. Et Stephenson raffolait des énigmes.

39

N'Y A-T-IL PAS DE SECRETS?

Stephenson aimait à rappeler le trouble qu'Agatha Christie jeta dans certains esprits lorsqu'elle écrivit le dialogue suivant :

— Il y a aussi ceux pour qui nous ne pouvons avoir ni respect ni sympathie, ceux qui sont dans nos rangs et qui trahissent ou ne demandent qu'à trahir.

— Des ordures!

— Dont il faut débarrasser le pays.

— Vous croyez qu'il y en a beaucoup de ces salauds-là?

— Ils sont partout. Il y en a dans l'Intelligence Service, dans les unités combattantes... Ce sont les chefs que nous voulons, ils peuvent nous faire un mal énorme.

Agatha Christie rédigea ce dialogue extrait de *N ou M*? pendant la guerre et le publia en 1941, tandis qu'à Bletchley Park on mettait au point le système ULTRA. Il y eut un vent de panique dans le milieu du contre-espionnage allié lorsque l'on découvrit que l'un de ses personnages portait le nom de Bletchley. Cela signifiait-il qu'Agatha Christie avait percé le secret d'ULTRA? Il fallait tirer cette affaire au clair. Un célèbre universitaire et ami de l'écrivain qui travaillait sur le projet lui rendit visite un après-midi. Il amena progressivement la conversation sur ce sujet brûlant et, entre deux tasses de thé, se décida enfin à prononcer le mot tabou. Son hôtesse éclata de rire.

« Bletchley? L'explication est toute simple, mon cher. Un jour que je rentrais d'Oxford, mon train fut bloqué dans ce village. Et je me suis vengée en donnant ce nom à un personnage antipathique. »

« L'excès de soupçons détruit ce qui vaut la peine d'être préservé dans notre société », concluait Stephenson. Les trahisons en série qu'il découvrit après la guerre l'incitèrent à modifier sa conclusion : « L'excès inverse présente autant de dangers. »

En 1945, Gouzenko ne pouvait imaginer ce qui se passerait à l'heure actuelle, même dans ses pires cauchemars. L'espionnage qu'il dénonçait alors n'en était qu'à ses balbutiements. On assiste à présent à une véritable escalade des opérations soviétiques dans le pays qui fut le plus choqué par les révélations du transfuge. « Aux États-Unis, le nombre de fonctionnaires étrangers se livrant à des activités hostiles à leur terre d'accueil a augmenté de 400 % ces douze dernières années, souligna l'attorney général William French Smith. A une époque, on comptait environ un homme du FBI pour un agent ennemi. Maintenant, ces derniers se sont tellement multipliés que notre contre-espionnage est dépassé. »

Smith faisait allusion aux missions diplomatiques soviétiques qui mettaient les téléphones publics sur écoute, volaient des secrets industriels et achetaient des renseignements commerciaux sur tout le territoire américain, de Manhattan à Silicon Valley. Ce genre de choses se produisait aussi à Londres et à Paris, ainsi que dans d'autres capitales occidentales, mais l'opinion publique ne l'apprenait que lorsqu'on procédait à des expulsions

424

massives d'agents russes opérant sous couverture diplomatique. On réussit à en prendre un grand nombre au piège en recourant à ce que William Webster, directeur du FBI, appelait les « techniques de neutralisation ». En 1983, il révéla que l'on avait neutralisé en douceur une centaine d'agents communistes dans les trois ans qui venaient de s'écouler grâce à ces méthodes. Le jour où l'on s'aperçut qu'un diplomate du bloc soviétique sur trois était en fait un espion, le FBI repéra les coupables et entreprit de leur rendre la vie impossible. Moscou ne tarda pas à les rappeler parce qu'ils étaient devenus improductifs.

Cette multiplication des opérations soviétiques signifiait-elle que l'intervention de Gouzenko n'avait servi à rien? Gouzenko avait été sauvé par la publicité faite autour de son affaire et, en fait, c'est la libre circulation de l'information qui finit par mettre l'Occident sur ses gardes. Le transfuge était d'ailleurs persuadé que seule la proximité des États-Unis et de leur presse libre avait poussé le Canada à renforcer les procédures de sécurité. Au moment où Gouzenko travaillait encore à l'ambassade soviétique, les agents chargés de l'écoute des communications radio surprirent les premiers murmures d'une nouvelle ère de la trahison. Si BRIDE et autres systèmes étaient à présent éclipsés, leur coordination avait néanmoins tissé les liens qui permirent de résister aux attaques des Soviétiques contre l'Alliance atlantique. Le NSA (National Security Agency) collaborait maintenant étroitement avec le quartier général des communications britanniques pour l'étude des transmissions russes, en dépit des scandales d'espionnage que certains s'ingéniaient à amplifier dans l'espoir de nuire à cette fructueuse association. Le NRO (National Reconnaissance Office) « digérait » pour les alliés les renseignements recueillis par des satellites utilisant la chaleur, le rayonnement, la lumière et le son. Le DIA (Defense Intelligence

425

Agency) centralisait les informations rassemblées par les gouvernements alliés et élaborait des synthèses concernant les capacités opérationnelles et les plans de l'ennemi.

Aujourd'hui, le premier objectif des services secrets occidentaux est de traverser les murailles édifiées par les pays totalitaires. C'est le seul moyen pour les sociétés libres de se mesurer à la puissance secrète d'une société fermée dont le vaste empire était, en 1983, gouverné par Youri Andropov, l'homme qui, pendant quinze ans, avait tenu les rênes de la Quatrième Arme la plus redoutable du monde, le KGB.

Andropov s'était servi de ce formidable tremplin politique pour réclamer le premier poste du parti. D'après les estimations d'experts du SIS et de la CIA, son énorme bureaucratie comptait 40 000 clercs et 90 000 administrateurs et superviseurs derrière les 1 500 000 informateurs, fonctionnaires et agents du KGB s'acquittant de la tâche essentielle du KGB – le contrôle à l'intérieur des frontières. Pour les opérations extérieures, on dénombrait 250 000 espions du KGB placés dans les ambassades, légations, consulats, missions commerciales, transports aériens, ou au service de l'étranger. Et il s'agissait là d'estimations minimales. Elles donnaient un aperçu de l'étendue des pouvoirs d'Andropov et révélaient sa volonté de maintenir l'unité interne du pays. Le premier rôle du KGB était de tuer dans l'œuf toute velléité de dissidence à l'intérieur des frontières soviétiques, une résurgence de la peur obsessionnelle de Staline de voir naître un mouvement révolutionnaire qui irait chercher des appuis à l'extérieur.

Sonder le cœur du KGB nécessitait plus que des fuites inopinées ou de nouveaux progrès technologiques. Gouzenko avait demandé que l'on prenne des mesures pour séduire les transfuges potentiels. A l'époque de sa défection, on ne savait pas comment s'y prendre avec ces « enfants terribles ». Jusqu'aux années 80, on considéra les transfuges comme la meilleure source de renseignements, les satellites ne pouvant que confirmer les informations qui arrivaient directement du Kremlin. Le Centre de Moscou, conscient de cet état de choses, possédait à présent un programme d'entraînement élaboré pour les faux transfuges qui, pour paraphraser Lénine, « iraient dire à l'Occident ce qu'il a envie d'entendre ».

Si nous avions tenu compte des suggestions de Gouzenko, nous aurions pu gagner cette bataille des cerveaux. Les Soviétiques faisaient des promesses mirobolantes aux agents que le KGB recrutaient à l'étranger. La femme d'un homme de la CIA pris en flagrant délit d'espionnage déclara : « Mon mari et le recruteur du KGB avaient les mêmes problèmes professionnels... Bien sûr, l'homme du KGB cultivait mon époux. Pourtant, il faut avouer qu'ils avaient plus de choses en commun tous les deux qu'avec le monde extérieur. »

Trente ans avant, Gouzenko avait proposé un projet qui garantirait pour les transfuges du bloc soviétique des conditions de vie décentes, un travail, une nouvelle citoyenneté et une reconnaissance tangible. Au lieu de l'écouter, on avait négligé cette victime des campagnes de diffamation orchestrées par les Russes, et sa destinée ne risquait guère d'inciter d'autres agents à suivre son exemple.

« Il n'y a pas de secrets », clamait le KGB tout en continuant à détruire la vie et la réputation de quiconque osait livrer à l'étranger ce que les Soviétiques considéraient bel et bien comme des secrets, c'est-à-dire tout ce qui n'entrait pas dans le cadre de la propagande officielle.

Il est vrai que, dans les sociétés démocratiques, la notion de secret n'aurait pas dû exister, mais il était difficile d'y échapper quand l'autre moitié du monde y

427

recourait systématiquement et se refermait sur elle-même. Ce que le « père de la bombe atomique », J. Robert Oppenheimer, avait dit des physiciens atomistes pouvait aussi s'appliquer aux spécialistes du renseignement : « Dans un sens, ils ont connu le péché et ils resteront à jamais marqués par cette expérience. »

Stephenson estimait que, pour lutter efficacement contre le KGB, l'Occident devait utiliser la seule arme que les Soviétiques ne possédait pas : la liberté de la presse. « Les archives des journaux ne s'évaporent pas. Les articles sont classés le jour de leur parution, et on ne peut pas les falsifier. »

En temps de guerre, certaines révélations devaient attendre; en de telles circonstances, il était indispensable de garantir l'inviolabilité des dossiers confidentiels. Sinon, il fallait les rendre publics, c'était la meilleure défense contre les déformations opérées par le KGB. Les rédacteurs en chef avaient un respect inné de la vérité. Pour appuyer ses dires, Stephenson citait C. P. Scott du *Guardian* : « Si le commentaire est libre, les faits sont sacrés. » Les journalistes écrivaient l'histoire sur le vif. Leurs reportages étaient destinés à tous, ouverts à toutes les contestations. A l'opposé, les petits mensonges des informateurs qui travaillaient dans l'ombre polluaient l'esprit des hommes au pouvoir. Ceux qui récrivaient l'histoire servaient leurs propres fins.

Pour écarter le danger d'une alliance suprême des bureaucrates du renseignement, préserver la démocratie, la rectitude morale et sauvegarder la droiture des services secrets, il fallait mettre le public au courant.

Stephenson n'était-il pas en train de prôner une contradiction? Comment concilier le secret et la nécessité de mettre le public au courant?

« C'est bien le fond du problème, déclara Stephenson. Depuis la défection de Gouzenko, la puissance destructrice de l'atome et du renseignement est aux mains d'une élite internationale. L'homme de la rue se débat sous un flot d'informations, tout en soupçonnant qu'on lui tait encore certains faits. La bombe d'Hiroshima a eu des répercussions que l'on a soigneusement cachées jusqu'en 1955, quand l'élite décida que le public pouvait affronter la vérité sur les radiations. Aujourd'hui, ce même public est confronté à une vérité encore plus troublante : les poussières radioactives provoquées par l'explosion d'une bombe d'une mégatonne peuvent toucher des populations vivant à cent kilomètres de l'impact.

« Le besoin de vérité du public a fini par faire sortir de l'ombre les techniques de la guerre secrète. Les enquêtes menées par les services secrets depuis vingt ans ont révélé l'existence de catastrophes et d'humiliations dues à des " actions clandestines " qui ont échoué.

« Le public sait à présent que dans cette Allemagne que les forces occidentales occupaient au moment de la bombe d'Hiroshima, s'entassent aujourd'hui quelque six mille ogives nucléaires. Mais le public sait-il que des prostituées à la solde des services secrets achètent et vendent des secrets en Allemagne de l'Ouest ? Que sait le public de l'achat et de la vente de nazis ? Des échanges secrets d'espions ? De la commercialisation du " patriotisme " ? »

On ne pouvait pas refermer le dossier Corby tant que de telles dissimulations persisteraient. Je me trouvais aux côtés de Stephenson dans sa maison des Bermudes. Mon hôte évoqua Herbert Lyons, « qui, avec la fondation Nieman, lutta pour l'objectivité du journalisme aux États-Unis ». Lyons, au début de la télévision, dépassa son temps d'antenne pendant un flash d'informations. Un réalisateur essaya de l'interrompre. « Pas la peine de me faire des signes, jeune homme, s'exclama Lyons. Je vous préviendrai quand j'aurai fini. »

Stephenson nous préviendrait quand il aurait fini.

40

GARDER
LES YEUX OUVERTS

Il symbolisait une autre époque, ce temps où l'évaluation des renseignements était effectuée par des individus et non par des commissions ou des ordinateurs. On se rendait compte à présent que les services secrets d'après guerre n'avaient pas toujours su utiliser le flot d'informations issu de cette technologie que Stephenson avait contribué à mettre au point. Maintenant, les satellites et les avions-espions pouvaient photographier n'importe quoi sur la planète. Des rayons laser captaient des conversations grâce à la vibration des vitres. Dans le monde entier, la plupart des communications pouvaient être écoutées. Et que faisait-on de cette masse de renseignements récoltés par la haute technologie ? On recrutait souvent les analystes sur les campus. Ils acceptaient parce que le salaire offert était confortable. Dick Ellis, quant à lui, n'avait jamais gagné plus qu'un conducteur d'autobus. On avait diminué sa maigre retraite parce qu'il avait pris des risques – de tels risques que sa réputation en avait souffert, et ses mésaventures inciteraient certainement les futurs officiers du renseignement à bien réfléchir avant de prendre une décision personnelle, prêtant à la controverse. Si l'objectif des agents du KGB était de faire disparaître la race des excentriques créatifs et des hommes qui savaient repérer la vérité, ils y étaient parvenus.

Ray Cline, un ancien membre de la CIA qui appartenait au Centre des études stratégiques de Georgetown, avait suggéré que la CIA abandonne les opérations clandestines pour se consacrer au renseignement proprement dit, au grand jour.

« Cela ressemble beaucoup à ce que font les bons journalistes à l'heure actuelle », remarqua Stephenson. Et il cita à nouveau les paroles de M. Dolivet, l'espion français qui n'en était pas un : « Dans la grande bataille que nous livrons pour sauvegarder la paix et la liberté, si nous voulons que des hommes libres se dressent devant l'agresseur, la presse libre doit respecter les nobles règles de l'éthique démocratique. »

Un vieux proverbe russe lui vint à l'esprit. Stephenson soupira. « Les vieillards oublient... » Il fronça les sourcils. « Alexandre Soljenitsyne, c'est ça ? » Oui, c'était bien lui qui avait mentionné ce proverbe. Le pauvre homme! On disait que l'écrivain russe craignait de mourir avant d'avoir pu mener sa tâche à bien. « La vie est injuste, reprit Stephenson. Moi, j'ai quatre-vingt-sept ans, et si cela continue, il faudra qu'on m'achève. »

Pourquoi ne pas tranquillement profiter du temps qui lui restait à vivre ?

— Mais j'en profite, protesta le vieux maître espion. Je ne bouge pas de ce fauteuil.

Sa secrétaire apparut.

— Sir William? Est-ce que nous sortons aujourd'hui? Elle me lança un regard suppliant. Cela fait presque une semaine qu'il n'a pas déjeuné dehors.

Je connaissais ces déjeuners. Il veillait au bien-être de ses invités, mais lui n'avalait rien.

Il se redressa et se donna un coup de poing dans l'estomac.

— Vous voyez! Si je peux encore le faire à mon âge, c'est

grâce à l'entraînement que j'ai reçu dans l'armée de l'air canadienne. Il me regarda, les yeux brillants. Un vieux croulant qui ne veut pas lâcher prise.

— Alors? Vous sortez? insista la secrétaire.

Le téléphone sonna.

— Ce proverbe russe dit...

La secrétaire revint.

— C'est quelqu'un qui désire vous parler de l'affaire, Sir William.

Stephenson leva la tête. Ragaillardi, il se dirigea vers la porte en s'appuyant sur sa canne. Entendant le cliquetis du téléscripteur, il s'arrêta.

— Ce proverbe russe...

J'essayais de ne pas trahir mon inquiétude devant son équilibre précaire.

— Je m'en souviens maintenant.

Je m'en serais douté.

— Si vous vous appesantissez sur le passé, vous perdrez un œil! Mais oubliez le passé, et vous perdrez les deux!

Et brandissant sa canne, Intrepid partit voir ce qu'il y avait au bout de ses fils invisibles. Peut-être allait-il enfin découvrir l'indice qui lui permettrait de connaître la véritable identité du « monsieur qui venait d'Angleterre » de Gouzenko.

Imprimé en France
par la SOCIÉTÉ NOUVELLE FIRMIN-DIDOT
Dépôt légal : avril 1986
N° d'édition : 3884 — N° d'impression : 3879